Thérèse Raquin

W.
불꽃 컬렉션

각성
케이트 쇼팽

테레즈 라캥
에밀 졸라

그들의 눈은 신을 보고 있었다
조라 닐 허스턴

테레즈 라캥

에밀 졸라 지음

윤미연 옮김

월북

욕망하라, 얻을 것이니

이다혜(작가, 기자)

태초에 욕망이 있었다. 그러니까, 어머니 된 자의 욕망이.

라캉 부인은 다정하고 부드러운 눈길로 아들과 조카딸을 바라보았다. 부인은 그들을 부부로 맺어줘야겠다고 오래전부터 마음먹은 터였다. 라캉 부인에게 아들 카미유는 여전히 죽어가는 환자였다. 몸이 성치 않은 아들을 혼자 남겨두고 언젠기는 세상을 떠나야 한다는 생각을 하면 온몸이 떨렸다. 그래서 부인은 테레즈에게 아들을 맡길 생각이었다. 그 아이라면 언제까지나 카미유를 곁에서 세심하게 돌봐줄 것 같았다. 한 치의 흔들림도 없이 묵묵히 헌신하는 조카딸을 보고 있노라면 저절로 무한한 신뢰감이 들었다. 그는 테레즈가 일을 어떻게 하는지 오랫동안 지켜봐왔기 때문에, 그 아이를 아들의 수호천사로 삼고 싶었다. 둘의 결혼은 예정된 수순이었다.

『테레즈 라캥』을 어디에서부터 설명할 수 있을까. 병약한 카미유? 격정의 테레즈? 글쎄, 아들 카미유를 위한 도구로 테레즈를 받아들인 라캥 부인으로부터 시작해보면 어떨까. 마침맞은 신붓감 혹은 수호천사 또는 간호사 정도로 여긴 조카가 아들의 아내가 되어 곁에 머물며 짓는 고요한 무표정이 사실은 억눌린 욕망의 징조라는 사실을 가뿐히 무시한 라캥 부인으로부터. 타인의 욕망을 보지 않고자 하는 욕망으로부터. 모든 건 괜찮아 보였다. 테레즈는 "스스로를 오로지 타인을 배려하고 타인에게 헌신하는 수동적인 기계처럼 만드는 데 모든 의지를 쏟았다." 매일 저녁이면 차가운 잠자리에 들었다가 아침이면 공허한 하루를 맞이하면서, 너무도 황량하고 무미건조한 인생이 자기 앞에 펼쳐지는 것을 보면서.

젊은 여자의 욕망을 길들이고 다스릴 수 있는 것으로 본 시어머니 된 자의 욕망은 아들이 데려온 어렸을 적 친구인 로랑에 의해 분쇄된다. 어느 날 카미유는 "어깨가 딱 벌어진 건장한 남자"로랑을 집으로 데려와 어머니에게 소개한다. 그리고 에밀 졸라는 자신의 첫 자연주의 소설인 『테레즈 라캥』에서 카메라처럼 집요한 시선으로 능숙하게 펜을 놀린다. 이 시선의 주인은 테레즈다.

테레즈는 그때껏 사내다운 사내를 본 적이 없었다. 그래서 키가 크고 건장한 데다 생김새도 시원시원한 로랑을 보고 속으로 놀랐다. 테레즈는 은근히 감탄하면서, 굵고 뻣뻣한 검은 머리칼 사이로 보이는 그의 반반한 이마와 두툼한 뺨, 붉은 입술, 혈색 좋은 반듯한 얼굴을 찬찬히 뜯어보았다. 그러다가 한순간 그의 목덜미에 시선이 멈췄다. 기름기 도는 굵고 짧은 목은 강인해 보였다. 테레즈의 시선은 더 아래로 내려가 무릎 위에 가지런히 올려놓은 그 남자의 두툼한 손에 오랫동안 머물렀다. 손가락 마디마다 각이 진 손은, 주먹을 쥐면 엄청나게 커서 황소라도 때려눕힐 수 있을 것 같았다.

젊은 남자의 몸을 음미하는 이 시선은 시차 없이 응답받는다. 로랑에게는 여자를 살 만큼 돈이 충분하지 못했고 싸구려 식당의 음식으로는 만족할 수 없다는 문제가 있었는데(둘 다 육체적 갈증을 충족시키지 못하는 문제다), 이 문제를 모두 해결할 수 있는 대상이 눈앞에 등장한 것이다. 로랑은 카미유의 가족 앞에서 누드모델 이야기를 늘어놓다가 자신을 응시하는 테레즈의 눈빛을 알아차리고는, 카미유의 초상화를 그려주겠다는 핑계를 찾아낸다. 매일 저녁 이 집의 손님이 될 핑계를. 또한 로랑은 이내 낮의 손님이 된다. 아래층의 가게에서 카미유의 어머니가 일하는 동안 위층의 집에서 테레즈와 로랑은 육체관계에 탐닉한다. 그러고는 집을 빠져나가 저녁이 되면 카미유와 함께 가정의 손님 자격으로 다시 테레즈와 만난다. 카미유의 눈에는 그들이 다소 소원해 보이고, 심지어 서로를 경멸하는 듯 보이기도 한다. 낮의 밀회가 8개월쯤 지속되고 직장에서 잦은 외출이 문제시되자, 로랑과 테레즈는 절박해진다. 로랑의 욕망은 욕정에서 다른 것으로 변한 듯 보인다. "난 당신 남편이 되고 싶어." 그리고 놀라울 정도로 빠르고 자연스럽게 로랑은 문제를 해결할 극단적인 방법을 찾아낸다. "아! 당신 남편이 죽어버린다면……." 두 사람은 살인을 계획하고 실행에 옮긴다. 이제 모든 문제는 해결된 것처럼 보인다…….

『테레즈 라캥』이 시대를 초월해 아름다워지는 부분은 욕망이 작동하는 과정을 징그러울 정도로 생생하게 보여준다는 데 있다. 테레즈와 로랑이 (테레즈와 카미유의) 부부 침실에서 대낮에 성관계를 갖는 대목이 아니라, 카미유를 죽임으로써 그들의 욕망이 충족된 순간 욕망이 사라진다는 사실을 드러내는 대목에 있다. 욕망의 작동 원인 중 가장 거대한 추동력이 금지에 있음을, 금지가 사라진 뒤에야 비로소 선명하게 깨닫는 것이다. 금지가 없다면? 욕망도 없다.

마치 그 살인이 그들의 육체적 욕망을 잠재워버린 것 같았다. 그토록 그들을 애끓게 했던 탐욕스러운 욕망이 카미유를 살해함으로써 완전히 채워진 것 같았다. 그 범죄가 그들에게 너무도 강렬한 쾌감을 불러일으켜서 이제는 육체관계가 오히려 불쾌하고 혐오스럽게 느껴지는 듯했다.

그들은 욕망의 대상에서 살인의 공모자가 되었다. 그 계획이 성공적으로 실행되고 나자, 서로의 살이 닿을 때면 뭔지 모를 불편함을 느낀다. 서로에게 무관심해지고 겁을 먹는다. 또 한편으로, 징벌에 대한 은밀한 두려움을 느끼기 시작한다. 둘은 더 이상 서로를 견딜 수가 없고, 이제는 상대를 죽여야 한다는 생각에 이른다. 욕망의 누리에 따르면 금지되었기 때문에 원했던 것이므로 금지가 사라진 자리에는 더 이상 욕망이 설 자리가 없게 되어버린다. 그동안의 희열도 열정도 모두 금지가 만들어낸 허상에 불과했다는 사실을, 금지도 욕망도 모두 사라진 폐허에서 비로소 실감하는 것이다.

로랑은 "테레즈와 결혼할 수밖에 없다"고 생각하기에 이른다. 욕망은 이제 새로운 강제가 된다. 결혼하는 까닭은 그 여자를 사랑하기 때문도, 욕망하기 때문도 아니다. 그 여자와 결혼하지 않으면 "자기가 쓸데없이 사람을 죽인 꼴"이 되기 때문이다. 범죄의 원인이었던 찬란해 보인 격정은 이제 쓸모없는 군더더기가 된다. 하지만 "테레즈를 생각하자 그 남편의 유령이 따라왔다." 그의 정신은 그를 관능적 쾌락과 끔찍한 공포로 이끌고 간다. 테레즈에게도 남편의 유령이 찾아온다. "숨 막힐 듯 뜨겁게 그를 꽉 끌어안던 정부가 어느새 익사체로 변해 썩어가는 얼음장처럼 차가운 가슴으로 그를 짓누르는 꿈을 연이어 꾸었다." 둘의 사랑을 방해하는 걸림돌이라고 여겼던 것은 사실 욕망을 사랑이라고 착각하게 만들 정도로 대단한 추동력이었던 것이다.

『테레즈 라캥』은 박찬욱 감독의 영화 〈박쥐〉의 모티프가 된 작품으로 알려지기는 했지만, 감독의 인터뷰에 따르면 최초의 아이디어는 〈박쥐〉, 〈테레즈 라캥〉 두 편의 별개 영화로 구상했다. 현대 서울에서 벌어지는 이야기로 따로 만들려던 〈테레즈 라캥〉을 〈박쥐〉 기획과 합쳐 완성한 결과가 영화 〈박쥐〉라는 것이다. 영화에서 뱀파이어가 되는 상현 캐릭터를 먼저 만들고 나서 사랑에 빠지는 상대 여성을 고심하다가 결합된 캐릭터가 테레즈 라캥인 셈이다. 그런데 『테레즈 라캥』을 읽어보면 욕망에 대한 해석은 『테레즈 라캥』 쪽이 보다 적확하다고 생각하게 된다. 영화가 로랑을 유령만큼이나 유령 같은 존재인 뱀파이어 상현으로 만들어버림으로써 욕망의 대상도 그 이유도 어딘가 모호해져버린 것은 아닌가 싶다. 게다가 오로지 아들만을 생각하는 것처럼 보였던 라캥 부인이 조카인 테레즈에게 다시 삶의 활력을 불어넣기 위해 로랑과의 결혼을 기획하는 순간에 느끼게 되는 아이러니와, 그렇게 다시금 궁지에 처해 (원했던 일이 이루어지는 순간 진정한 불행이 펼쳐진다!) 극심한 갈등 관계에 접어드는 두 주인공의 모습은 소설에서 비로소 생생해진다.

 『테레즈 라캥』에는 에밀 졸라가 소설의 2판에 붙인 작가 서문이 수록되어 있다. 이 소설이 발표된 뒤 발생한 부도덕하다는 논란에 대해 그는 "나의 목적이 철저하게 자연과학에 기초한 것이었음이 이제 명확히 이해되었으면 한다"면서, "『테레즈 라캥』에서 나는 인물이 아니라 기질을 연구하고자 했다. 이 책 전체를 통해 내가 말하고자 하는 바는 바로 이것이다. 나는 자유의지 없이 자신의 신경과 피에 완전히 지배당하는 인물, 억제할 수 없는 육체적 본능에 따라 행동하는 인물을 선택했다. 테레즈와 로랑은 인간이라는 동물이다."라는 집필 의도를 밝혔다. "나는 마치 검시관이 시신을 부검하듯 살아 있는 두 육체에 분석적 방법을 적용했을 뿐이다."라는 문장은 그의 자연주의의 본질을 드러내는 듯하다.

이 소설이 읽는 이를 불편하게 만든다면 욕망하기에 욕망하는 것이 아니라 금지되었기에 욕망한다는 사실을 드러내며, 가린 눈을 억지로 뜨게 만들기 때문일 것이다. 깊숙이 서로의 생각을 이해한다는 사실은 부부에게 축복인가 저주인가. 두 사람을 공범으로 만드는 일은 그들을 한편으로 만드는가 적으로 만드는가. 그들은 서로의 얼굴에서 은밀한 계획을 읽어내며 가엾게 여기고 또한 두려워하며 결말로 치닫는다. 그 모든 과정이 적나라하게 에밀 졸라의 펜 끝에서 생생하게 그려진다.

금지된 것을 욕망하는 것은 놀랄 일이 아니지만 금기시된 욕망을 실현시키는 일이야말로 두려워할 일이다. 욕망하라, 얻을 것이니. 그렇게 당신은 이제 마지막이 될 찬란한 만족의 순간을 맞아들인다.

작가 서문

나는 이 소설에 서문을 덧붙일 필요가 없을 거라고 단순하게 생각했었다. 글을 쓸 때 항상 내 생각을 명확하게 표현하고 아주 세세한 부분까지도 꼼꼼하게 근거를 제시하며 강조하는 습관이 있기 때문에 따로 설명하지 않아도 사람들이 내 의도를 충분히 이해하고 판단하리라 생각했던 것이다. 그런데 내가 한참 잘못 생각한 것 같다.

　비평가들은 화난 목소리로 거칠게 비난을 퍼부었다. 도덕적인 이들은 역겨워 못 견디겠다는 듯 오만상을 찌푸리며 내 책을 불 속에 던져 넣듯 도덕적인 신문들에 투고를 이어 갔다. 심지어 매일 저녁 사랑방이나 거실 벽난로 앞에서 오고 갈 법한 잡담 수준의 기사를 싣는 삼류 신문들조차 코를 틀어막으며 내 책이 악취가 진동하는 추잡한 책이라고 떠들어댔다. 나는 이런 반응에 불평하는 것이 아니다. 오히려 내

동료들이 소녀처럼 여리고 예민한 감성을 가졌다는 사실을 알게 되어 무척 기뻤다. 여하튼 내 작품은 분명히 나의 심판관들에게 넘겨졌고, 그들은 내 작품이 역겹다고 생각할 수 있으며, 나는 그 사실에 항의할 권리가 없다. 단지 불만스러운 것은,『테레즈 라캥』을 읽으면서 얼굴을 붉힌 그 도덕군자들 중에서 이 소설을 이해한 사람이 단 한 명도 없는 것 같다는 점이다. 이 소설을 제대로 이해했다면 그들은 아마도 한층 더 얼굴을 붉혔을 것이다. 그랬더라면 지금 나는 그들이 정당한 이유로 역겨워하는 모습을 보면서 깊은 만족감을 맛보고 있었을 것이다. 명망 높은 문필가들이 자신들이 무엇에 관해 그토록 강력하게 외치는지도 모르는 채 타락에 대해 떠들어대는 소리를 듣는 것만큼 짜증 나는 일은 없다.

그러므로 나는 나의 심판관들에게 내 작품을 직접 설명할 필요성을 느낀다. 앞으로 발생할 수 있는 모든 오해를 막기 위해 내 소설을 여기서 간략하게 요약해 해설하겠다.

『테레즈 라캥』에서 나는 인물이 아니라 기질을 연구하고자 했다. 이 책 전체를 통해 내가 말하고자 하는 바는 바로 이것이다. 나는 자유의지 없이 자신의 신경과 피에 완전히 지배당하는 인물, 억제할 수 없는 육체적 본능에 따라 행동하는 인물을 선택했다. 테레즈와 로랑은 인간이라는 동물이다. 나는 이 짐승들이 드러내는 욕정의 은밀한 작용, 본능의 충동, 신경 발작에 이어 느닷없이 일어나는 정신적 혼란 같은 것을 하나하나 따라가고자 했다. 나의 두 주인공들에게 사랑은 욕구의 충족이다. 살인은 그들이 저지른 간통의 결과이며, 그들은 마치 늑대가 양을 죽이듯 살인을 한다. 그리고 그들이 느끼는 후회는 단순한 기질적 이상 현상이자 생물학적 혼란 상태, 즉 끊어질 듯 팽팽하게 당겨진 신경 체계의 반란이라 명명할 수밖에 없다. 그들에게 영혼은 완전히 부재한다. 나는 그것이 내가 의도한 점이라는 사실을 시인한다.

　나의 목적이 철저하게 자연과학에 기초한 것이었음이 이제 명확히 이해되었으면 한다. 나의 두 인물인 테레즈와 로랑이 창조되었을 때, 나는 스스로 문제를 제기하고 그것을 풀어나가며 즐거움을 느꼈다. 나는 서로 다른 두 기질 사이에서 일어날 수 있는 기이한 결합을 조명하려 했으며, 다혈질적인 본성이 신경질적인 기질과 접촉했을 때 일어나는 극심한 혼란 상태를 보여주었다. 이 소설을 주의 깊게 읽는다면, 각각의 장이 어떤 특이한 생리학적 사례에 관한 연구임을 알게 될 것이다. 요컨대 나는 오직 한 가지 욕망밖에 없었다. 그것은 성적 욕구가 유달리 강한 남자와 육체적 쾌락을 충족시키지 못한 여자의 동물적 면모를 찾아내 그 동물성만을 살펴보고, 그들을 하나의 난폭한 드라마 속에 던져놓고서 그들의 감정과 행동을 꼼꼼하게 기록하겠다는 욕망이었다.

나는 마치 검시관이 시신을 부검하듯 살아 있는 두 육체에 분석적 방법을 적용했을 뿐이다.

진실을 탐구하며 완전한 만족감에 빠져들었지만, 거기서 빠져나왔을 때 오로지 외설적인 그림을 그리려 했을 뿐이라는 비난을 듣는 것은 괴로운 일이 아닐 수 없다. 나는 누드 모델에게 성적 충동을 전혀 느끼지 않고 눈앞의 나체를 묘사했지만 그림이 너무 생생하다는 이유로 평론가들에게 거친 비난을 받고 놀라는 화가와 같은 처지에 놓여 있다.

『테레즈 라캥』을 쓰는 동안 나는 세상을 잊고 완전히 몰두해 인간의 메커니즘을 분석하면서 삶을 정확하고 세밀하게 모사하는 데에 나의 모든 역량을 쏟아부었다. 그러므로 테레즈와 로랑의 잔혹한 사랑이 나에게는 전혀 부도덕하지 않으며, 추잡한 욕정을 불러일으키려는 의도 따위는 없었다고 자신한다. 벌거벗은 채 누운 여인이 눈앞에 있지만 오직 그 여인의 형태와 색을 있는 그대로 화폭에 옮기는 일에만 온 신경을 집중하는 화가가 그러하듯, 나 역시 표본들의 인간적인 측면에는 관심을 기울이지 않았다. 그러니 내 작품이 진흙탕, 피의 수렁, 오물로 가득 찬 시궁창 취급을 받았을 때 내가 얼마나 놀랐겠는가? 나는 비평가들이 즐기는 고약한 유희를 익히 안다. 나 자신도 그 놀이를 즐겼으니까. 하지만 고백건대, 너나 할 것 없이 만장일치로 나를 공격해오자 조금 당황했다. 이럴 수가! 동료 작가들 중에 내 책을 두둔해주는 것은 고사하고, 내 책을 설명해줄 이가 어떻게 단 한 명도 없단 말인가!

　"『테레즈 라캥』의 작가는 포르노그래피를 늘어놓고 즐기는, 정신이 병든 몹쓸 인간이다!"라고 합창하듯 외치는 목소리 가운데에서, 나는 "아니야, 이 작가는 인간의 타락을 깊숙이 파고든 분석가일 뿐이야. 수술실의 의사처럼 인간 본성을 해부한 거야"라고 항변해줄 목소리를 헛되이 기다렸다.

　언론이 그들의 섬세한 감수성을 모욕하는 어떤 작품을 호의적인 눈길로 바라봐주기를 바라는 것이 결코 아니다. 그런 야심은 눈곱만큼도 없다. 나는 단지 내 동료들이 나를 일종의 문학적 하수구 청소부쯤으로 여겼다는 사실이 놀라울 따름이다. 그들은 소설 속 작가의 의도를 단 열 페이지만 읽고도 알아낼 수 있는 노련한 전문가들이기 때문이다. 그러므로 앞으로는 그들이 나를 있는 그대로 보고 내 본질 그대로 내 작품을 논의해주기를 겸허하게 간청하는 정도로 그치겠다.

　그렇지만 도덕성을 이유로 얼굴에 진흙을 집어 던지지 않고도, 얼마든지 『테레즈 라캥』을 이해하고 관찰과 분석을 통해 나의 진정한 잘못을 밝힐 수도 있었을 것이다. 물론 그러려면 약간의 지성과 진정성 있는 비평이 필요하긴 하다. 과학적인 관점에서 부도덕성을 비난해도 입증할 수 있는 것은 아무것도 없다. 나는 내 소설이 부도덕한지 어떤지 모르 겠다. 하지만 고백건대 나는 내 소설을 순화하고 정숙하게 다듬을 필요를 전혀 느끼지 못한다. 나는 도덕적인 사람들이 내 작품에서 발견하는 지저분한 부도덕성을 이 소설에 넣을 생각을 단 한순간도 하지 않았다. 가장 자극적인 장면을 포 함한 이 소설의 모든 장면은 과학적인 호기심만을 가지고 썼 으니까.

　나는 나의 심판관들에게 외설적인 부분이 도대체 어디 인지 알려달라고, 한 군데라도 짚어달라고 하고 싶다.『테레 즈 라캥』에 담긴 진실에 역겨움을 느꼈다는 그 신문들이 적 극적으로 추천하는 그 로맨스 소설들, 열렬한 환영을 받으며 만 부씩 팔려나가는 그 장밋빛 책의 독자들, 침실과 무대 뒤 의 짜릿한 뒷얘기들을 원하는 독자들을 위해 끼워 넣은 대목 이 도대체 어디에 있는지 짚어보라고 말이다.

　지금까지 내 작품에 관해 쓴 여러 글에서 읽은 것이라고 는 모욕과 터무니없는 비난이 전부다. 이 사실을 나는 여기 서 아주 차분하게 말할 것이다. 나에 대한 비평가들의 태도 를 내가 어떻게 생각했는지 개인적으로 물어오는 친구들에 게 대답하듯이.

　내가 공감받지 못한다고 투덜거리자 한 저명한 작가는 이런 뜻깊은 말을 들려주었다.

"당신에게는 사람들의 반감을 불러일으킬 만한 심각한 결점이 있어요. 당신은 어떤 멍청한 사람이 스스로 멍청하다는 것을 깨닫게 하지 않고는 못 배기는 사람입니다."

문제는 바로 여기에 있는 듯하다. 나는 비평가들에게 지성이 부족하다고 비난하는 우를 범함으로써 스스로 화를 불러일으킨다. 그건 나도 잘 아는 사실이다. 하지만 그들의 편협한 시각과 방법론적으로 조금도 사고하지 않고 무턱대고 내리는 멍청한 판단에 경멸을 느끼지 않을 수 없다. 물론 이는 우리 시대의 비평계를 두고 말하는 것이다. 그 가운데에서도 특히 인간적인 작품을 이해하는 데 필요한 폭넓은 관점을 가지지도 못하고 그저 바보 같은 문학적 편견만으로 평가를 내리는 현재의 비평계가 문제다. 나는 그런 미숙함과 졸렬함을 여태껏 한번도 본 적이 없다.

『테레즈 라캥』과 관련하여 몇몇 비평가들이 나를 향해 날린 주먹질은 언제나 그렇듯 허공을 가르며 빗나갔다. 그 비평들은 본질적으로 잘못된 것이다. 그것은 짙게 화장한 여성 배우의 외설적인 동작에 갈채를 보내면서도 그가 왜 그런 동작을 취했는지는 전혀 이해하지 못하고, 이해하려 하지도 않으면서 그저 부도덕하다고 비난하며 계속 박수를 쳐대는 꼴이다.

자기가 저지르지 않은 잘못 때문에 두들겨 맞는 것은 화나는 일이다. 때때로 나는 외설물을 쓰지 않은 것을 후회한다. 영문도 모른 채 내 머리 위로 떨어지는 터무니없는 비난 세례를 받을 바에야, 단 하나라도 합당한 비난을 받는다면 그나마 기분이 좋아질 것 같다.

요즈음에는 책을 읽고 제대로 감상하고 평가할 수 있는 사람이 기껏해야 두어 명밖에 없다. 그들에게라면 기꺼이 비난받을 용의가 있다. 그들은 나의 의도를 파악하고 내 노력의 결과물을 제대로 이해하고 나서야 입을 열 테니까. 그들은 도덕성이니 문학적 품위니 하는 거창하고 공허한 단어들을 쓰지 않으려 조심할 것이다. 그들은 자유로운 예술이 인정되는 이 시대에 내가 적합하다고 생각하는 주제를 선택할 권리를 인정해줄 것이며, 오직 어리석음만이 문학의 품위를 위태롭게 한다는 것을 인식하면서 정직한 작품만을 나에게 요구할 것이다. 확실한 것은, 그들은 내가 『테레즈 라캥』에서 시도한 것과 같은 종류의 과학적 분석에 놀라지 않을 것이라는 사실이다. 이 작품을 읽으며 그들은 우리 시대가 미래를 만들어내려고 열광적으로 사용하는 도구인 보편적이며 현대적인 연구 방법을 알아챌 것이다.

결론이 어떠하건 그들은 나의 출발점, 즉 기질에 관한 연구를 인정할 것이며, 환경과 상황의 압박을 받으며 일어나는 유기체의 심오한 변화를 인정할 것이다. 나는 진정한 심판관들, 유치하지 않고, 부끄러워하지 않으면서 정정당당하게 진실을 추구하며, 해부학적으로 발가벗겨진 생체 조각들을 보고 혐오감을 느끼지 않는 사람들과 마주할 것이다.

진지한 연구는 불처럼 모든 것을 정화한다. 물론, 지금 이 순간 내 작품은 지극히 초라하게 보일 것이다. 그러나 나는 내 작품을 최대한 엄정하게 심사해달라고 비평가들에게 청원할 것이다. 내 작품에 삭제를 요구하는 검은 줄이 마구 그어지기를 진심으로 바란다. 적어도 내가 하지 않은 것 때문이 아니라 내가 시도한 것들 때문에 비난을 받는다면 나는 기꺼이 받아들이고 진심으로 흡족할 것이다.

과학과 역사와 문학에 통달하고 체계적이며 자연주의적인 비평가, 그 위대한 비평가의 판결문이 벌써 내 귀에 들리는 듯하다.

『테레즈 라캥』은 지극히 예외적인 사례에 관한 연구다. 현대의 삶을 다루는 드라마는 보다 유연하며 공포와 광기에 쉽게 속박되지 않는다. 이런 사례는 한 작품 내에서 뒷전으로 밀려난다. 자신이 관찰한 것을 하나도 잃지 않으려는 욕망 때문에 작가는 모든 세부 사항을 빠짐없이 드러냈고, 그로 인해 작품 전체에 한층 더 강한 긴장과 격렬함이 생겼다.

다른 한편으로 그의 문체는 분석적 소설에 필요한 단순함이 부족하다. 요컨대 지금 좋은 소설을 쓰려면, 더 넓은 시각으로 사회를 보고 사회의 다양한 측면을 묘사하며, 무엇보다 명확하고 자연스러운 언어를 사용해야만 한다."

　나는 어리석은 허위로 나를 짜증 나게 하는 이들의 공격에 스무 줄 정도의 글로 답하려 했다. 그런데 너무 오래 펜을 잡고 있을 때면 언제나 그렇듯이 어느새 나 자신과 이야기하는 나를 발견하게 된다. 독자들이 이런 것을 좋아하지 않는다는 것을 알기 때문에 여기서 이만 멈추겠다. 만약 나에게 선언문을 쓸 의지와 여유가 있었더라면, 아마도 나는 어떤 기자가 『테레즈 라캥』을 '타락한 문학'이라 부른 것에 항변하려 했을지도 모른다.

　하지만 그래봤자 무슨 소용이랴? 영광스럽게도 내가 속한 자연주의 작가 집단은 스스로를 방어할 수 있을 뿐만 아니라 견고한 작품을 생산해낼 충분한 용기와 힘을 갖고 있다. 비평가들의 맹목적인 편견 앞에서 소설가는 서문을 쓰지 않을 수 없다. 나는 명확한 것을 사랑하기 때문에 이런 글을 쓰는 우를 범했다. 그러므로 백주 대낮에도 등불을 밝혀주어야 겨우 사리를 분간할 수 있는 그런 사람들이 아닌 진정한 지성인들에게 심심한 용서를 구한다.

1868년, 2판에 붙인 서문
에밀 졸라

1

센강 둑을 따라가다 게네고가街 끄트머리에 다다르면 '퐁뇌
프 파사주'가 나온다. 마자린가에서 센가로 이어지는 이 좁
고 칙칙한 통로는 길이가 기껏해야 서른 걸음쯤 되고, 폭도
두어 걸음밖에 안 된다. 여기저기 깨지고 갈라진, 누리끼리
한 포석이 깔린 통로 바닥은 항상 축축하다. 통로 위를 덮은
유리 천장에는 시커먼 때가 덕지덕지 끼어 있다.

여름 해가 한낮의 거리를 뜨겁게 달굴 때에도, 이 통로
만큼은 시커먼 때가 들러붙은 유리 천장 때문에 힘을 잃은
흐릿한 빛이 초라하게 어른거린다. 안개가 자욱하게 낀 매서
운 겨울 아침이면 유리 천장은 더럽고 불쾌한 어둠, 밤 같은
어둠만을 눅눅한 포석 위에 던질 뿐이다.

통로 왼편으로는, 땅굴을 파고 들어앉은 듯 납작하게 쪼
그라진 칙칙하고 볼품없는 상점들이 다닥다닥 늘어서서 지

하의 서늘한 공기를 내뿜는다. 헌책방, 장난감 가게, 지물포 같은 상점들의 진열대 위에는 뿌연 먼지를 뒤집어쓴 잿빛 물건들이 어둠 속에서 흐리멍덩하게 잠들어 있다. 작은 격자무늬 창유리가 반사하는 야릇한 초록빛이 상품들 위에 어른거린다. 진열창 너머 음산하고 어두컴컴한 상점들 안에는 뭔가 이상한 형태들의 움직임이 보인다.

　오른편으로는 높은 벽을 따라 붙박이장같이 좁은 나무 진열장들이 늘어서 있다. 보기 흉한 갈색으로 칠해진 얇은 선반 위에는 20년 동안 잊힌 채 거기에 놓인 듯한 뭔지 모를 물건들이 널려 있다. 진열장 중 하나에는 모조 보석 가게 주인 여자가 상품들을 진열해놓았다. 그가 파는 싸구려 반지들이 푸른 벨벳이 깔린 적갈색 보석 상자 안에 얌전히 올려져 있다.

　유리 천장 너머에는, 대충 초벽질만 해놓아 마치 흉터로 뒤덮인 나병 환자의 피부처럼 시커먼 벽이 높다랗게 솟아 있다.

　퐁뇌프 파사주는 산책할 만한 장소가 아니다. 대체로 사람들은 멀리 돌아가지 않으려고, 몇 분이라도 시간을 아끼려고 이 통로를 이용한다. 한눈팔 틈도 없이 조금이라도 더 빨리 가야 한다는 생각뿐인 바쁜 사람들이 이곳을 지나가는 것이다. 작업용 앞치마를 두른 수습공들, 완성된 물품을 옮기는 직공들, 짐을 둘러메거나 꾸러미를 안고 가는 사람들을 이곳에서 볼 수 있다. 유리 천장에서 내려앉는 음울한 황혼 속을 느릿느릿 걸어가는 노인들, 방과 후 나막신을 요란하게 딸깍이며 포석 위를 달려가는 어린아이들도 보인다. 이곳에서는 신발 바닥이 돌바닥에 딱딱 부딪치는 귀에 거슬리는 소리가 하루 종일 들쭉날쭉 부산스럽게 울려댄다. 대화를 하며 지나가는 사람은 아무도 없다. 한자리에 멈춰 서는 이도 없다. 다들 자기 일에 바빠 가게 쪽으로는 눈길 한번 주지 않고 고개를 숙인 채 빠르게 지나쳐 간다. 상점 주인들은 어쩌다가 기적처럼 자신의 가게 진열대 앞에 누군가가 멈춰 서기라도 하면 오히려 불안하다는 듯이 그를 쳐다본다.

해가 지면 묵직한 사각 유리등 안에 갇힌 가스등 세 개가 이 통로를 밝힌다. 유리 천장에 매달린 가스등이 얼룩 같은 엷은 다갈색 반점들을 진열창에 던지면, 희미한 빛의 동그라미들이 그 주위에 내려앉으며 어른거리다가 사라진다. 이 통로는 우범지대처럼 을씨년스럽고 위험해 보인다. 커다란 그림자들이 포석 위에 늘어지고, 통로 밖 거리에서 습기를 머금은 축축한 공기가 흘러들어온다. 마치 세 개의 장례 등불로 밝혀놓은 어두침침한 지하 묘지의 통로 같다. 조명이라고 해봐야 변변찮은 가스등 세 개가 전부지만, 상인들은 가게 진열창을 밝혀주는 그 희미한 불빛에 만족하는 모양이다. 그들은 가게 안쪽 계산대 한 귀퉁이에 올려둔 갓 씌운 램프를 밝힐 뿐이다. 그 덕분에 행인들은 한낮에도 어두침침한 그 구멍들 안쪽에 뭐가 있는지 그나마 분간할 수 있다. 죽 늘어선 거무스름한 진열창들 가운데 한 지물포의 창유리가 환하게 빛난다. 등유로 불을 밝힌 램프 두 개가 어둠을 뚫고 노란 불꽃을 피워올린다. 맞은편에서는 유리 초롱 안에 켜놓은 양초 불빛에 보석 상자 안의 모조 보석들이 별처럼 반짝인다. 그 가게의 주인 여자는 붙박이 진열장 안쪽에 앉아 숄 아래 두 손을 파묻은 채 꾸벅꾸벅 졸고 있다.

몇 년 전만 해도 그 가게 맞은편에 짙은 녹색 판자 틈새마다 습기가 배어 나오는 그런 가게가 하나 있었다. 좁고 기다란 널빤지 간판에는 '잡화점'이라는 검은색 글자가, 가게 출입문의 창유리에는 붉은색으로 어떤 여자의 이름이 적혀 있었다. '테레즈 라캥.' 안에는 파란색 벽지를 바른 진열장들이 벽면을 가득 채웠다. 진열장들은 속이 아주 깊어서, 한낮에도 불빛이 없으면 진열된 상품들을 알아보기 힘들 정도였다.

한쪽에는 2~3프랑 하는 얇은 망사 모자, 모슬린 소매 끝동과 깃, 뜨개질 제품과 스타킹, 양말, 치마용 멜빵 같은 리넨 제품들이 얼마간 있었다. 하나같이 누렇게 변색되고 꼬깃꼬깃 구겨진 채 철삿줄에 처량하게 매달려 있었다. 진열장 선반에는 창백한 어둠 속에 희끄무레 스산해 보이는 천들이 빼곡하게 들어차 있었다. 새로 들여온 흰색 천 모자들은 푸른 벽지를 바른 널빤지 선반 위에서 유독 환하게 빛을 발하며 도드라져 보였다. 그리고 옷걸이에는 보일 듯 말 듯 흐릿한 시폰 천들 사이로 색 양말들이 거무튀튀한 점처럼 줄줄이 걸려 있었다.

그것보다 좁은 맞은편 진열장에는 커다란 초록색 양모 실타래, 흰색 판지에 주렁주렁 달아놓은 검은 단추들, 갖가지 색깔과 다양한 크기의 상자들, 동그랗게 말아놓은 푸르스름한 종이 위에 진열해놓은 쇠구슬 헤어네트, 뜨개바늘 꾸러미, 태피스트리 견본, 리본 타래, 5~6년은 족히 그곳에 처박혀 있었을 것 같은 하찮고 빛바랜 물건 더미가 층층이 쌓여 있었다. 먼지와 습기로 썩어가는 진열장 안에서 그것들은 하나같이 제 빛깔을 잃은 칙칙한 잿빛이었다.

한여름 오후에 햇살이 거리를 황갈색으로 불태울 때면, 맞은편 진열장의 헝겊 모자들 너머로 침울한 표정을 한 젊은 여자의 창백한 옆얼굴을 볼 수 있었다. 그 옆모습은 가게 안에 퍼진 어둠 속에서 희미하게 드러났다. 메마르고 좁은 이마 아래 가늘고 긴 코가 뾰족하게 매달린 얼굴이었다. 입술은 가느다란 연분홍색 선 두 개를 그어놓은 것 같았고, 짧고 뾰족한 턱이 부드럽고 관능적인 목선으로 이어졌다. 몸은 어둠에 묻혀 보이지 않았다. 윤기 없이 희붐하게 드러난 옆얼굴에는 커다란 검은 눈 하나가 구멍처럼 뚫려 있고, 다른 쪽 얼굴은 숱 많은 머리카락에 짓눌린 것처럼 가려져 있었다. 그 옆얼굴의 주인은 거기, 습기로 녹이 슨 옷걸이 때문에 줄무늬 얼룩이 진 두 개의 헝겊 모자 사이에서 몇 시간째 꼼짝도 하지 않고 가만히 앉아만 있었다.

저녁에 램프 불이 켜지면, 그제야 제대로 가게 안을 볼 수 있었다. 가게는 안으로 깊숙하기보다는 옆으로 길쭉했다. 한쪽 끝에는 계산대가 있고, 다른 쪽에는 2층으로 올라가는 나선형 계단이 있었다. 벽에는 진열장, 옷장, 초록색 종이 상자 들이 줄지어 늘어서 있었다. 그 외에 가구라고는 의자 네 개와 테이블 하나가 다였다. 구석구석에 포장된 채 빼곡하게 쌓인 상품들이 알록달록한 색깔을 드러냈지만, 그 공간은 썰렁하고 몹시 추워 보였다.

평소 계산대 너머에는 두 여자가 앉아 있었다. 침울해 보이는 옆얼굴의 젊은 여자와 미소를 머금은 채 조는 늙은 여자. 예순 살쯤 되어 보이는 늙은 여자의 기름지고 부드러운 얼굴은 램프 불빛을 받아 더 뽀얘 보였다. 계산대 한구석에서는 살찐 얼룩 고양이가 웅크리고 그 여인이 조는 모습을 지켜보고 있었다.

조금 아래쪽에는 서른 살쯤 되어 보이는 남자가 의자에

앉아 책을 읽거나 낮은 목소리로 젊은 여자와 뭔가 이야기를 나누기도 했다. 작은 키에 빼빼 말라 더 왜소해 보이는 그는 기운이 하나도 없어 보였다. 옅은 금발, 듬성듬성한 수염, 주근깨로 뒤덮인 얼굴은 병약해서 응석받이로 키운 어린아이 같아 보이기도 했다.

밤 10시가 다 되어갈 즈음, 졸던 늙은 여자가 잠에서 깨면 그 가족은 가게 문을 닫고 잠을 자러 위층으로 올라갔다. 얼룩 고양이도 가르랑거리면서 계단 난간 살 하나하나에 머리를 비벼대며 그들을 따라 올라갔다.

그 집 위층은 세 개의 공간으로 나뉜 곳이었다. 계단을 올라가면 응접실 겸 식당이 나왔다. 왼쪽 벽에는 도기 벽난로가 보였다. 정면에는 찬장이 있고, 그 옆으로 의자들이 벽을 따라 놓여 있었다. 방 한복판은 펼쳐놓은 접이식 원형 테이블이 차지했다. 유리 칸막이 너머 안쪽에는 어두컴컴한 주방이 있고, 식당 양옆으로 침실이 하나씩 있었다.

늙은 여자는 아들과 머느리에게 볼 키스를 한 뒤 자기 방으로 들어갔다. 고양이는 주방 의자에서 잤고, 두 부부도 자기들 방으로 들어갔다. 그 방에는 계단으로 통하는 쪽문이 하나 더 있었는데, 그 계단을 내려가 어둡고 좁은 샛길을 빠져나가면 곧바로 퐁뇌프 파사주가 나왔다.

항상 열이 나서 바들바들 떠는 남편이 침대에 눕는 사

이에, 젊은 여자는 열어놓았던 나무 덧창을 닫으려고 십자형 유리 창문을 열었다. 그는 파사주 위로 뻗어올라가며 펼쳐진, 거칠게 초벽질만 해놓은 거대한 검은 담벼락을 바라보며 몇 분 동안 그 자리에 그대로 서 있었다. 그렇게 텅 빈 눈으로 벽을 바라보다가, 시큰둥하고 무심한 표정으로 소리 없이 침대로 가 잠자리에 들었다.

2

라캥 부인은 이전에 베르농에서 잡화점을 운영했었다. 그는 거의 25년 동안 파리 인근에 위치한 그 시골 마을의 작은 가게에서 살았다. 남편이 죽고 몇 년 뒤, 모든 게 시들하고 무의미하게 느껴져 장사를 접었다. 가게를 처분하고 받은 돈과 그동안 모아둔 돈을 합하니 4만 프랑이라는 목돈이 라캥 부인의 수중에 떨어졌다. 그는 그 돈을 연금에 투자해 해마다 2000프랑의 수익을 얻을 수 있었다. 그만한 액수면 살아가기에는 충분했다. 그는 바깥세상의 온갖 쾌락과 즐거움, 신가한 근심 걱정 같은 것과는 담을 쌓은 채 자신만의 세계에 틀어박혀 조용하게, 평온하고 행복한 생활을 누렸다.

라캥 부인은 400프랑을 주고 센강 가로 이어지는 정원이 딸린 작은 집을 빌렸다. 아무도 모르게 숨겨진 듯한 그 집은 수도원 같은 분위기를 은은하게 풍겼다. 좁은 오솔길을 따라가다 보면 잡초가 우거진 넓은 풀밭이 나오고 그 한가운데 라캥 부인의 은둔처가 있었다. 집의 창은 강과 건너편 기슭의 헐벗은 언덕을 향했다. 오십 줄에 들어선 라캥 부인은 그 은둔처에 깊숙이 틀어박혀, 아들 카미유와 조카 테레즈 사이에서 잔잔한 기쁨을 맛보며 살았다.

그 당시 라캥 부인의 아들 카미유는 스무 살이었다. 그런데도 그는 여전히 아들을 어린아이 다루듯 하면서 불면 날아갈세라 감싸고돌았다. 어릴 때부터 오랫동안 죽음과 사투를 벌이며 살아온 병약한 아들이었기 때문에 부인은 지금까지도 아들을 옆에 끼고 살다시피 하며 지극정성으로 보살폈다. 그 아이는 열병이란 열병은 다 걸렸고 상상할 수 있는 병이란 병은 빼놓지 않고 다 앓았다. 라캥 부인은 15년이라는 기나긴 세월 동안 아들을 자신의 품에서 앗아가려고 연이어 달려드는 무시무시한 병마와 맞서 싸웠다. 그리고 인내와 간호, 애틋한 사랑의 힘으로 그 모든 병마를 이겨냈다.

죽음의 문턱에서 살아남은 카미유는 어른이 되어서도 반복적으로 그를 괴롭히는 온갖 고통 때문에 항상 사시나무 떨듯 바들바들 몸을 떨었다. 게다가 병 때문에 제대로 성장하지 못해, 어른이 되어서도 여전히 아이처럼 왜소하고 병약해 보였다. 그의 앙상한 팔다리는 걷기조차 힘든 듯 느릿느릿 흐느적거렸다. 아들이 그처럼 허약해서 늘 의기소침했기 때문에, 어머니는 아들에게 더더욱 사랑을 쏟았다. 파리하고 자그마한 아들의 얼굴을 다정하게 바라보는 어머니의 얼굴은 죽을 뻔했던 아들을 자기가 열 번도 넘게 살려냈다는 뿌듯함으로 가득 차 있었다.

아주 드물긴 했지만 고통이 잦아들 때가 있었는데, 그때를 이용해 카미유는 베르농 상업학교의 수업을 들었다. 그는 거기서 철자법과 계산법을 배웠다. 하지만 사칙연산과 기본적인 맞춤법이 거기서 그가 배운 전부였다. 그 후로 글쓰기와 부기 수업도 더 들었지만 아들을 중학교에 보내야 한다는 말을 들었을 때 라캉 부인은 몸을 부들부들 떨었다. 아들이 자기 손을 벗어나면 꼼짝없이 죽어버릴 거라고 생각했기 때문이다. 라캉 부인은 책이 아들을 죽일 거라고 말했다. 결국 더 이상 교육을 받지 못했던 무지할 수밖에 없었고, 그런 무지 때문에 더더욱 나약해 보였다.

열여덟 살이 되었을 때 카미유는 직물 가게에 경리로 취직해 한 달에 60프랑을 받았다. 하는 일 없이 빈둥대며 시간을 보내는 것도 못 견디게 지겨웠지만 사사건건 싸고도는 어머니의 끝없는 간섭이 참기 힘들어 일자리를 구한 것이었다. 그는 하루 종일 고개를 처박은 채 엄청난 분량의 납품서와 계산서를 들여다보며 숫자를 하나하나 참을성 있게 확인해야 했다. 따분해서 미칠 지경이었던 그의 불안정한 정신 상태는 오히려 고된 노동을 하면서 전보다 차분해졌고 건강도 훨씬 좋아졌다.

저녁이면 몸이 녹초가 되고 머리는 멍해졌다. 완전히 얼이 빠져 몽롱해진 상태에서 그는 말로 표현할 수 없는 기쁨을 맛보았다. 직물 가게에서 일하기 위해 그는 어머니와 싸워야 했다. 이불 밖은 위험하다고 생각하는 어머니가 아들이 세상의 온갖 험난한 일을 조금도 겪지 않고 오로지 자기 곁에만 있도록 붙잡아두려 했기 때문이었다. 하지만 카미유는 당당하게 요구했다. 그는 어린아이들이 장난감을 사달라고 떼를 쓰듯 일을 하겠다고 떼를 썼다. 그건 일을 해야 한다는 의무감 때문이 아니라 본능적인 욕구 때문이었다. 어머니의 맹목적인 사랑과 헌신이 그를 지독한 이기주의자로 만들어 놓았다. 그는 자기도 자기를 가엾게 여기는 사람들, 자기를 감싸 안아주는 사람들을 사랑한다고 생각했다. 하지만 그건 사실이 아니었다. 실제로 그는 오로지 자신의 행복만을 사랑했고, 자기가 더 즐거울 수 있다면 방법을 가리지 않고 그것을 손에 넣으려 애쓰면서 혼자만의 세계에 파묻혀 살았다.

자신을 측은히 여기는 라캥 부인의 지극한 사랑에 진절머리가 난 카미유는 탕약과 물약에서 벗어나게 해주는 그 달콤한 일거리에 즐거이 뛰어들었다. 그리고 저녁에 퇴근해서 집으로 돌아오면 사촌 누이와 함께 센강 가로 달려가곤 했다.

테레즈는 이제 곧 열여덟 살이었다. 라캥 부인이 여전히 잡화점을 운영하던 16년 전 어느 날, 부인의 오빠인 드강 대위가 어린 딸을 품에 안고 찾아왔다. 알제리에서 오는 길이었다.

"네 조카야." 그는 미소를 지으며 말했다. "아이 엄마는 죽었어⋯⋯. 이 아이를 어떻게 해야 할지 모르겠다. 네가 좀 맡아주렴."

라캥 부인은 그 아이를 받아 안고 미소를 지으며 아이의 장밋빛 뺨에 입을 맞추었다. 드강 대위는 베르농에서 여드레를 머물렀다. 그의 누이는 오빠가 떠안긴 그 여자아이에 관해 거의 아무것도 묻지 않았다. 그 사랑스러운 어린것이 오랑에서 태어났다는 것과 아이 엄마가 아주 아름다운 알제리 여자라는 것 정도만 대충 전해 들었을 뿐이었다. 아이의 이름이 테레즈라는 것도 대위가 떠나기 한 시간 전에 건네준 아이의 출생증명서를 보고 겨우 알게 되었다. 대위는 그길로 떠났고, 그 후로 두 번 다시 그를 볼 수 없었다. 몇 년 뒤, 그는 아프리카에서 죽었다.

테레즈는 고모의 따뜻한 사랑을 받으며 카미유와 한 침대에서 자랐다. 그 아이는 강철처럼 튼튼했지만, 마치 병약한 아이처럼 사촌 오빠와 약을 나눠 먹으며 후텁지근한 방에

간혀 자랐다. 아이는 몇 시간이고 벽난로 앞에 웅크리고 앉아 생각에 잠긴 채 눈 한번 깜빡이지 않고 불꽃을 바라보곤 했다. 억지로 회복기 환자처럼 살아가면서 아이는 자신만의 세계에 틀어박히게 되었다. 습관처럼 낮은 목소리로 속삭이듯 말하고, 소리를 내지 않고 살금살금 걷고, 초점 없는 눈으로 입을 꼭 다문 채 꼼짝도 하지 않고 몇 시간이고 의자에 앉아 있곤 했다. 하지만 팔을 들어 올릴 때나 발을 내디딜 때는 고양이 같은 유연성과 민첩하고 강한 근육, 몸속에 잠들어 있는 엄청난 에너지와 열정이 느껴졌다. 어느 날 사촌 오빠가 힘없이 쓰러졌을 때도 아이는 그를 번쩍 안아 침대로 옮겼다. 그렇게 힘을 쓰자, 아이의 얼굴에 발그레하게 홍조가 떠올랐다. 수도원에 갇힌 것처럼 폐쇄적인 생활을 하고, 환자식 같은 부실한 식사만 한 탓에 좀 여위긴 했어도 그런 생활이 아이의 타고난 건강을 쇠약하게 만들지는 못했다. 다만 얼굴에 핏기가 없고 약간 누렇게 떠서, 어두운 데서 보면 좀 못생겨 보이기는 했다. 때때로 아이는 창가로 가서, 해가 던지는 금빛 너울을 뒤집어쓴 맞은편 집들을 바라보곤 했다.

    라캉 부인이 가게를 처분하고 센강 가의 작은 집으로 이사했을 때, 테레즈는 너무 기뻐서 아무도 모르게 몸을 떨었다. 고모가 걸핏하면 "소리 내지 마, 조용히 해."라고 말했기 때문에 테레즈는 타고난 자신의 열정을 가슴 깊숙이 꽁꽁 숨긴 채 겉으로는 아주 차분하고 조신하게 행동했다. 테레즈는 언제 죽을지 모를 사촌과 한방을 쓴다는 사실을 언제나 잊지 않았다. 그래서 항상 조용히 움직이고, 침묵을 지키고, 무슨 일이 있어도 침착한 태도를 잃지 않았으며, 말을 할 때도 노인처럼 낮게 웅얼거렸다. 하지만 정원과, 햇살에 반짝이는 강물, 저 멀리 펼쳐진 드넓은 초록 언덕을 볼 때면 테레즈는 달려가 소리를 지르고 싶은 야성적인 충동을 느꼈다. 고모가 이사한 집이 마음에 드냐고 물었을 때도 속에서는 심장이 세차게 쿵쾅거렸지만 그저 조용히 미소만 지었다.

테레즈는 그런 태도가 몸에 배어 있었다. 그래서 언제나 민첩하게 행동하며 침착하고 무심한 표정을 잃지 않았다. 여전히 환자와 같은 침대를 쓰며 자란 아이처럼 보였지만, 내면에서는 타오르는 듯한 격정이 살아 숨 쉬었다. 강가 풀숲에 혼자 있을 때, 테레즈는 짐승처럼 배를 깔고 까만 눈을 커다랗게 뜨고서 금방이라도 튀어 오를 듯이 몸을 비틀었다. 그러고는 몇 시간이고 햇빛에 온몸을 맡긴 채 아무 생각도 하지 않고 손가락으로 땅을 헤집으며 행복에 젖었다. 터무니없는 공상을 하기도 했다. 우르릉거리며 흘러가는 강물을 뚫어져라 바라보다가 강물이 금방이라도 자신을 덮쳐 올 거라고 상상하고는 잔뜩 긴장해 방어 자세를 취하면서 어떻게 하면 거센 물결과 싸워 이길 수 있을지 골똘히 생각했다.

저녁이면 차분해져서 고모 옆에 앉아 말없이 바느질을 했다. 테레즈의 얼굴은 램프 갓에서 부드럽게 미끄러져 내려오는 희미한 불빛 아래 조는 것처럼 보였다. 안락의자에 깊숙이 몸을 파묻은 카미유는 계산서들을 떠올렸다. 나지막하게 내뱉는 한두 마디 말이 고요한 실내의 평화를 이따금씩 깨뜨릴 뿐이었다.

라캥 부인은 다정하고 부드러운 눈길로 아들과 조카딸을 바라보았다. 부인은 그들을 부부로 맺어줘야겠다고 오래전부터 마음먹은 터였다. 라캥 부인에게 아들 카미유는 여전히 죽어가는 환자였다. 몸이 성치 않은 아들을 혼자 남겨두고 언젠가는 세상을 떠나야 한다는 생각을 하면 온몸이 떨렸다. 그래서 부인은 테레즈에게 아들을 맡길 생각이었다. 그 아이라면 언제까지나 카미유를 곁에서 세심하게 돌봐줄 것 같았다. 한 치의 흔들림도 없이 묵묵히 헌신하는 조카딸을 보고 있노라면 저절로 무한한 신뢰감이 들었다. 그는 테레즈가 일을 어떻게 하는지 오랫동안 지켜봐왔기 때문에, 그 아이를 아들의 수호천사로 삼고 싶었다. 둘의 결혼은 예정된 수순이었다.

두 사람 역시 오래전부터 자신들이 언젠가 결혼해야 한다는 것을 알고 있었다. 그들은 어릴 때부터 그게 당연하다고 생각하며 커왔다. 라캥 집안사람들도 당연히 두 아이를 결혼시켜야 한다며, 그게 두 아이의 운명이라는 듯이 말하곤 했다. 라캥 부인은 이렇게 말했었다.

"테레즈가 스물한 살이 될 때까지 기다리자."

그래서 그들은 흥분해서 얼굴이 달아오르는 일도 없이, 그저 무덤덤하게, 참을성 있게 기다리기만 했다.

병 때문에 혈기가 메말라버린 카미유는 다른 청소년기 아이들처럼 피 끓는 욕망을 느끼지 못했다. 그는 사촌 누이 앞에서 여전히 어린 사내아이였고, 인사를 하려고 테레즈를 포옹할 때에도 다른 감정이라고는 전혀 없었다. 그저 엄마를 안듯이 습관처럼 안을 뿐이었다. 그에게 테레즈는 무료함을 달래주거나 때때로 탕약도 끓여주는 마음씨 좋은 친구일 뿐이었다. 함께 놀다가 무심코 테레즈를 꺼안을 때에도 사내아이를 안는 것과 다를 게 전혀 없었다. 그의 몸에는 가벼운 떨림조차 일지 않았다. 하물며 그런 순간에 신경질적으로 웃으며 버둥거리는 테레즈의 뜨거운 입술에 키스할 생각은 꿈에도 해본 적이 없었다.

테레즈 역시 여전히 냉담하고 무관심한 것 같았다. 때때로 눈을 크게 뜨며 카미유의 행동을 저지하고는 아주 차분한 눈길로 꼼짝도 하지 않고 몇 분 동안 그를 바라보기만 했다. 그럴 때는 입술만이 보일 듯 말 듯 살짝 움직였다. 확고한 의지로 언제나 주의 깊고 담담한 표정을 유지하는 그 무심한 얼굴에서는 아무 생각도 읽어낼 수 없었다. 결혼 얘기가 나오면 테레즈는 침울해진 얼굴로 라캥 부인이 하는 말에 그저 고개를 끄덕일 뿐이었고, 카미유는 어느새 잠들어 있었다.

여름 저녁이면 두 젊은이는 강가로 달아났다. 카미유는 어머니의 끊임없는 간섭에 짜증을 내며 반항하곤 했다. 그는 넌더리 나는 어머니의 손길에서 벗어나 병이 날 정도로 뛰어다니고 싶었다. 그럴 때는 테레즈를 끌고 나가 장난으로 싸움을 걸고, 풀밭에서 함께 뒹굴었다. 그런데 카미유가 테레즈를 떠밀어 넘어뜨린 어느 날, 테레즈는 짐승처럼 벌떡 일어나 두 팔을 치켜들고 벌건 얼굴에 핏발이 선 눈을 부라리며 그에게 덤벼들었다. 그때 카미유는 겁을 집어먹고 땅바닥에 넘어졌다.

달이 가고 해가 갔다. 마침내 예정된 결혼식 날이 왔다. 라캥 부인은 테레즈를 따로 불러 그의 아버지와 어머니에 관해 말해주고, 그가 어떻게 태어났는지 들려주었다. 그 말을 다 듣고 난 테레즈는 아무 말 없이 고모를 끌어안았다.

그날 저녁 테레즈는 계단 왼쪽에 있는 자기 방이 아니라 오른쪽에 있는 사촌 오빠 방으로 들어갔다. 그날 테레즈의 삶에서 달라진 건 그게 다였다. 그리고 다음 날 그 젊은 부부가 아래층으로 내려왔을 때, 카미유는 여전히 병약하며 무기력했고, 아무 일도 없었다는 듯 무심했다. 테레즈도 한결같

이 감정을 전혀 드러내지 않는, 부드럽지만 무심하고 무서울
만큼 냉랭한 얼굴이었다.

3

결혼식을 치르고 일주일이 지났을 때, 카미유가 느닷없이 베르농을 떠나 파리에 가서 살겠다고 했다. 라캥 부인은 이제까지 아무 불만 없이 잘 살아왔으니 지금의 생활을 바꿀 생각이 전혀 없다고 소리를 질렀다. 아들은 히스테리를 부리면서, 자기 생각에 따라주지 않는다면 당장 병이 나 앓아눕게 될 거라고 어머니를 위협했다.

"나는 엄마 뜻을 거스른 적이 단 한 번도 없어." 그는 말했다. "사촌 누이와 결혼했고, 엄마가 주는 약은 뭐든 다 받아먹었어. 그러니까 엄마도 내 뜻에 따라줘야 해. 우린 이달 말에 떠날 거야."

라캥 부인은 뜬눈으로 밤을 지새웠다. 카미유의 결정은 그의 삶을 송두리째 뒤흔들었다. 라캥 부인은 마음을 다독이며 새로운 생활에 관해 진지하게 다시 생각해보았다. 그리고 조금씩 냉정을 되찾았다. 아들 내외는 조만간 아이를 갖게 될 것이고, 그러면 지금의 알량한 수입으로는 턱없이 부족할 터였다. 돈을 더 벌어야 하고, 장사를 다시 시작해 테레즈에게도 돈벌이가 될 만한 일거리를 찾아주어야 했다. 이튿날 라캥 부인은 베르농을 떠나기로 마음을 굳혔다. 새로운 생활에 관한 설계도 이미 끝마친 상태였다.

점심 식사 때 라캥 부인은 들뜬 목소리로 아들 부부에게 말했다.

"우리, 이렇게 하자. 내일 내가 파리에 가서 적당한 가게 터를 알아보마. 테레즈와 나는 거기서 다시 실과 바늘을 팔 거야. 장사를 시작하면 우린 눈코 뜰 새 없이 바쁠 거다. 카미유, 넌 네가 하고 싶은 대로 하렴. 햇볕을 쬐며 산책을 하든지, 일자리를 구하든지."

"난 일자리를 구할 거야." 카미유가 대답했다. 사실 카미유가 파리에 가려는 건 바로 그 어리석은 야망 때문이었다. 그는 관공서 같은 번듯한 직장에 사무원으로 취직하고 싶었다. 넓은 사무실 한가운데에서 무명 토시를 끼고 귀에 펜대를 꽂은 자신의 모습을 떠올리면서 그는 한껏 들떠 얼굴이 달아올랐다.

테레즈의 의견은 아예 묻지도 않았다. 테레즈는 언제나 시키는 대로 무조건 따랐기 때문에 그의 고모와 남편은 이제 그에게 의견을 물어보는 수고조차 하지 않았다. 테레즈는 한 마디 불평도 비난도 없이 그들이 가는 곳으로 가고 그들이 하는 것을 했다. 심지어 이사를 간다는 사실조차 모르는 것처럼 그들의 뒤를 따랐다.

파리에 도착한 라캥 부인은 곧장 퐁뇌프 파사주로 갔다. 베르농의 어떤 나이 많은 여자가 자신의 친척이 파사주에서 잡화점을 하는데 그걸 처분하려 한다며 거기를 찾아가보라고 했다. 과거에 잡화점을 해본 경험이 있는 라캥 부인은 소개받은 가게가 예상보다 훨씬 작고 전체적으로 어둡다고 생각했다. 하지만 파리를 돌아다니면서 사람들로 붐비는 거리의 소음과 화려한 가게 진열대에 적잖이 놀란 터라, 그 비좁은 통로와 소박한 진열장을 보자 예전에 자기가 운영하던 아주 평온했던 가게가 떠오르며, 왠지 그 시절로 되돌아간 것 같아 마음이 푸근해졌다. 라캥 부인은 비록 외진 곳이지만 사랑하는 자기 아이들도 그곳에서 자기처럼 행복할 수 있을 거라고 생각했다. 게다가 권리금도 비싸지 않았다. 라캥 부인은 결심을 굳히고 2000프랑에 가게를 넘겨받았다. 가게와 2층을 다 사용하는데도 임대료가 1200프랑밖에 되지 않았다. 저축해놓은 여윳돈이 4000프랑 정도 있으니 원금을 축내지 않고도 권리금과 1년 치 집세를 해결할 수 있다는 계산이 나왔다. 게다가 카미유의 월급과 잡화점에서 벌어들일 수익을 합하면 생활비 걱정도 할 필요가 없었다. 그러면 연금에서 나오는 수익을 고스란히 모을 수 있을 것이고, 재산을 더 불려 손주들도 아무 문제없이 키울 수 있을 것 같았다.

　신바람이 난 얼굴로 베르농으로 돌아온 라캉 부인은 파리 한복판에서 숨은 진주 같은, 아주 기가 막힌 가게를 찾아냈다고 말했다. 며칠 뒤 저녁 대화에서 파사주의 어두침침하고 초라한 가게는 호화로운 궁궐로 둔갑해 있었다. 라캉 부인의 기억 속에서 그곳은 안락하고, 넓고, 조용하고, 헤아릴 수 없는 온갖 장점을 다 갖춘 근사한 곳으로 떠올랐다.

　"아! 테레즈." 라캉 부인이 말했다. "그곳에 가서 살면 우린 정말 행복할 거야! 그 가게 위층에는 근사한 방이 세 개나 있단다. 게다가 그 파사주는 사람들로 항상 붐비는 곳이야. 가게 진열대를 멋지게 꾸며보자. 그래, 앞으로는 심심할 틈이 없을 거야."

　라캉 부인은 끝없이 얘기를 늘어놓았다. 전직 잡화상의 장사꾼 기질이 한꺼번에 깨어나는 듯했다. 그는 테레즈에게 물건을 떼어와 되파는 방법을 비롯해 장사에 필요한 이런저런 비결을 미리 알려주었다. 그리고 마침내 그 가족은 센강가의 집을 떠나 그날 저녁 퐁뇌프 파사주로 향했다.

　이제부터 살게 될 가게 안으로 들어서면서, 테레즈는 기름 범벅이 된 구덩이 안으로 내려가는 것 같은 느낌을 받았다. 목구멍으로 구역질 같은 게 치밀어 올랐다. 왠지 모를 두려움에 몸을 떨며 지저분하고 축축한 파사주 쪽을 바라보았다. 가게를 돌아본 뒤에는 2층으로 올라가 방들을 하나씩 둘러보았다. 가구도 갖춰지지 않은 텅 빈 방들은 무섭도록 조용하고 황량했다. 테레즈는 손가락 하나 까딱할 수 없었고, 말 한마디조차 나오지 않았다. 마치 얼어붙은 것 같았다. 고모와 남편이 아래층으로 내려가는 동안에도 그는 주먹을 꽉 움켜쥔 채 짐짝 위에 앉아 있었다. 목이 메었지만 울지도 못했다.

현실을 마주한 라캥 부인은 당황했다. 자신의 망상이 부끄럽기도 했다. 그는 그런 가게를 얻은 것을 변명하려 애썼다. 그리고 불편한 점이 새롭게 드러날 때마다 변명거리를 찾아냈다. 집 안이 어두컴컴한 건 날씨 때문이고 청소만 하면 괜찮을 거라고 결론을 지었다.

"뭐!" 카미유가 대꾸했다. "이 정도면 나쁘지 않네. 어차피 우린 저녁이나 되어야 여기 올라올 거잖아. 나도 대여섯 시는 되어야 돌아올 테고……. 엄마랑 테레즈는 둘이 함께 있을 테니 심심하지 않을 거고."

아늑하고 편안한 직장이 기다리고 있다는 기대감이 없었더라면 그 젊은이는 그런 꼴사나운 집에서 사는 것에 절대로 동의하지 않았을 것이다. 그는 관공서에서 하루 종일 기분 좋게 지내다가 저녁에 집으로 돌아와서 일찍 잠자리에 들면 그만이라고 생각했다.

일주일이 지나도록 가게도 살림집으로 쓸 2층도 정리가 되지 않고 어수선하기만 했다. 첫날부터 테레즈는 계산대 너머에 앉아 꼼짝도 하지 않았다. 라캥 부인은 남의 일처럼 무관심한 테레즈의 태도에 사뭇 놀랐다. 부인은 테레즈가 금방 집을 아름답게 꾸미려 할 거라고 생각했었다. 창가에는 화분을 놓아두고, 벽지와 커튼과 카펫도 새로 바꾸자고 할 줄 알았다. 하지만 라캥 부인이 집 안을 정리하고 이렇게 저렇게 꾸며보자고 하면, 며느리는 조용히 이렇게 말하곤 했다.

"이대로도 좋은걸, 쓸데없이 뭐 하러 돈을 써요?"

하는 수 없이 라캥 부인 혼자서 방을 치우고 가게를 정돈해야 했다. 테레즈는 라캥 부인이 자기 눈앞에서 끊임없이 집 안을 들쑤시며 왔다 갔다 하는 것을 더는 보고만 있을 수 없었다. 그래서 하인을 고용해 시어머니를 억지로 자기 곁에 붙잡아 앉혔다.

한 달이 넘도록 카미유는 일자리를 구하지 못했다. 그는 되도록 가게에 있지 않으려고 하루 종일 밖으로 나돌았다. 너무 지겨워서 차라리 베르농으로 돌아가자는 말이 입 밖으로 튀어나오기 일보 직전에, 마침내 오를레앙 철도국에서 일을 할 수 있게 되었다. 한 달 급료는 100프랑이었다. 그의 꿈이 이루어진 것이다.

　　그는 매일 아침 8시에 집을 나섰다. 게네고가를 지나 강둑에 다다르면, 그는 주머니에 손을 찌른 채 센강을 따라 학사원에서 식물원까지 종종걸음으로 걸어갔다. 하루에 두 번씩 그렇게 긴 거리를 지나다녔지만 전혀 싫증이 나지 않았다. 흐르는 강물을 바라보며 걷다가 강줄기를 따라 흘러 내려가는 뗏목을 보려고 걸음을 멈추기도 했다. 그는 아무 생각도 하지 않았다. 때로는 노트르담 성당 앞에 멈춰 서서, 성당을 수리하려고 설치해놓은 비계를 구경했다. 그 거대한 건물을 나무로 얽어놓은 것을 보고 있으면 그는 왠지 기분이 좋아졌다. 그러고 나서 지나는 길에 포르오뱅가 쪽을 힐끗 쳐다보고는, 역에서 나오는 삯마차의 수를 세어보곤 했다. 퇴근 후에는 직장에서 들었던 시시껄렁한 이야기를 떠올리며 멍한 표정으로 식물원을 지나다가, 시간이 너무 지체되지 않았을 때면 곰을 보러 동물원에 가기도 했다. 그는 사육장 안에서 거대한 몸을 좌우로 흔드는 곰들을 눈으로 쫓으며 30분쯤 보냈다. 그 거대한 동물의 육중한 움직임이 마음에 들었다. 입을 헤 벌리고 눈을 동그랗게 뜬 채 넋이 나가 곰들이 몸을 흔들어대는 모습을 구경하면서 바보처럼 즐거워했다. 그러다가 마침내 집으로 돌아가기로 결심하고는 행인, 차, 상점 들에 온통 정신이 팔려 발을 질질 끌면서 집으로 향했다.

집에 돌아와서는 저녁을 먹자마자 책을 읽기 시작했다. 그가 구입한 뷔퐁(18세기 프랑스의 박물학자이자 철학자. 백과전서파에 속하며 총 44권의 『박물지Histoire Naturelle』를 남겼다-옮긴이)의 책이었다. 엄청나게 지겨운 책이었지만 그는 매일 저녁 2~30쪽씩 의무적으로 읽었다. 그리고 한 권에 10상팀(프랑스, 스위스, 벨기에의 화폐 단위. 100상팀이 1프랑이다-옮긴이)씩 하는 보급판 문고본인 티에르(19세기 프랑스의 변호사, 언론인, 역사가, 정치인, 프랑스 제3공화국 초대 대통령-옮긴이)의 『프랑스 혁명 이후 집정정부와 제국의 역사』나 라마르틴(19세기 프랑스의 시인, 정치가-옮긴이)의 『지롱드 당사』, 그밖에 과학 지식을 쉽게 설명해놓은 책을 주로 읽었다. 그는 지식을 함양하기 위해 그런 책을 읽어야 한다고 생각했다. 그래서 때때로 아내에게도 몇몇 부분을 읽어주면서 들어보라고 강요하기도 했다. 그는 저녁 내내 책 한 줄 읽지 않고 한마디 말도 없이 잡생각만 하는 테레즈를 보고 놀라움을 금치 못했다. 속으로는 그런 아내가 너무 무식하다고 생각했다.

테레즈는 신경질적으로 책을 밀쳐냈다. 그는 아무것도 하지 않고 그저 멍한 눈길로 이리저리 떠도는 생각에 잠겨 있는 게 훨씬 더 좋았다. 언제나 한결같고 무던한 태도를 잃지 않는 테레즈는 스스로를 오로지 타인을 배려하고 타인에게 헌신하는 수동적인 기계처럼 만드는 데 모든 의지를 쏟았다.

가게는 그럭저럭 굴러갔다. 수익도 매달 꾸준했다. 손님은 대부분 그 구역에서 일하는 여자들이었다. 5분마다 젊은 여자가 하나씩 들어와 몇 푼어치 물건을 사 갔다. 테레즈는 매번 똑같은 말을 하며 입가에 기계적인 미소를 띠고 손님을 맞았다. 그와 달리 라캥 부인은 나긋나긋하고 수다스럽게 손님을 대했다. 사실 손님을 끌어들이고 다시 찾아오게 만드는 건 라캥 부인이었다.

비슷한 날들이 반복되면서 3년이 흘렀다. 카미유는 단 하루도 결근하지 않았다. 그의 어머니와 아내는 가게 밖으로 나오는 일이 거의 없었다. 테레즈는 눅눅한 어둠 속에서 음울하고 답답한 침묵에 싸여 살아갔다. 매일같이 저녁이면 차가운 잠자리에 들었다가 아침이면 공허한 하루를 맞이하면서 너무도 황량하고 무미건조한 인생이 자기 앞에 펼쳐지는 것을 보고만 있었다.

4

라캥 가족은 매주 목요일 저녁에 집으로 손님들을 초대했다. 거실에는 커다란 램프를 켜고 화덕에는 찻주전자를 올려놓아 손님들에게 대접할 차를 준비했다. 그건 아주 특별한 행사였다. 그날 라캥 가족은 평소와는 완전히 다르게 부잣집 잔칫날처럼 떠들썩하게 보내다가 11시가 되어서야 잠자리에 들었다.

라캥 부인은 파리에서 미쇼라는 이름의 옛 친구를 다시 만났다. 베르농에서 20년을 경찰관으로 근무했던 그 친구는 라캥 부인과 같은 건물에 살면서 자연스럽게 친해졌다가 라캥 부인이 가게를 처분하고 센강 가로 이사한 이후로 차츰 연락이 뜸해졌었다.

그러다 미쇼 영감도 몇 달 뒤 퇴직을 하게 되어 베르농을 떠나 파리 센강 가에 집을 구했고 1500프랑의 퇴직연금으로 편안히 생활하고 있었다. 비가 내리던 어느 날, 퐁뇌프 파사주에서 옛 친구를 다시 만난 그는 바로 그날 저녁 라캥 부인 집에서 저녁 식사를 함께했다.

목요일의 저녁 모임은 그렇게 시작되었다. 전직 경찰관은 일주일에 한 번, 똑같은 시간에 습관처럼 꼬박꼬박 그 집을 찾아왔다. 그러다가 언젠가부터 자기 아들 올리비에까지 데리고 나타났다. 올리비에는 나이가 서른이었는데, 키는 훌쩍 컸지만 너무 야위고 얼굴이 수척했다. 그에게는 몸집이 작고 동작도 굼뜬 병약한 아내가 있었다. 경찰청에서 일하는 그는 연봉을 3000프랑이나 받았다. 카미유는 그걸 몹시 질투했다. 테레즈는 첫날부터 사람을 깔보듯 내려다보는 그 차가운 사내가 싫었다. 큰 키에 삐쩍 마른 올리비에가 왜소하고 비실비실한 아내를 옆에 달고 다니면서, 자신들이 퐁뇌프 파사주의 이런 가게에 왕림해주는 걸 영광으로 생각하라는 듯 거들먹거리는 것 같았기 때문이다.

카미유도 손님을 한 명 더 데리고 왔다. 오를레앙 철도국 고참 직원인 나이 든 남자, 그리베였다. 서기로 처음 입사한 그는 20년을 그곳에서 근무했고, 지금은 수석 서기가 되어 2100프랑의 연봉을 받았다. 카미유가 일하는 사무실 직원들에게 업무를 배분해주는 게 바로 그리베였기 때문에, 카미유는 그를 깍듯하게 대했다. 그는 그리베가 언젠가는 죽을 테니까 한 10년쯤 뒤에는 자기가 그 자리를 이어받게 될 거라는 꿈을 야무지게 꾸고 있었다. 그리베는 라캉 부인의 환대에 매료당해서 매주 모임에 어김없이 참석했다. 반년이 지났을 때, 목요일 모임 참석은 그에게 하나의 의무가 되었다. 그는 매일 직장으로 출근하듯 목요일 저녁만 되면 동물적인 본능에 이끌려 기계적으로 퐁뇌프 파사주를 찾아갔다.

그렇게 해서 그 모임은 점점 활기를 띠었다. 저녁 7시가 되면 라캉 부인은 불을 피우고 테이블 한가운데에 램프 불을 밝혔다. 그리고 한쪽에 도미노 게임 상자를 놓아두고, 찬장에서 찻잔 세트를 꺼내 닦았다. 미쇼 영감과 그리베는 8시 정각에 가게 앞에서 만났다. 한 사람은 센가에서, 다른 한 사람은 마자린가에서 오는 거였다. 그 두 사람이 가게 안으로 들어가면, 온 가족이 함께 2층으로 올라가 테이블에 빙 둘러앉아서, 제시간에 오는 법이 없는 올리비에와 그의 아내를 기다렸다. 모두 다 모이면 라캉 부인이 차를 따랐다. 그리고 카미유가 기름 먹인 테이블보 위에 도미노 칩을 쏟아부으면, 그때부터 모두 게임에 빨려 들어갔다. 도미노 부딪치는 소리 외에는 아무 소리도 나지 않았다. 판이 끝날 때마다 게임 참여자들은 2~3분 동안 서로 다투었다. 그러고 나서 다시 음울한 침묵이 내려앉았고 딱딱거리는 메마른 소리가 그 정적을 깨뜨렸다.

테레즈는 건성으로 게임에 참여했다. 그런 테레즈의 태도는 카미유를 화나게 했다. 테레즈는 라캥 부인이 베르농에서 데려온 커다란 얼룩 고양이 프랑수아를 안은 채, 한 손으로 도미노를 두면서 다른 한 손으로는 계속 그 고양이를 쓰다듬었다. 목요일 저녁은 테레즈에게 일종의 고문이었다. 그래서 항상 어디가 아프다거나 두통이 너무 심하다는 핑계를 대면서 도미노 게임에 끼지 않으려 했다. 테레즈는 아무것도 하지 않고 그냥 반수 상태에 빠져들고 싶었다. 그는 테이블 위에 한쪽 팔꿈치를 올려놓고 손바닥으로 턱을 받친 채 시어머니와 남편의 손님들을 바라보았다. 램프에서 퍼져 나오는 노르스름하고 뿌연 불빛 너머로 그들의 얼굴을 보고 있노라면, 신경질이 났다. 테레즈는 남몰래 심한 역겨움과 짜증을 느끼면서 그들을 하나하나 쳐다보았다. 얼룩덜룩하게 붉은 반점이 핀 미쇼 영감의 얼굴은 생기가 없어 죽음을 코앞에 둔 노인 같아 보였다. 그리베는 얼굴이 좁고 길었고, 눈은 동그랬으며, 입술은 생기다 만 것처럼 얇았다. 올리비에는 광대뼈가 튀어나온 볼품없이 커다란 얼굴을 삐쩍 마른 몸 위에 억지로 올려놓은 것처럼 우스꽝스러워 보였다. 그런가 하면, 올리비에의 아내 쉬잔은 얼굴에서 핏기라고는 찾아볼 수 없고, 눈은 생기 없이 게슴츠레한 데다 입술에는 붉은 기가 하나도 없어서 전체적으로 기력이 떨어진 환자 같았다. 테레즈는 자신과 한 공간에 틀어박혀 있는 그 기이하고 음산한 인물들 가운데에서 살아 있는 사람, 생기 있는 존재를 단 한 명도 찾아내지 못했다. 때때로 테레즈는 줄을 잡아당기면 고개를 흔들고 팔다리를 움직이는 기계적인 시체들과 함께 지하무덤 깊숙이 파묻혀 있는 것 같은 환각에 사로잡히기도 했다. 식당의 답답한 공기에 숨이 막혔고, 떨리는 침묵과 노르스름한 램프 불빛에 막연한 공포와 말로 표현할 수 없는 불안을 느꼈다.

아래층 가게 출입문에 매달아놓은 작은 종이 날카롭게 땡그랑거리는 소리는 손님이 왔다는 신호였다. 테레즈는 내내 귀를 기울이고 있다가 종소리가 울리면, 식당을 벗어날 수 있다는 사실에 안도의 한숨을 내쉬며 재빨리 아래층으로 내려가곤 했다. 그리고 될 수 있는 대로 느릿느릿 손님을 상대했다. 손님이 간 뒤에도 위층으로 다시 올라가기 싫어서 되도록 오래 계산대 너머에 앉아, 그리베와 올리비에를 눈앞에서 보지 않아도 되는 그 순간의 기쁨을 천천히 음미했다. 가게의 눅눅한 공기는 손끝까지 뜨겁게 달구는 몸속의 열기를 가라앉혀주었다. 거기서 테레즈는 여느 때처럼 몽상 속으로 다시 빠져들었다.

하지만 그렇게 오랫동안 머무를 수는 없었다. 카미유는 테레즈가 자리를 비웠다고 화를 냈다. 그는 어떻게 목요일 저녁에 식당보다 가게를 더 좋아할 수 있는지 이해하지 못했다. 카미유가 난간 아래로 몸을 내밀고 아내를 찾았다.

"이봐!" 그가 소리를 질렀다. "거기서 대체 뭘 하고 있어? 왜 안 올라오는 거야? 오늘 그리베 끗발이 장난 아니야. 방금 또 그리베가 이겼어."

이 젊은 여자는 마지못해 몸을 일으켜 미쇼 영감 맞은편의 제자리로 돌아가 앉았다. 그 노인의 늘어진 입술에 구역질 나는 미소가 번졌다. 결국 테레즈는 11시까지 그 자리에 맥없이 앉아, 얼굴이 구겨진 종이 인형 같은 인간들을 보지 않으려고 고개를 숙인 채로 품에 안은 프랑수아만 내내 내려다보고 있었다.

5

어느 목요일, 카미유는 퇴근하는 길에 어깨가 딱 벌어진 건장한 남자를 데리고 왔다. 카미유는 친근한 몸짓으로 그 사내를 가게 안에 밀어 넣었다.

"엄마, 누군지 알아보겠어?" 카미유가 라캥 부인에게 그 사내를 보여주며 물었다.

늙은 잡화상은 그 키 크고 건장한 사내를 쳐다보며 기억을 더듬었지만 전혀 생각이 나지 않았다. 테레즈는 무심한 표정으로 그 광경을 바라보고 있었다.

"세상에!" 카미유가 다시 말했다. "로랑을 못 알아보는 거야? 땅꼬마 로랑, 죄포스 쪽에 엄청나게 큰 밀밭을 갖고 있던 그 로랑 아저씨 아들. 기억 안 나? 나랑 같은 학교에 다녔잖아. 우리 근처에 살던 자기 삼촌 집에서 아침마다 날 데리러 왔는데. 그러면 엄마가 빵에 잼을 발라 이 친구한테 주곤 했잖아."

라캥 부인은 별안간 어린 로랑을 기억해냈지만, 장성한 그의 모습은 여전히 낯설었다. 그를 마지막으로 본 게 거의 20년 전이었다. 라캥 부인은 처음에 그를 기억하지 못한 것이 못내 미안하다는 듯이 상냥하고 다정한 말투로, 밀려오는 추억들을 한 아름 늘어놓았다. 로랑은 자리에 앉아서 잔잔하게 미소를 짓고, 걸걸한 목소리로 묻는 말에 대답하면서 조용하고 담담한 눈길로 주위를 둘러보았다.

카미유가 말을 이었다.

"생각 좀 해봐요. 이 장난꾸러기가 오를레앙 철도국에서 일한 지 1년 반이 넘었는데 오늘 저녁에야 우연히 만났지 뭐야. 하긴, 우리 철도국이 보통 커야 말이지!"

카미유는 눈을 동그랗게 뜨고 입술을 삐죽이며 자기가 그 거대한 기계의 톱니바퀴 중 하나라는 사실이 무척이나 자랑스럽다는 듯이 말했다. 그리고 고개를 끄덕이며 말을 이어나갔다.

"오! 그런데 이 친구는 아주 잘나가요. 공부도 많이 했고, 벌써 연봉이 1500프랑이나 돼. 아버지가 대학도 보내줬대요. 법률도 공부했고 그림도 배웠대. 그렇지, 로랑? 오늘 우리 집에서 함께 저녁 먹자."

"좋아." 로랑이 흔쾌히 대답했다.

그는 모자를 벗고 가게 안에 자리를 잡았다. 라캥 부인은 급히 주방으로 달려갔다. 테레즈는 한마디도 하지 않은 채 새로 온 손님을 계속 바라보기만 했다. 테레즈는 그때껏 사내다운 사내를 본 적이 없었다. 그래서 키가 크고 건장한데다 생김새도 시원시원한 로랑을 보고 속으로 놀랐다. 테레즈는 은근히 감탄하면서, 굵고 뻣뻣한 검은 머리칼 사이로 보이는 그의 반반한 이마와 두툼한 뺨, 붉은 입술, 혈색 좋은 반듯한 얼굴을 찬찬히 뜯어보았다. 그러다가 한순간 그의 목덜미에 시선이 멈췄다. 기름기 도는 굵고 짧은 목은 강인해 보였다. 테레즈의 시선은 더 아래로 내려가 무릎 위에 가지런히 올려놓은 그 남자의 두툼한 손에 오랫동안 머물렀다. 손가락 마디마다 각이 진 손은, 주먹을 쥐면 엄청나게 커서 황소라도 때려눕힐 수 있을 것 같았다.

로랑은 등에 살집이 두둑해서 좀 둔해 보였다. 움직임은 느리지만 정확하고, 조용하면서도 고집이 세 보였다. 그야말로 진정한 농부의 아들이었다. 옷에 가려졌지만 잘 발달된 근육과 두툼하고 단단한 몸을 느낄 수 있었다. 호기심 어린 눈으로 주먹에서 얼굴까지 찬찬히 살펴보던 테레즈는 그 굵고 강인한 목덜미에 눈길이 가닿았을 때 짜릿한 전율을 느꼈다.

카미유는 자기도 공부한다는 것을 보여주려고 로랑 앞

에 뷔퐁 전집과 문고판들을 늘어놓았다. 그러고 나서 좀 전부터 혼자 궁금해하던 문제를 꺼내어 물었다.

"그런데 내 아내가 누군지 알아보겠어? 베르농에서 우리랑 함께 놀던 내 사촌 여동생, 기억나?"

"이미 한눈에 알아봤습니다, 부인." 로랑이 테레즈를 똑바로 바라보면서 대답했다.

자기를 꿰뚫어 보는 듯한 그 눈길에, 젊은 여자는 불편함을 느꼈다. 테레즈는 억지로 미소를 짓고, 두 사람과 몇 마디 말을 주고받은 뒤 서둘러 시어머니가 있는 2층으로 올라갔다. 왠지 모르게 마음이 심란했다.

모두 식탁에 둘러앉았다. 수프가 나올 때부터 카미유는 자기 친구하고만 얘기를 나눴다.

"자네 아버님은 어떻게 지내셔?" 카미유가 로랑에게 물었다.

"모르겠어. 인연을 끊고 사니까. 편지를 주고받지 않은 지도 벌써 5년이 되었는걸." 로랑이 대답했다.

"저런!" 카미유는 그처럼 괴상망측한 일이 있을 수 있냐는 듯 놀라서 소리를 질렀다.

"음, 아버지와 나는 생각이 서로 달랐거든. 우리 아버진 이웃들과 끊임없이 마찰을 일으켰어. 그래서 날 변호사로 만들려고 했지. 모든 소송에서 이기고 싶어서 날 대학에 보낸 거야. 아! 우리 아버지에게 난 당신의 실리적인 야욕을 채워 줄 도구에 불과했어. 터무니없는 짓거리에까지 날 이용해 이득을 보고 싶었던 거지."

"그럼 자네는 변호사가 되고 싶지 않았던 거야?" 카미유는 점점 더 놀라면서 물었다.

"전혀." 친구가 웃으며 대답했다. "처음 두 해 동안은 법률 공부를 하는 척했어. 아버지가 보내주는 생활비 1200프랑을 받으려면 어쩔 수 없었어. 나는 미대생인 친구와 함께 살았는데, 그 친구 때문에 나도 그림을 배우기 시작했지. 정말 재미있었어. 사실 직업으론 별로지만, 따분하진 않았어. 우리는 담배를 피우며 하루 종일 농담을 주고받았어."

라캥 가족은 모두 눈이 휘둥그레졌다.

로랑이 말을 이었다.

"하지만 안타깝게도 그런 생활은 오래가지 못했어. 내가 거짓말을 한다는 걸 아버지가 알아버렸거든. 아버지는 다달이 보내주던 생활비를 딱 끊어버리면서 집으로 돌아와 농사나 지으라고 하더군. 그 당시 나는 종교화를 그리려고 했어. 철없는 생각이었지. 이러다간 굶어 죽겠구나 싶어 결국 예술을 때려치우고 일자리를 구한 거야. 아버지는 머지않아 돌아가실 거야. 나는 그날을 기다리고 있어. 그때가 되면 아무것도 하지 않고 먹고살 수 있을 테니까."

로랑은 태연한 목소리로 말했다. 그는 그 몇 마디 말로 자신이 어떤 인간인지 여실히 보여주었다. 사실 그는 게으름뱅이에다 다혈질적인 욕망의 소유자로, 그의 머릿속엔 돈 걱정 없이 향락을 즐기며 편안하게 살고 싶다는 생각밖에 없었다. 그렇게 건강한 몸을 가지고도 아무것도 하지 않고 오로지 누워 뒹굴면서 즐겁게 살기만을 바랐다. 그는 잘 먹고, 잘 자고, 이리저리 옮겨 다니지도 않고, 재수 없는 일에 엮여 피곤해지는 일도 없이, 편안하고 손쉽게 자신의 욕망을 마음껏 충족시키고 싶었다.

변호사라는 직업은 생각만 해도 골치가 아팠고, 땅을 일구며 산다고 생각하자 온몸이 쑤시고 몸서리가 쳐졌다. 그는 게으른 사람에게 적합한 직업을 찾다가 예술에 뛰어들었다. 붓은 다루기도 쉬워 보였고, 화가로 성공하는 것도 그다지 어려울 것 같지 않았다. 별다른 어려움 없이 쉽게 사는 즐거운 인생, 먹을 것과 마실 것을 잔뜩 쌓아두고 여자들과 소파에 드러누워 빈둥빈둥 뒹구는 멋진 인생을 꿈꾸었다. 그 꿈은 그의 아버지가 돈을 보내주는 동안은 실현될 수 있었다. 하지만 아버지가 돈을 끊어버리자, 벌써 서른 살을 넘긴 그 청년의 눈에는 자신의 앞날에 펼쳐질 비참한 생활이 불 보듯 뻔히 보였다. 로랑은 가난 앞에서 비굴해지는 자신을 느꼈다. 그는 위대한 예술의 영광을 위해 단 하루라도 빵을 포기할 위인이 아니었다. 직접 말했듯이 예술이 자신의 크나큰 욕망을 결코 채워주지 못하리라는 것을 깨달은 그날, 그는 곧바로 그림을 때려치웠다. 사실 그의 습작들은 평범한 수준에도 미치지 못했다. 시골 출신인 그의 눈에 자연은 볼품없고 지저분해 보일 뿐이었다. 채색도 엉망이고 구성도 산만한 그의 그림은 비웃음을 샀지만, 그는 왜 사람들이 비웃는지 이해하지 못했다. 게다가 그는 화가로서 자부심도 전혀 없는 것 같았다. 그래서 그림을 접을 때도 별로 절망하지 않았다. 사실 대학 친구의 아틀리에, 그러니까 그가 4~5년 동안 신나게 놀며 뒹굴던 그 널찍한 아틀리에가 아쉬울 뿐이었다. 그리고 아틀리에로 와서 포즈를 취하던, 그가 가진 돈으로 사랑을 나누었던 여자들도 그리웠다. 그 자극적인 쾌락의 세계를 맛본 후, 그는 참기 힘든 성적 욕구를 갖게 되었다. 로랑은 철도국 직원으로 일하면서 적어도 궁핍한 생활에서는 벗어날 수 있었다. 그는 직장에 제법 잘 적응했다. 육체적으로 별로 피곤하지도 않고 머리를 쓸 필요도 없는 그 직업이 마음에 들었다. 다만 두 가지가 그를 화나게 했다. 그중 하나는 여자를 살 만큼 돈이 충분하지 않다는 것이었고, 다른 하나는 싸구려 식당의 음식이 그의 탐욕스러운 위장을 제대로 만족시키지 못한다는 것이었다.

카미유는 바보처럼 놀란 눈으로 친구를 바라보면서 그

의 말을 들었다. 태어날 때부터 약골이었던 이 무기력한 사내는 끓어오르는 욕망을 한 번도 느껴본 적이 없었다. 그래서 친구가 들려주는 그 아틀리에 생활을 어린아이처럼 꿈꾸는 듯 듣고 있었다. 그는 벌거벗은 채 포즈를 취한 여자들을 상상하면서 로랑에게 물었다.

"그럼, 자네 앞에서 여자들이 정말로 옷을 홀라당 벗었단 말이야?"

"물론이지." 로랑은 미소를 짓고는, 얼굴이 몹시 창백해진 테레즈를 바라보면서 대답했다.

"그렇다면 틀림없이 기분이 야릇했겠네." 카미유는 어린아이같이 깔깔거리며 말했다. "나라면 거북했을 거야. 자네도 처음엔 분명히 어색하고 어리병병했겠지?"

로랑은 커다란 손을 펼치고는 손바닥을 유심히 들여다보았다. 그의 손가락이 가볍게 떨렸고, 두 뺨이 발그레해졌다.

그는 마치 혼잣말을 하는 것처럼 말했다. "처음인데도 난 그게 자연스럽게 느껴졌어. 예술이라는 건 참 재미있어. 다만 돈벌이가 되지 않아서 문제지······. 내 모델은 근사한 빨간 머리 여자였어. 탄력 있고 눈부신 피부, 멋진 가슴, 풍만한 엉덩이······."

로랑은 고개를 들어, 꼼짝도 하지 않고 말없이 앉아 있는 테레즈를 쳐다봤다. 그 젊은 여자는 이글거리는 눈으로 그를 빤히 바라보았다. 칠흑 같은 검은 눈은 깊이를 알 수 없는 두 개의 구멍 같았다. 반쯤 벌어진 입술 사이로 분홍빛 입 속이 드러나 보였다. 테레즈는 움츠러든 것 같았지만, 그의 말에 귀를 기울이고 있었다.

로랑의 시선이 테레즈에게서 카미유에게로 옮겨갔다. 그 전직 화가는 미소를 억누르고, 크고 관능적인 몸짓으로 하던 말을 끝맺었다. 젊은 여자는 눈으로 그 동작을 따라갔다. 후식이 나왔다. 라캉 부인은 마침 손님이 와서 가게로 내려갔다.

식탁이 치워진 뒤, 몇 분 전부터 생각에 잠겨 있던 로랑이 불쑥 카미유에게 말을 건넸다. 라캉 부인도 위층으로 돌아와 있었다.

"음, 내가 자네 초상화를 그려주지."

그 말에 라캉 부인과 그의 아들은 뛸 듯이 기뻐했다. 테레즈는 여전히 아무 말이 없었다.

로랑이 말을 이었다.

"지금은 여름이라 4시에 퇴근하니까 내가 매일 저녁 이리로 와서 두 시간씩 그리면, 아마 일주일 안에 완성할 수 있을 거야."

"그러면 되겠군." 너무 좋아 얼굴이 벌게진 카미유가 말했다. "그리고 우리 집에서 함께 저녁 식사를 하자고. 난 머리

67

를 손질하고 검은색 프록코트를 입어야겠다."

8시 종이 울렸다. 그리베와 미쇼가 들어왔다. 올리비에와 쉬잔도 뒤이어 도착했다.

카미유는 모임 사람들에게 자기 친구를 소개했다. 그리베는 입술을 삐죽였다. 그는 로랑이 마음에 들지 않았다. 나이에 비해 봉급이 너무 많다고 생각했기 때문이다. 게다가 모임에 새로운 사람을 데려오는 건 간단한 문제가 아니었다. 라캥 집에 모이는 사람들은 낯선 사람이 등장할 때면 언제나 싸늘한 반응을 보였다.

로랑은 착한 아이처럼 처신했다. 상황을 파악한 그는 사람들의 마음에 들어 단번에 받아들여지고 싶었다. 로랑은 이런저런 이야기를 늘어놓으며 호탕한 웃음으로 저녁 모임을 흥겹게 만들었고, 마침내 그리베까지도 그에게 호감을 갖게 되었다.

그날 저녁, 테레즈는 가게로 내려가려고 애쓰지 않았다. 11시까지 의자에 그대로 앉아, 로랑과 시선이 부딪치는 걸 피하면서 손님들과 게임을 하고, 잡담을 나누었다. 로랑은 테레즈에게 무관심했다. 하지만 그 사내의 다혈질적인 기질, 우렁찬 목소리, 걸걸한 웃음소리, 뿜어져 나오는 자극적이고 강렬한 체취가 그 젊은 여자를 뒤흔들면서 알 수 없는 불안감에 빠져들게 했다.

6

그날부터 로랑은 거의 매일 저녁 라캥 부인 집으로 왔다. 그는 포르오뱅가 맞은편 생빅토르가의 가구 딸린 작은 방에서 한 달에 18프랑씩 월세를 내며 지냈다. 손바닥만 한 천창이 하늘을 향해 비스듬히 뚫려 있는, 기껏해야 20제곱미터도 채 되지 않는 지붕 밑 다락방이었다. 로랑은 되도록 늦게 그 다락방으로 돌아갔다. 카미유를 만나기 전까지 그는 카페 소파에서 뒹굴 만한 돈이 없어서 저렴한 간이식당에서 저녁을 먹고 싸구려 커피를 마시고 파이프 담배를 빨아대며 시간을 때웠다. 그러고 나서 강둑을 따라 하릴없이 거닐고, 날씨가 포근할 때는 벤치에 앉아서 빈둥대다가 생빅토르가의 다락방으로 느릿느릿 되돌아가곤 했다.

퐁뇌프 파사주의 잡화점은 그에게 다정한 말과 우정 어린 관심을 건네주는 따뜻하고 평온한 안식처가 되었다. 라캥 부인이 끓여주는 맛있는 차를 마음껏 마시며 커피값을 아낄 수 있었다. 밤 10시까지 그는 자기 집처럼 편안하게 즐기도 하고 소화도 시키면서 그곳에 머물렀다. 그러고는 카미유가 가게 문 닫는 것을 도와준 뒤에야 그 집을 나섰다.

어느 날 저녁, 로랑은 그림 도구들을 가져왔다. 다음 날부터 카미유의 초상화를 그릴 작정이었다. 캔버스를 사고, 그림을 그릴 때 필요한 도구들도 모두 준비했다. 마침내 화가는 부부의 방에서 그림을 그리기 시작했다. 그는 그 방이 다른 곳보다 빛이 잘 드니 거기서 그림을 그려야 한다고 말했다.

얼굴을 데생하는 데만 꼬박 사흘 저녁이 걸렸다. 그는 화폭 위에 조심스런 손놀림으로 공들여 조금씩 목탄을 그어나갔다. 거칠고 딱딱한 그 데생은 기이하게도 르네상스 이전 대가들의 그림을 떠오르게 했다. 그가 그린 카미유의 얼굴은 보는 이의 얼굴을 찡그리게 만드는, 서투른 문하생의 모작 같았다. 나흘째 되던 날, 팔레트에다 갖가지 색깔의 물감을 풀어놓고 붓끝으로 색을 칠하기 시작한 그는 조금씩 지저분한 점들을 찍어나가고, 마치 연필로 그리는 것처럼 짧고 가는 선들을 촘촘하게 채워넣었다.

작업 시간이 끝날 때마다 라캥 부인과 카미유는 황홀하다는 듯 찬사를 남발했다. 하지만 로랑은 더 기다려야 한다고, 그러면 곧 카미유를 꼭 닮은 그림이 완성될 거라고 했다.

초상화 작업이 시작된 이후로, 테레즈는 아틀리에로 변한 그 방을 떠나지 않았다. 그는 시어머니에게 가게를 맡겨놓고 요리조리 핑계를 대며 위층으로 올라가, 초상화를 그리는 로랑을 정신없이 지켜보았다.

언제나 침울하던 테레즈는 전보다 더 창백한 얼굴로 말없이 앉아서 붓의 움직임을 눈으로 따라갔다. 하지만 그림에 흥미를 느끼는 것 같지는 않았다. 마치 어떤 힘에 이끌리듯 그곳으로 와서, 못 박힌 듯 머물러 있을 뿐이었다. 로랑은 때때로 뒤를 돌아 테레즈에게 미소를 지으며 초상화가 마음에 드는지 묻곤 했다. 테레즈는 몸을 떨면서 가까스로 대답하고는, 조용히 뭔가에 도취된 상태로 되돌아갔다.

밤중에 생빅토르가로 돌아가면서 로랑은 테레즈의 내연남이 될 것인지 말 것인지 이리저리 머리를 굴려보았다.

그는 생각했다. '그래, 그 여자는 내가 살짝 건드리기만 해도 기다렸다는 듯이 내 품에 안길 거야. 언제나 내 등 뒤에서 나를 관찰하며 이리저리 재보고 있으니까. 항상 몸을 떨고 표정도 아주 이상한 데다 말도 없지만, 잔뜩 달떠 있어. 틀림없이 그 여자는 남자가 필요한 거야. 눈을 보면 알 수 있지. 불쌍한 카미유 녀석.'

로랑은 생기 없고 왜소한 친구를 떠올리면서 속으로 웃

고 난 뒤 생각을 이어 나갔다.

'그 여자는 가게에서 지겨워 죽을 지경인 거야. 나야 달리 갈 데가 없어서 그곳에 가는 거지. 그렇지 않으면 뭐 하러 그런 델 찾아가겠어? 늘 눅눅하고 칙칙하고 기분 나쁜 그런 곳을 말이야. 그 여자는 죽을 맛일 테지. 그 여자는 날 마음에 둔 게 틀림없어. 하긴, 날 좋아하지 않을 이유가 어디 있겠어?'

그는 걸음을 멈추고, 우쭐한 기분을 느끼며 흘러가는 센강을 멍하니 바라보았다.

"젠장!" 그는 외쳤다. "기회가 오면 그 여자를 안아버려야지. 틀림없이 기다렸다는 듯이 내 품을 파고들겠지."

그는 다시 걷기 시작했다. 하지만 아직도 분명하게 결단을 내리지는 못했다.

'그런데 아무래도 그 여자는 너무 못생겼단 말이야.' 그는 생각했다. '코는 길고 입은 또 너무 커. 게다가 난 그 여자를 전혀 사랑하지도 않잖아. 까딱하다간 추잡한 소문에 휩쓸리게 될지도 몰라. 좀 더 생각해볼 필요가 있어.'

로랑은 신중을 기하려고 일주일 내내 그 생각만 했다. 그는 테레즈와 관계를 맺었을 때 일어날 수 있는 모든 가능성을 계산해보았다. 테레즈와 내연 관계를 맺는 것이 자신에게 실질적으로 이익이 된다는 것이 충분히 입증되자, 그는 모험을 해보기로 마음먹었다.

그는 테레즈가 정말 못생겼다고 생각했다. 게다가 그 여자를 사랑하지도 않았다. 하지만 돈 한 푼 들이지 않고 여자와 관계를 맺을 수 있었다. 어차피 그가 돈을 주고 샀던 여자들 역시 그 여자보다 더 아름답지도 더 사랑스럽지도 않았다. 자신의 경제적 상황 때문에라도 그의 마음은 이미 친구의 아내를 취하는 쪽으로 기울어 있었다. 더구나 여자와 자본 게 언제인지 기억도 나지 않을 정도였다. 돈이 없어서 억지로 욕망을 참고 살아왔으니 이것저것 가릴 처지가 아니었다. 그리고 곰곰이 생각해보면, 이 내연 관계로 그가 손해 볼일은 하나도 없었다. 테레즈로서는 어떻게 해서든 자신들의 관계를 숨기려 할 것이고, 그렇다면 그가 원할 때 언제든 손쉽게 그 여자를 버릴 수 있을 터였다. 카미유가 모든 걸 알게 되어 화를 내며 귀찮게 굴면 주먹으로 날려버리면 그만일 것이다. 여러모로 따져보아도 문제 될 게 별로 없어서 한 번쯤 시도해봐도 괜찮을 것 같았다.

그때부터 로랑은 기회를 엿보면서 달콤한 행복에 젖어지냈다. 기회가 오기만 하면 앞뒤 재지 않고 단숨에 해치울 생각이었다. 그는 앞으로 펼쳐질 달콤한 저녁 시간들을 그려보았다. 라캥 집안의 온 가족이 그를 즐겁게 해주려고 애쓸 것이다. 테레즈는 그의 끓어오르는 피를 식혀줄 것이고,

라캥 부인은 어머니처럼 그의 응석을 받아줄 것이다. 그리고 카미유는 저녁마다 가게에서 이런저런 얘기를 나누면서 그의 무료함을 달래줄 것이다.

카미유의 초상화가 점점 완성되어가는데도, 기회는 좀처럼 오지 않았다. 테레즈는 불안한 모습으로 항상 그곳에 힘없이 앉아 있었지만, 카미유는 잠시도 그 방을 떠나지 않았다. 단 한 시간도 그를 떼어놓을 수 없자, 로랑은 크게 낙심했다. 더는 미룰 수가 없었다. 내일이면 초상화가 완성된다고 말해야만 했다. 라캥 부인은 함께 저녁 식사를 하면서 그림이 완성된 것을 축하하자고 말했다.

다음 날, 로랑이 화폭에 마지막 손질을 한 후 온 가족이 모였다. 그들은 그림이 실물과 꼭 닮았다며 감탄했다. 사실 초상화는 칙칙한 회색에 보랏빛이 도는 커다란 얼룩으로 뒤덮여 몹시 볼썽사나웠다. 로랑은 아무리 밝고 선명한 색이라도 기어코 탁하고 지저분하게 만들어버렸다. 자기도 모르게 모델의 창백한 안색을 과장해놓아서, 카미유의 얼굴은 물에 빠져 죽은 사람처럼 푸르죽죽했다. 찌푸린 얼굴을 그린 선은 고르지 못해 음산하고 침울한 분위기가 더 부각되었다. 하지만 카미유는 그림이 무척이나 마음에 들었다. 그는 초상화 속의 자기 모습이 기품 있어 보인다고 말했다.

자신의 얼굴에 몹시 감탄한 그는 샴페인을 몇 병 가져와

야겠다며 방을 나갔고, 라캥 부인도 가게로 다시 내려갔다. 드디어 방에 화가와 테레즈만 남았다.

젊은 여자는 막연히 앞을 바라보면서 그대로 웅크리고 있었다. 몸을 떨면서 뭔가를 기나리는 것 같았다. 로랑은 망설였다. 그는 초상화를 살펴보며 붓을 놀렸다. 시간이 별로 없었다. 카미유는 곧 돌아올 것이고, 이런 기회는 아마 두 번 다시 오지 않을 터였다. 갑자기, 화가는 뒤돌아서서 테레즈를 마주 보았다. 그들은 몇 초 동안 그렇게 서로를 바라보았다.

그러다가 로랑이 재빨리 몸을 숙여 젊은 여자를 거칠게 가슴에 끌어안았다. 그러고는 여자의 머리를 젖히고 자신의 입술로 그 입술을 짓눌렀다. 여자는 화를 내며 거칠게 반항하는 듯했지만, 이내 저항을 멈추고 바닥에 미끄러지듯 쓰러지며 몸을 맡겼다. 그들은 한마디도 나누지 않았다. 말없이 행해진 그 행위는 격렬하고 난폭했다.

7

처음부터 그 연인은 자신들의 관계를 필연적이고 숙명적이며 지극히 당연한 거라고 생각했다. 처음 관계를 맺을 때부터 쭉 그래왔던 것처럼 아무런 거리낌도 없이, 전혀 부끄러워하지도 않고 서로 반말을 하며 포옹했다. 그러면서 너무도 태연하게, 너무도 뻔뻔스럽게, 아무 일도 없다는 듯이 지냈다.

그들은 밀회 시간과 장소를 정했다. 테레즈가 밖으로 나갈 수 없었기 때문에 로랑이 오기로 했다. 젊은 여자는 확신에 찬 목소리로 자기가 찾아낸 방법을 로랑에게 설명했다. 밀회 장소는 부부 침실이었다. 로랑이 퐁뇌프 파사주와 연결된 샛길로 들어오면, 테레즈가 뒷계단 문을 열어주기로 했다. 그 시간이면 카미유는 사무실에 있을 것이고, 라캥 부인은 아래층 가게에 있을 테니까 그들의 대담한 만남은 감쪽같이 성공할 수 있을 거라고 했다.

　　로랑은 테레즈의 계획을 받아들였다. 그는 신중한 사람인 반면에 앞뒤 가리지 않는 무모함, 큰 주먹에서 나오는 대담함 같은 것도 갖고 있었다. 그는 내연녀의 진지하고 침착한 태도에 이끌려 그 대담한 여자의 욕정을 맛보러 오기로 마음먹었다. 그는 핑곗거리를 만들어 상사에게 두 시간의 외출 허가를 얻어낸 후, 퐁뇌프 파사주로 서둘러 달려갔다.

　　파사주 입구에 들어서자마자 욕정이 주체할 수 없이 끓어올랐다. 모조 보석 파는 여자가 샛길 바로 맞은편에 앉아 있었다. 그는 그 상인이 장사에 정신이 팔릴 때까지 기다려야 했다. 마침 직공처럼 보이는 젊은 여자가 구리 반지나 귀걸이 같은 것을 사러 왔다. 그는 그 틈을 타서 재빨리 샛길로 들어섰다. 그리고 습기로 끈적이는 벽에 바짝 붙어서 좁고 어두운 계단을 올라갔다. 돌층계에 발이 부딪치는 소리가 날 때마다 쩌릿한 불꽃이 그의 가슴을 관통했다. 문이 열렸다. 희뿌연 빛 한가운데에서 그는 소매 없는 속옷과 속치마만 입은 채, 머리를 뒤로 질끈 묶고서 문 앞에 서 있는 눈부신 테레즈를 보았다. 테레즈는 문을 닫자마자 그의 목에 매달렸다. 여자는 방금 씻은 듯 싱그러운 살냄새를 은은하게 풍겼다.

　　로랑은 자신의 정부가 아름답다고 생각하며 놀랐다. 그는 그런 여자를 한 번도 본 적이 없었다. 부드러우면서도 억센 테레즈가 고개를 뒤로 젖히면서 그를 힘껏 껴안았다. 테레즈의 얼굴에는 불타오르는 빛이, 열정적인 미소가 흘렀다. 얼굴이 변한 것 같았다. 테레즈는 몹시 흥분해서 교태 어린 표정을 지었다. 미친 듯 애무하는 로랑의 몸짓에 입술은 촉촉하게 젖어 들고 눈은 번들거렸으며, 온몸에서 광채가 뿜어져 나오는 것 같았다. 황홀경에 빠져 몸을 비틀고 물결처럼 출렁이면서 젊은 여자는 기묘한 아름다움을 풍겼다. 내부에 응축되었던 빛이 불꽃이 되어 얼굴 밖으로 튀어나오는 듯했다. 그리고 그 여자 주위로, 그의 불타오르는 피와 팽팽한 신경들이 뜨거운 열기와 단내를 내뿜었다.

첫 관계에서부터 테레즈는 화류계 여자 같은 모습을 드러냈다. 한 번도 충족된 적이 없었던 육체는 미친 듯이 관능의 세계로 뛰어들었다. 테레즈는 마치 꿈에서 깨어난 듯했고, 열정에 눈뜨기 시작했다. 그는 카미유의 허약한 품에서 로랑의 강인한 품으로 옮겨갔다. 사내다운 사내와 관계를 맺자, 잠들었던 육체가 충격을 받아 깨어났다. 신경질적인 기질의 여자가 가진 모든 본능이 한꺼번에 폭발하듯 격렬하게 터져 나왔다. 그 여자 어머니의 피, 혈관을 불태우는 그 피가 아직도 숫처녀나 다름없는 그 미지의 몸속에서 사납게 요동치기 시작했다. 테레즈는 활짝 열린 몸으로 더없이 문란하게 남자의 몸을 받아들였다. 그리고 머리끝부터 발끝까지, 오랜 전율이 테레즈를 뒤흔들었다.

로랑에게 그런 여자는 처음이었다. 그는 그런 테레즈가 놀랍기도 하고 거북하기도 했다. 로랑이 만난 여자들은 대부분 그렇게 격정적으로 그를 받아들이지 않았다. 그는 아무 감정도 없는 무덤덤한 육체관계, 성욕을 해소하려고 나누는 시들한 사랑에 익숙했다. 테레즈의 흐느낌과 신음은 그의 관능적 호기심을 자극하면서 그를 거의 공포로 몰아넣었다. 여자와 헤어져 집으로 돌아가면서 로랑은 마치 술 취한 남자처럼 비틀거렸다.

다음 날, 음험하고 신중한 침착성을 되찾았을 때, 그는 자신을 말할 수 없이 흥분시키는 그 여자를 다시 찾아갈 것인지 생각해보았다. 처음에는 가지 않겠다고 단단히 마음먹었다. 비겁한 생각이 들었고, 그래서 다 잊어버리고 싶었다. 나체의 테레즈, 부드러우면서도 격렬하게 애무하는 그 여자를 두 번 다시 만나고 싶지 않았다. 하지만 두 팔을 벌린 테레즈의 모습이 집요하게 눈앞에 어른거렸다. 그 모습은 그에게 견딜 수 없는 육체적 고통을 불러일으켰다.

결국 그는 굴복했다. 새로운 밀회 약속을 잡고, 퐁뇌프 파사주로 다시 갔다.

그날부터 테레즈는 로랑의 삶 속으로 들어왔다. 하지만 그는 여전히 테레즈를 받아들이지 않았다. 그저 어쩔 수 없이 만나는 것뿐이었다. 겁이 날 때도 있었고, 침착해질 때도 있었다. 요컨대, 그 관계는 그를 불쾌하게 뒤흔드는 것이었다. 하지만 공포와 부담감은 욕망 앞에서 무너져 내렸다. 밀회는 계속되었고, 갈수록 더 빈번해졌다.

테레즈는 그런 의문을 갖지 않았다. 그는 열정이 이끄는 대로 직진하면서 주저하지 않고 빠져들었다. 환경 탓에 억눌려 있다가 마침내 다시 태어난 그 여자는 생명력을 드러내면서 자신을 송두리째 발가벗겼다.

때때로 테레즈는 로랑의 목을 두 팔로 껴안고 그의 가슴에 얼굴을 비비며 숨 가쁜 목소리로 말했다.

"아! 내가 얼마나 힘들었는지 당신은 상상도 못 할 거야! 난 습기로 끈적거리는 병자의 방에서 자랐어. 카미유와 한 침대를 썼어. 밤마다 그가 풍기는 역겨운 냄새 때문에 가능한 한 멀찍이 떨어지곤 했지. 그는 심술궂고 고집이 세. 자기 약을 내가 같이 먹지 않으면 자기도 먹지 않으려 했어. 난 고모에게 밉보이지 않으려고 그 약들을 다 삼켜야만 했어. 내가 어떻게 죽지 않고 지금까지 살아 있는지 모르겠어……. 그들은 나를 추하게 만들었고, 내가 가진 모든 것을 빼앗았어. 당신은 내가 당신을 사랑하는 만큼 날 사랑할 수 없을 거야."

테레즈는 울면서 로랑에게 키스하고는, 사무친 증오심

을 드러내며 말을 이어 나갔다.

"나는 그들에게 상처를 주고 싶지 않아. 그들은 날 키워 줬어. 날 거둬들여 비참하게 살아가지 않도록 보살펴줬지. 하지만 나는 그들이 나를 보호해주기보다는 그냥 내버려두 기를 바랐어. 나는 신선한 바깥 공기가 절실하게 필요했어. 아주 어렸을 때는, 집시처럼 먼지 나는 흙길을 맨발로 뛰어 다니며 동냥을 하며 살게 해달라고 매일 밤 기도했어. 우리 엄마는 아프리카 족장의 딸이었대. 난 엄마 생각을 자주 하 면서 내가 엄마의 피와 본능을 물려받았다는 걸 깨닫게 되었 어. 엄마와 헤어지지 않고 엄마 등에 업혀 사막을 돌아다녔 더라면 얼마나 좋았을까. 아! 가엾은 내 청춘! 카미유가 숨을 헐떡이는 그 방에서 보낸 기나긴 나날을 생각하면 난 아직 도 구역질이 나고 분노가 치밀어. 불 앞에 웅크리고 앉아 탕 약이 끓는 걸 멍하니 지켜보고 있으면 팔다리가 뻣뻣해졌지. 그런데도 나는 움직일 수 없었어. 소리를 내면 고모가 야단 을 쳤으니까. 그 뒤로 강가의 작은 집에서 살게 되었을 때 내 가 얼마나 기뻤는지 아무도 모를 거야. 하지만 그때 난 이미 바보가 되어 있었어. 너무 허약해져서 제대로 걸을 수도 없 었지. 달리려고 하면 그대로 고꾸라지곤 했어. 그러다가 이 끔찍한 가게에 산 채로 매장된 거야."

테레즈는 크게 한숨을 내쉬고 연인을 품 안에 꽉 끌어안았다. 여자는 이런 식으로 그들에게 보복했다. 테레즈의 가늘고 부드러운 콧구멍이 신경질적으로 바르르 떨렸다. 여자가 말을 이었다.

"그들이 나를 얼마나 형편없는 인간으로 만들어놨는지 당신은 상상도 못 할 거야. 그들은 나를 위선자, 거짓말쟁이로 만들었어. 그 속물적인 안일함으로 날 숨 막히게 했어. 내 혈관에 어떻게 아직도 피가 남아 있는지 모르겠어. 나는 눈을 내리깔고 그들처럼 기운 없고 멍청한 표정을 짓고 있었지. 나는 그들처럼 죽은 것이나 다름없는 삶을 살았어. 당신을 만났을 때도 난 바보 같은 얼굴을 하고 있었잖아, 그렇지? 나는 침울하고, 짓눌리고, 정신이 나간 것처럼 멍한 상태였어. 희망이라곤 쥐꼬리만큼도 없어서 언젠가 센강에 몸을 던질 생각이었지. 하지만 그렇게 되기까지 얼마나 많은 분노의 밤을 보냈는지 당신은 모를 거야! 저기, 베르농에 살 때는 싸늘한 방에 갇혀 터져 나오는 울음을 멈추려고 베개를 물어뜯곤 했어. 비겁한 인간이라고 나 자신을 탓하면서 가슴을 내리치곤 했지. 피가 끓어올라 온몸이 터져버릴 것 같았어. 나는 두 번이나 달아나려 했어. 뜨거운 햇살 아래로 곧장 달려 나가고 싶었거든. 하지만 용기가 없었어. 그들이 그 다정한 호의와 구역질 나는 애정으로 날 가축처럼 길들여놓은 거야. 그래서 난 거짓말을 했어. 항상 거짓말을 했지. 속으로는 뭔

가를 때리고 물어뜯고 싶었지만, 겉으로는 아주 유순하고 얌
전하게 그들 곁에 머물렀어."

젊은 여자는 말을 멈추고, 로랑의 목에 축축한 입술을
비볐다. 그리고 잠시 침묵한 뒤 이렇게 덧붙였다.

"내가 왜 카미유와의 결혼에 동의했는지 지금도 모르겠
어. 나는 경멸 섞인 무관심 때문에 거절조차 하지 않았어. 난
카미유가 불쌍하다고 생각했어. 그의 팔다리 살은 너무 물
컹거려서 손가락을 갖다 대면 마치 점토처럼 쑥 들어가 박
혔어. 내가 카미유를 받아들인 건 고모가 그렇게 하라고 시
켰기 때문이야. 고모는 내가 전혀 거북해하지 않을 거라 생
각한 거지. 하지만 남편이 된 후에도 그는, 내가 여섯 살 때
처음 한 침대에서 같이 잤던 그 병든 사내아이와 조금도 다
를 게 없었어. 그때와 똑같이 허약했고 끙끙 앓는 소리를 냈
어. 게다가 어릴 때부터 풍기던 그 역겨운 냄새를 풍겼지. 그
에게선 아직도 병든 아이에게서 나는 그 구역질 나는 냄새가
난다니까…… 혹시라도 당신이 질투할까 봐 이런 얘길 해주
는 거야. 그 냄새를 맡으면 구역질이 났어. 내가 삼킨 약들이
생각나서 난 그에게서 등을 돌리고 멀찍이 떨어져서 끔찍한
밤을 보내곤 했어. 그런데 당신, 당신은……."

테레즈는 몸을 일으켜 로랑의 크고 두툼한 손가락에 자
신의 손가락을 끼웠다. 그리고 몸을 뒤로 젖혀 그의 넓은 어

깨와 굵은 목을 바라보면서 말했다.

"난 당신을 사랑해. 카미유가 당신을 가게 안으로 밀어 넣던 그날부터 당신을 사랑했어. 당신은 아마 날 좋지 않게 생각할지도 모르지. 그렇게 쉽게 당신에게 몸을 맡겼으니까……. 정말이지, 어쩌다가 그렇게 됐는지 나도 잘 모르겠어. 나도 자존심이 있는데, 정신이 나갔었나 봐. 당신이 처음으로 날 껴안으며 바닥에 쓰러뜨렸을 때 당신을 때려서라도 못하게 했어야 했는데……. 내가 어쩌다 당신을 사랑하게 됐는지 모르겠어. 그 전엔 오히려 당신을 미워했는데 말이야. 당신의 눈길이 날 자극하고 괴롭혔으니까. 당신이 거기 있을 때, 내 신경은 터질 것처럼 팽팽해지고, 머리는 텅 비고, 눈앞이 아찔해졌어. 아! 난 정말 괴로웠어! 그런데 난 그런 고통을 찾고 있었어. 당신이 오기를 기다리고 있었어. 나는 당신의 숨결을 느끼고 당신 옷에 내 옷자락이라도 스치고 싶어서 당신이 앉은 의자 주위를 맴돌곤 했어. 당신의 피가 나에게 열기를 내뿜는 것 같았지. 마치 불타오르는 떼구름 같았어. 내가 아무리 저항해도 기어코 날 끌어당겨 뜨거운 열기로 에워싸서 당신 곁에 붙잡아두는 그런……. 여기서 그림을 그리던 때가 기억나? 어떤 거부할 수 없는 힘이 나를 당신 쪽으로 끌고 갔지. 나는 고통스러운 희열을 느끼며 당신 숨결을 들이마셨어. 그건 사실 당신에게 입맞춤해달라고 애원하는 것이나 마찬가지였지. 나는 노예가 된 나 자신이 부끄러웠어. 당신이 건드리면 단번에 무너지리라는 것도 알았어. 하지만 나는 내 비겁함에 굴복하고, 당신이 나를 껴안아주기를 기다리면서 부들부들 떨고 있었어."

테레즈는 마치 복수를 하고 나서 자랑스러워하는 여자처럼 몸을 부르르 떨고는 입을 다물었다. 그는 욕정에 취한 로랑을 가슴에 끌어안았다. 이어서 황량하고 싸늘한 방에서 열정적으로 불타는 장면들, 음산하고 노골적인 장면들이 펼쳐졌다. 그들이 다시 만날 때마다 발작과도 같은 도취와 탐닉이 더한층 격렬하게 따라왔다.

젊은 여자는 그런 대담하고 파렴치한 짓을 즐기는 것 같았다. 그는 망설임도 두려움도 없었다. 너무도 솔직하고 대담하게 간통을 저질렀고, 위험을 무릅쓰면서 일종의 허영심을 만족시켰다. 내연남이 올 시간이 되면 그는 시어머니에게 다 죽어가는 목소리로 2층에 올라가서 쉬어야겠다고 말했다. 하지만 로랑을 만나면 소리를 낮추려는 생각은 전혀 하지 않고 거리낌 없이 걷고, 말하고, 행동했다. 그래서 처음에 로랑은 잔뜩 겁을 먹기도 했다. 그는 목소리를 최대한 낮춰 테레즈에게 속삭였다.

"이봐! 그렇게 소리 내지 마. 라캉 부인이 올라오겠어."

"치!" 테레즈는 웃으며 대답했다. "그렇게 떨 필요 없어.

고모는 계산대에서 꼼짝도 하지 않아. 뭐 하러 여기 올라오 겠어? 누가 물건을 훔쳐갈까 봐 잠시도 가게를 비우지 못하는데……. 그리고 혹시라도 올라오면 올라오는 거지 뭐. 당신은 숨어. 난 고모가 올라오든 말든 상관없으니까. 사랑해.”

그런 말을 들어도 로랑은 전혀 마음이 놓이지 않았다. 그가 아무리 정욕에 눈이 뒤집혔다 해도 시골뜨기의 몸에 밴 조심성은 여전했다. 하지만 얼마 지나지 않아 그도 달라졌다. 로랑은 그 늙은 잡화상이 지척에 있는데도 벌건 대낮에 카미유의 침실에서 별로 불안해하지 않고 밀회를 즐길 만큼 대담해졌다. 그의 정부는 대담하게 행동하는 사람에게는 위험도 피해간다는 격언을 되풀이해 들려줬다. 결국 테레즈의 말이 옳았다. 그 방만큼 안전한 장소는 아무 데도 없었다. 그 방으로 그들을 찾으러 올 사람은 아무도 없었으니까. 그들은 거기서, 믿을 수 없을 정도로 마음 편히 자신들의 욕정을 채 웠다.

그런데 어느 날, 라캥 부인이 조카딸이 어디가 아픈 건 아닐까 걱정이 되어 올라왔다. 테레즈가 위층에 올라간 지 거의 세 시간이나 지났던 것이다. 테레즈는 침실 방문의 빗 장을 잠그지 않을 정도로 대담해져 있었다.

나무 계단을 올라오는 늙은 잡화상의 무거운 발소리를 들은 로랑은 어찌할 바를 모르고 허둥지둥 조끼와 모자를 찾았다. 테레즈는 그가 우스꽝스러운 표정으로 허둥대는 걸 보고 웃기 시작했다. 그러고는 그의 팔을 낚아채 침대 틈새로 밀어 넣고 차분하게 말했다.

"거기 그대로 있어. 꼼짝하지 말고."

테레즈는 여기저기 널브러진 남자의 옷가지를 그가 있는 곳으로 던진 다음, 자기가 벗어놓았던 흰 속치마를 펼쳐 그 위에 덮었다. 테레즈는 당황하는 기색도 없이 민첩하고 정확한 동작으로 그 모든 걸 순식간에 해냈다. 그리고 나서 얼굴의 홍조와 몸의 떨림이 아직 가시지 않은 채, 헝클어진 머리와 반쯤 벗은 모습으로 침대에 누웠다.

라캥 부인이 조용히 문을 열고 살금살금 침대로 다가왔다. 젊은 여자는 자는 척했고, 로랑은 흰 속치마 밑에서 식은 땀을 흘리고 있었다.

"테레즈, 어디 아프니, 얘야?" 라캥 부인이 걱정하며 물었다.

테레즈는 눈을 뜨고 하품을 하며 돌아누웠다. 그러고는 애처로운 목소리로 두통이 너무 심하다며 조용히 자게 해 달라고 애원했다. 늙은 여자는 왔을 때처럼 소리 없이 사라졌다.

연인은 조용히 웃으면서 다시 뜨겁게 껴안았다.

"봤지?" 테레즈가 자랑스럽게 말했다. "여기서 우린 아무엇도 겁낼 필요가 없어. 저들은 모두 눈뜬장님이야. 사랑이 뭔지 몰라."

그러던 어느 날, 젊은 여자는 기이한 생각을 했다. 이따금 미친 것처럼 이상한 말을 하기도 했다.

얼룩 고양이 프랑수아가 방 한가운데에서 웅크리고 앉아 있었다. 그 고양이는 꼼짝도 하지 않고 눈을 동그랗게 뜬 채 두 연인을 불길하게 바라보았다. 황홀경에 취한 두 사람을 눈 한번 깜빡이지 않고 유심히 관찰하는 것 같았다.

"프랑수아 좀 봐." 테레즈가 로랑에게 말했다. "꼭 뭘 아는 것처럼 쳐다보네. 오늘 저녁에 카미유에게 다 일러바칠 것 같아. 이상하게 들리겠지만, 저 녀석이 가게에서 사람들에게 우리 얘기를 할지도 몰라."

프랑수아가 말을 할 수 있을 거라고 상상하자 젊은 여자는 이상하게 재미있다는 생각이 들었다. 고양이의 커다란 초록색 눈을 본 로랑은 온몸에 소름이 끼쳤다.

"저 녀석은 아마 이럴 거야." 테레즈가 말을 이었다. "발딱 일어나 한 발로는 나를 가리키고 다른 발로는 당신을 가리키면서 이렇게 외치겠지. '저 남자와 여자는 방 안에서 껴안고 뒹굴어요. 저들은 내가 방에 있는데도 아랑곳하지 않아요. 난 저들의 불륜이 역겨워요. 부디 저들을 감옥에 처넣어주세요, 내 낮잠을 방해하지 못하게.'"

테레즈는 어린아이 같은 말투로 비아냥거렸다. 그리고 손가락을 발톱처럼 쫙 펼치고 고양이과 동물처럼 등을 둥그렇게 치켜세운 채 고양이 흉내를 내며 즐거워했다. 프랑수아는 돌처럼 꼼짝도 하지 않고 그를 계속 주시했다. 두 눈만이 살아 있는 것처럼 보였다. 마치 박제된 듯한 모습의 고양이는 양쪽 입가에 깊게 팬 주름 때문에 웃는 것처럼 보였다.

로랑은 뼛속까지 오싹해지는 기분이었다. 그는 농담처럼 던진 테레즈의 그 말이 기괴하게 느껴졌다. 그래서 얼른 일어나 고양이를 문밖에 내놓았다. 사실 로랑은 겁을 먹고 있었다. 그의 정부는 아직 그를 완전히 사로잡지 못했고, 그의 마음 깊은 곳에는 그 여자와의 첫 관계 때 느꼈던 꺼림칙함이 아직도 좀 남아 있었다.

8

저녁에 잡화점으로 가면 로랑은 정말 행복했다. 그는 거의 매일 퇴근 후에 카미유와 함께 그곳으로 갔다. 라캥 부인은 그를 친아들처럼 따뜻하게 대했다. 부인은 그가 형편이 어려워 제대로 먹지도 못하고 좁은 다락방에서 산다는 것을 알았다. 그래서 그에게 언제든지 자기 집으로 식사를 하러 오라고 말했다. 라캥 부인은 늙은 여자들이 고향 사람을 만나 옛 추억을 나눌 때 그러듯이 로랑에게 다정하게 수다를 늘어놓으며 애정을 표현했다.

로랑은 그런 환대를 최대한 이용했다. 퇴근 후 그는 카미유와 함께 강둑을 따라 걸었다. 두 사람 모두 이 교우 관계가 자신에게 이득이 된다고 생각했다. 무엇보다 함께 있으면 덜 심심했다. 그들은 이런저런 이야기를 나누면서 한가로이 거닐다가 라캥 부인이 만든 수프를 먹으러 가게로 향했다.

로랑은 가게 문을 주인처럼 당당하게 열고 들어가, 그곳이 자기 집인 양 의자에 털썩 걸터앉아 담배를 피우고 침을 뱉었다.

테레즈가 거기 있어도 그는 전혀 어색해하지 않았다. 그는 테레즈를 아무런 거리낌 없이 다정하게 대하면서 농담을 던지고, 표정 하나 변하지 않은 채 테레즈의 환심을 사려는 듯 시시껄렁한 말을 건네곤 했다. 카미유는 그의 농담에 웃었다. 그리고 자기 아내가 친구에게 계속 한두 마디 간단한 대답밖에 하지 않는 걸 보고, 두 사람이 서로 싫어한다고 철석같이 믿었다. 어느 날은 심지어 로랑을 너무 쌀쌀맞게 대한다고 테레즈를 나무라기까지 했다.

모든 게 정확히 로랑의 뜻대로 이루어진 셈이었다. 그는 그 집 아내의 내연남이자 그 남편의 친구, 그리고 친구 어머니의 귀여운 자식이 되었다. 그는 자신의 욕망을 이렇게 채우며 살아본 적이 없었다. 그는 라캥 가족이 끝없이 베풀어 준 것들을 즐겁게 되새기며 기분 좋게 잠자리에 들었다. 그가 생각하기에 그 집안에서 자신의 위치는 아주 당연해 보였다. 그는 카미유와 친하게 지내면서 질투도 양심의 가책도 느끼지 않았다. 아주 조심하면서 태연하게 행동하니 들킬 리가 없다고 확신했다. 그래서 카미유가 눈치채지 않았을까 걱정하며 카미유의 행동이나 말투에 신경을 쓰지도 않았다. 그에게 더없는 행복을 안겨주는 그 뻔뻔한 이기주의가 모든 죄로부터 그를 보호해주었다. 가게에 있을 때 그의 내연녀는 딴사람이 되었다. 거기서 그 여자는 로랑이 절대로 안아선 안 될 남의 아내였다. 로랑은 사람들 앞에서 테레즈에게 의례적인 볼 키스조차 하지 않았다. 그곳에 다시 오지 못하게 될까 두려웠기 때문이다. 오로지 그 한 가지 이유 때문에 그는 욕망을 억눌렀다. 카미유와 그 어머니가 받게 될 고통 따위는 안중에도 없었다. 그는 자신들의 관계가 들통나면 어떤 일들이 벌어질지도 전혀 생각하지 않았다. 가난하고 굶주린 사내라면 누구라도 자기처럼 행동했을 거라고 생각할 뿐이었다. 그의 태연하고 침착한 태도와 신중하면서도 대담한 행동거지, 무심한 빈정거림은 그런 생각에서 비롯된 것이었다.

그에 비해 훨씬 더 예민하고 겁이 많은 테레즈는 연기를 해야 했다. 어릴 때부터 몸에 밴 위선 덕분에 테레즈는 자기가 맡은 배역을 완벽하게 연기해낼 수 있었다. 그는 거의 15년 동안 자신의 끓어오르는 욕망을 애써 억누르고 자신의 의지 따위는 없는 것처럼 위장하면서 거짓된 삶을 살아왔다. 그러니 얼굴에 데스마스크를 쓴 것처럼 표정 없이 살아가는 것은 테레즈에게 별로 어려운 일이 아니었다. 가게에 들어올 때 로랑은 테레즈가 시무룩하고 우울해 보인다고 생각했다. 코는 더 길고 입술은 더 얇은 듯해서 못생겨 보일 뿐만 아니라, 말을 붙이기도 어려울 만큼 차갑고 무뚝뚝했다. 게다가 테레즈는 자신의 역할을 과장하지 않았다. 갑자기 과장된 연기를 해서 괜히 사람들의 주의를 끌지 않도록 이전과 달라진 것 없는 태도를 연기했다. 그는 카미유와 라캥 부인을 속이면서 야릇한 쾌감을 느꼈다. 테레즈는 로랑과 달랐다. 테레즈는 욕망을 채우는 데 눈이 멀어 의무를 내팽개치려 했다. 죄를 저지른다는 걸 알지만, 자신이 짐승이 아니라 한 남자의 애인이라는 것을 남편과 고모에게 보여주고 싶었다. 그래서 종종 식탁에서 일어나 로랑의 입술을 탐욕스럽게 빨아대며 키스하고 싶은 강렬한 욕망에 사로잡히곤 했다.

때때로 미칠 듯한 희열이 머리끝까지 치솟기도 했다. 테레즈는 뛰어난 연기자였지만, 애인이 옆에 없어서 그 관계가 발각될까 봐 걱정하지 않아도 될 때면 저절로 흘러나오는 콧노래를 참을 수가 없었다. 항상 시무룩한 며느리에게 얼굴 좀 펴라고 나무라던 라캥 부인은 테레즈가 그처럼 갑자기 명랑한 모습을 보이자 몹시 기뻐했다. 테레즈는 화분을 사서 자기 방 창가에 올려놓고, 벽지도 새것으로 바꾸었다. 카펫과 커튼도 새로 갈고 자단나무 가구들을 들여놓고 싶어 했다. 그 모든 사치는 로랑을 위한 것이었다.

타고난 본성과 환경이 그 여자와 남자를 숙명적으로 서로에게 이끌리도록 만든 것 같았다. 예민하고 위선적인 여자와 다혈질에 야수처럼 정력이 넘치는 남자, 두 사람은 단단하게 결합된 한 쌍을 이루었다. 그들은 서로에게 모자란 부분을 채워주고 서로를 보호해주었다. 저녁에 창백한 램프 불빛 아래에서 식사할 때, 말 없는 테레즈의 무표정한 가면과 마주 앉아 미소 짓는 로랑의 철면피 같은 얼굴을 보면 그들의 결합이 얼마나 강력하고 무시무시한 것인지 느낄 수 있었다.

평화로운 저녁이면, 흐릿한 불빛 아래 정겨운 말들이 조용히 오갔다. 그들은 식탁 주위에 옹기종기 모여 앉았다. 후식까지 다 먹고 난 뒤에는 그날 있었던 사소한 일과 지난날의 추억, 앞으로의 소망 들을 얘기하곤 했다. 이기적인 카미유는 자기가 즐거울 만큼만 로랑을 좋아했고, 로랑도 카미유에게 그것과 똑같은 우정을 보여주는 것 같았다. 그들 사이에 헌신적인 말과 친절한 행동, 상대방을 세심하게 배려하는 시선이 오고 갔다. 라캥 부인은 온화한 표정으로, 자식처럼 귀하게 여기는 그 젊은이들이 호흡하는 평화로운 공기를 함께 마시며 그들에게 자신의 모든 행복을 걸었다. 그들이 함께한 자리는 마치 마음 깊은 곳까지 서로 잘 아는 친구들이 서로의 우정을 굳게 믿으며 잠자리에 드는 오래된 모임 같았다.

테레즈도 다른 사람들처럼 평온한 얼굴로 꼼짝도 하지

않은 채 그 속물적인 즐거운 분위기, 기분 좋게 가라앉은 평화로운 분위기를 지켜보았다. 하지만 테레즈의 마음 깊은 곳에는 야비한 웃음이 숨어 있었다. 냉담하고 무표정한 얼굴을 하면서도 속으로는 온 마음으로 그들을 비웃었다. 몇 시간 전에 옆방에서 거의 벌거벗은 몸으로 머리를 흐트러뜨린 채 로랑의 품에 안겨 있던 자신의 모습을 떠올리면서 더할 수 없는 쾌감을 느꼈다. 테레즈는 그날 오후에 있었던, 미친 듯이 격렬했던 욕정의 행위들을 하나하나 세세하게 떠올렸다. 머릿속으로 그 장면들을 펼쳐놓고는, 눈앞의 죽은 듯한 광경과 미친 듯이 불타오르던 그때의 장면을 비교해 보았다. 아! 테레즈는 그 선량한 사람들을 감쪽같이 속였다. 그리고 그토록 의기양양하게, 그들을 속이며 뻔뻔하게도 행복을 맛보았다! 그가 외간 남자를 받아들인 곳은 얇은 칸막이벽에서 불과 두어 걸음 떨어진 곳이었다. 미친 듯이 불륜 행위에 몸을 내맡겼던 곳도 바로 그곳이었다. 그런데도 이 시간이 되면 그 여자의 정부는 그에게 낯선 사람, 남편의 친구, 그가 관심을 가져서는 안 되는 손님이 되었다. 그 잔인한 연극, 인생의 기만, 대낮의 불타는 입맞춤과 저녁의 위선적인 무관심을 비교하면서 젊은 여자는 핏속에서 욕정이 또다시 솟구쳐 오르는 것을 느끼곤 했다.

어쩌다가 라캥 부인과 카미유가 아래층으로 내려가고

로랑과 단둘이 남게 될 때면, 테레즈는 벌떡 일어나 소리 없이 거칠게 자신의 입술을 연인의 입술에 포겠다. 그리고 발소리가 들려올 때까지 숨을 헐떡이면서 연인의 품에 안겨 있었다. 나무 층계가 삐걱거리는 소리가 들리면 테레즈는 재빨리 제자리로 돌아가 다시 시무룩하게 찌푸린 표정을 지었다. 로랑은 태연하게 카미유와 방금까지 나누던 이야기를 이어 나갔다. 그것은 마치 깜깜하던 하늘에 욕망의 번개가 번쩍하며 순식간에 내리쳤다가 사라지는 것과도 같았다.

목요일 저녁은 좀 더 활기를 띠었다. 로랑은 이 저녁 모임이 죽을 만큼 지루했지만, 단 한 번도 모임에 빠지지 않았다. 그는 만일을 대비해 카미유의 친구들과 친분을 쌓고 그들에게서 좋은 평판을 얻고 싶었다. 그래서 그리베와 미쇼 영감이 지루하게 되풀이하는 허튼소리를 들어줄 필요가 있었다. 미쇼 영감은 늘 살인과 도둑질에 관한 똑같은 이야기들을 늘어놓았고, 그리베는 직장 동료나 상사들, 직장에서 일어난 일들을 이야기했다. 로랑은 그들을 피해, 멍청이인 건 매한가지지만 그나마 사람을 덜 지겹게 하는 올리비에와 쉬잔 곁으로 가서 빨리 도미노 게임을 시작하자고 재촉하곤 했다.

목요일 모임이 끝나고 헤어질 때 테레즈는 다음번 밀회 약속을 로랑에게 전했다. 라캥 부인과 카미유가 파사주 입구까지 손님들을 배웅하러 나가는 어수선한 틈을 타서 로랑에게 다가가 미리 정해놓은 다음 밀회 날짜와 시간을 낮은 목소리로 속삭이고는 그의 손을 꽉 움켜잡았다. 심지어 모두가 등을 돌리고 있을 때 대담한 척 허세를 부리며 그에게 키스할 때도 있었다.

흥분과 위안이 뒤섞인 그 생활이 거의 8개월 동안 계속되었다. 연인은 더없이 행복한 나날을 보냈다. 테레즈는 더이상 지루하지 않았고, 아무것도 바랄 게 없었다. 맛있는 음식과 사랑을 실컷 받아먹고 포동포동 살이 오른 로랑이 걱정하는 것은 단 한 가지, 이처럼 멋진 생활이 끝나버리면 어쩌나 하는 것뿐이었다.

9

어느 날 오후, 로랑이 테레즈 곁으로 달려가려고 사무실을 나설 때, 상관이 그를 불러 앞으로는 업무 시간에 자리를 비우지 말라고 경고했다. 그동안 그가 너무 자주 자리를 비웠기 때문에, 앞으로 한 번 더 그런 일이 발생하면 즉시 해고하라는 상부 지시가 내려왔다는 것이었다.

그는 의자에 못 박힌 채 퇴근 시간이 올 때까지 절망에 빠져 있었다. 먹고살아야 하니, 해고당할 수는 없었다. 저녁에 잔뜩 화가 났을 테레즈의 얼굴을 보려니 고통스러웠다. 그는 약속을 지키지 못한 이유를 어떻게 설명해야 할지 난감했다. 카미유가 가게 문을 닫는 동안 그는 테레즈에게 재빨리 다가갔다.

"이제 만날 수 없어." 그는 낮은 목소리로 속삭였다. "회사에서 외출 금지령이 떨어졌어."

곧 카미유가 돌아왔다. 로랑은 그 청천벽력 같은 말에 충격받은 테레즈에게 자세한 이야기를 해줄 틈도 없이 그를 혼자 남겨두고 자리를 떠야 했다. 테레즈는 관능적 쾌락을 더는 맛볼 수 없다는 사실을 받아들이고 싶지 않았다. 불같이 화가 난 테레즈는 둘이서 몰래 만날 방법을 궁리하느라 뜬눈으로 밤을 새웠다. 그다음 목요일, 테레즈는 로랑과 기껏해야 1분 정도 대화했다. 이제 어디서 만나 서로 얘기를 나누고 정을 통할지 기약할 수 없었기 때문에 그들은 더욱더 불안하고 초조했다. 테레즈는 연인과 새로운 밀회 약속을 했지만, 로랑은 다시 한 번 그와의 약속을 어겼다. 그때부터 테레즈의 머릿속에는 어떤 대가를 치르더라도 반드시 그를 만나겠다는 생각밖에 없었다.

로랑이 테레즈에게 다가가지 못한 지 보름이 지났다. 그 덕분에 그는 그 여자가 자신에게 얼마나 필요한 존재인지 새삼 느끼게 되었다. 그동안 테레즈와 습관처럼 자연스럽게 성욕을 해결해왔지만, 그것이 한순간에 불가능해지자 그의 욕망은 더 강렬하고 절실해졌다. 테레즈와 관계할 때 그는 더이상 아무런 어색함도 느끼지 않고 굶주린 짐승처럼 거칠게 달려들었었다. 그의 근육 속에는 피 끓는 욕정이 흘렀다. 그런데 연인을 만나지 못하자, 그 애욕이 맹목적으로, 난폭하게 폭발했다. 그는 걷잡을 수 없는 성욕을 느꼈다. 짐승처럼 기운이 뻗치는 천성 때문에 자신도 모르게 그렇게 되는 것 같았다. 그는 본능에 따르며 몸이 요구하는 대로 끌려갔다. 만약 1년 전에 누군가가 그에게 지금의 안정적인 생활을 위태롭게 만들 정도로 한 여자에게 집착하게 될 거라는 얘기를 했다면, 그는 말도 안 된다며 껄껄 웃었을 것이다. 하지만 자기도 모르는 사이에 욕망의 은밀한 작업이 이루어졌고, 마침내 욕망은 그의 손발을 꽁꽁 묶어 테레즈의 야수 같은 애무에 그를 던져놓았다. 로랑은 자신이 조심성을 잃고 경솔하게 무슨 어리석은 짓을 저지르지나 않을까 지레 겁을 먹었다. 그래서 퇴근 후에도 퐁뇌프 파사주 쪽으로는 얼씬도 하지 않았다. 그러나 그는 점점 더 자제력을 잃어갔다. 그의 정부는 암고양이처럼 민첩하고 유연하게 그의 힘줄 하나하나까지 조금씩 파고들어왔다. 사람이 살아가려면 마실 것과 먹을 것이 필요하듯이, 이제 그는 그 여자가 필요했다.

다음 날 테레즈의 편지를 받지 못했다면, 로랑은 분명히 어리석은 짓을 저질렀을 것이다. 편지에서 그의 연인은 다음 날 저녁 8시쯤 그의 다락방으로 그를 만나러 가겠다고 약속했다.

퇴근길에 그는 너무 피곤해서 쉬어야겠다며 카미유를 따돌렸다. 저녁 식사가 끝난 뒤 테레즈도 자기가 맡은 역할을 연기했다. 그는 외상값을 갚지 않고 이사 간 어떤 손님 애기를 꺼냈다. 그러고는 깐깐한 채권자 연기를 하면서 자기가 가서 돈을 받아오겠다고, 만약 돈을 갚지 않으면 경찰에 고발하겠다고 말했다. 그 손님이 사는 곳은 바티뇰이었다. 라캥 부인과 카미유는 거긴 너무 먼 데다, 설령 그곳까지 찾아간다 해도 돈을 받아낼 수 있을지 장담할 수도 없다고 생각했다. 하지만 그들은 별다른 의심을 하지 않고, 집을 나서는 테레즈를 굳이 말리지 않았다.

젊은 여자는 조금이라도 빨리 도착하고 싶은 마음에 축축한 포장도로에서 미끄러지기도 하고 행인들과 부딪히기도 하면서 서둘러 포르오뱅가로 달려갔다. 얼굴에는 땀이 송골송골 맺혔고, 손은 뜨겁게 불탔다. 꼭 술에 취한 여자 같았다. 테레즈는 가구 딸린 숙박 업소의 계단을 빠르게 올라갔다. 7층에 이르러, 멍한 눈으로 숨을 헐떡거리는 테레즈의 눈앞에, 난간에 기댄 채 그를 기다리는 로랑의 모습이 보였다.

테레즈는 다락방으로 들어갔다. 공간이 너무 좁아 그의 폭넓은 치마를 주체할 수 없을 정도였다. 그는 한 손으로 모자를 벗고, 쓰러지듯 침대에 몸을 뉘었다.

활짝 열린 천창으로 서늘한 저녁 공기가 들어와 열기로 달아오른 침대를 식혀주었다. 두 연인은 마치 동굴 속 같은 그 누추한 방 안에서 오랜 시간을 보냈다. 갑자기 테레즈의 귀에 피티에가의 시계가 10시를 알리는 소리가 들렸다. 그 순간, 테레즈는 자신의 귀가 먹어버리기를 바랐다. 그는 간신히 몸을 일으켜, 제대로 살펴보지도 못했던 다락방을 둘러보았다. 그러고는 모자를 찾아 쓰고 리본을 맨 다음, 다시 자리에 앉으며 느릿하게 말했다.

"이제 가야겠어."

로랑은 테레즈에게 다가가 무릎을 꿇고 두 손을 잡았다.

"다음에 봐." 테레즈는 움직이지 않고 말했다.

"다음에 보자니, 그런 인사는 싫어." 로랑이 소리쳤다. "그건 너무 막연하잖아. 언제 다시 올 거야?"

테레즈가 로랑을 똑바로 쳐다봤다.

"솔직하게 말해줘?" 테레즈가 말했다. "사실, 다시는 못 올 거야. 이제 둘러댈 만한 핑곗거리가 없어. 더 이상 꾸며댈 수가 없다고."

"그렇다면 정말 작별 인사를 해야겠군."

"싫어! 그건 안 돼!"

테레즈는 두려움과 분노가 뒤섞인 어조로 그 말을 내뱉었다. 그러고는 자기가 무슨 말을 하는지도 모르는 채로 그 자리에 앉아 좀 더 부드럽게 덧붙였다.

"가야겠어."

로랑은 생각에 잠겨 있었다. 그는 카미유를 생각했다.

"난 그를 미워하진 않아." 그는 카미유라는 이름을 피하며 말했다. "그렇지만 그 녀석은 우리에게 너무…… 방해가 돼. 그 녀석을 떼어버릴 수 없을까? 어딘가 아주 먼 곳으로 여행을 보낸다든가?"

"아! 여행을 보낸다니!" 젊은 여자는 고개를 저으며 대꾸했다. "그런 남자가 여행을 가겠다고 할 것 같아? 그에게 여행은 딱 한 가지밖에 없어. 영원히 돌아오지 못할 여행……. 하지만 그 전에 우리가 먼저 땅에 묻힐걸? 병을 달고 골골거리며 사는 사람들은 건강한 사람들보다 훨씬 더 오래 살아."

침묵이 흘렀다. 로랑은 무릎을 꿇고 정부에게 바짝 다가가 그의 가슴에 머리를 기댔다.

"난 꿈을 꿨어." 그가 말했다. "당신과 함께 온밤을 보내고, 당신 품에 안겨서 잠이 들고, 다음 날 당신 키스를 받으며 눈을 뜨는 그런 꿈……. 난 당신 남편이 되고 싶어, 알겠어?"

"그래, 알아." 테레즈는 떨리는 목소리로 대답했다.

그러더니 갑자기 몸을 숙이고 로랑의 온 얼굴에 키스를 퍼부었다. 테레즈의 모자에 달린 리본 끈이 젊은 남자의 억센 수염에 뜯겨 올이 나갔다. 옷도 마구 구겨졌지만 더 이상 그런 건 신경 쓰지 않았다. 테레즈는 흐느껴 울면서 숨 가쁘게 말했다.

"그런 말 하지 마." 테레즈는 되풀이했다. "그런 말을 들으니까 당신과 헤어지기가 더 힘들잖아. 그냥 여기 있고 싶어진단 말이야. 차라리 내게 용기를 줘. 우리가 계속 만날 거라고 말해줘. 당신한텐 내가 필요하잖아. 그리고 우린 언젠가 함께 살 방법을 찾을 거야, 그렇지?"

"그럼, 다시 와. 내일 다시 와." 로랑은 떨리는 손으로 테레즈의 허리를 타고 가슴 위로 올라가면서 말했다.

"하지만 난 이제 올 수 없어. 내가 말했잖아. 더 이상 핑곗거리가 없다고."

테레즈는 두 팔을 비틀어 꼬면서 말을 이었다.

"아! 추문 따윈 두렵지 않아. 당신이 원한다면, 지금 당장 집에 돌아가서 카미유에게 내가 사랑하는 사람은 당신이라고 말하고 올게. 난 아무래도 상관없어. 내가 떨리는 건 당신 때문이야. 난 당신 인생을 뒤흔들고 싶지 않아. 당신이 행복하게 살기를 바란다고."

젊은 남자의 타고난 조심성이 깨어났다.

"당신 말이 옳아." 그는 말했다. "어린애들처럼 굴면 안 돼. 아! 당신 남편이 죽어버린다면……."

"만일 내 남편이 죽어버리면……." 테레즈가 천천히 그 말을 따라 했다.

"우린 결혼을 해서 아무것도 두려워하지 않고 우리의 사랑을 마음껏 누릴 수 있겠지. 얼마나 멋지고 행복한 인생일까!"

젊은 여자가 다시 몸을 일으켜 두 뺨에 핏기가 가신 채 어두운 눈길로 연인을 바라보았다. 입술이 떨렸다.

"사람은 어쩌다 죽을 수도 있어." 마침내 테레즈가 속삭였다. "살아남은 사람들이 문제지."

로랑은 아무 말도 하지 않았다.

테레즈가 말했다. "흔한 방법을 쓰는 건 좋지 않아."

"내 말을 이해하지 못했군." 로랑이 조용히 말했다. "나는 멍청이가 아니야. 난 당신을 마음 편히 사랑하고 싶어. 내 말은, 언제 어디서든 사고가 일어날 수 있다는 거야. 발을 헛디딜 수도 있고, 기왓장이 떨어질 수도 있고…… 무슨 뜻인지 알겠어? 기왓장이 떨어진 경우, 범인은 누구겠어? 다름 아닌 바람이겠지."

그의 목소리가 낯설게 들렸다. 그는 미소를 지으며 다정하게 덧붙였다.

"안심해. 우린 서로 사랑하면서 행복하게 살 테니까. 당신이 올 수 없으니 이젠 내가 다 알아서 할게. 우리가 몇 달 동안 못 만난다 하더라도 날 잊으면 안 돼. 내가 우리의 행복을 위해 뭔가 준비하고 있다는 걸 잊지 마."

그는 나가려고 문을 여는 테레즈를 품에 꼭 껴안았다.

"당신은 내 거야, 그렇지?" 그가 말을 이었다. "언제라도 내게 당신을 온전히 맡기겠다고 맹세해줄래?"

"그래." 젊은 여자가 외쳤다. "난 당신 거야. 날 당신 마음대로 해."

그들은 잠시 아무 말 없이 격정적으로 서로를 끌어안았다. 그러다가 테레즈가 갑자기 몸을 빼내고는, 그대로 뒤돌아보지도 않고 계단을 내려갔다. 로랑은 멀어져가는 발소리를 듣고 있었다.

더 이상 아무 소리도 들리지 않자, 그는 다시 침대로 가서 누웠다. 시트에는 온기가 남아 있었다. 테레즈가 그 좁은 방 안에 한가득 남겨놓은 욕정의 뜨거운 열기에 숨이 막혔다. 숨을 쉴 때마다 아직도 은은하게 테레즈의 냄새를 맡을 수 있었다. 그 여자는 강렬한 제비꽃 향기를 퍼뜨려놓고 그곳을 떠났다. 이제 그는 주위를 맴돌지만 붙잡을 수 없는 테레즈의 환영만을 껴안을 수 있을 뿐이었다. 충족되지 못한 사랑의 열기가 되살아나는 것을 느꼈다. 그는 창문을 닫지 않았다. 침대에 누워 팔을 벌리고 신선한 공기를 마시며 천창으로 네모꼴의 짙푸른 하늘을 바라보았다.

날이 밝을 때까지 그의 머릿속에서는 같은 생각이 맴돌았다. 테레즈가 찾아오기 전까지 카미유를 죽인다는 생각은 한 번도 해보지 않았다. 그러다가 테레즈를 다시는 만나지 못할 거라는 생각에 떠밀려 얼떨결에 카미유가 죽어버렸으면, 하고 말했을 뿐이었다. 그런데 그 말을 하면서 자신도 의식하지 못했던 그의 또 다른 본성이 모습을 드러냈다. 그는 간통의 격정으로 인해 마침내 살인을 꿈꾸기 시작했다.

어느 정도 흥분을 가라앉힌 다음, 로랑은 조용한 한밤중에 혼자 살해 방법을 궁리했다. 연인과 더 이상 만나지 못한다는 절망의 끝에서 떠올린 살인 계획은 점점 집요하고 강렬해졌다. 로랑은 잠이 오지 않아 뒤척이면서 테레즈가 남기고 간 자극적인 향기에 흥분한 채로 계략을 꾸미고, 실패할 경우를 예측해보고, 살인을 해서 얻게 될 이런저런 이점들을 따져보았다.

그 모든 이점들이 그를 범죄로 떠밀었다. 그는 고향 죄포스에서 농사를 짓는 아버지가 도무지 죽을 기미를 보이지 않는다는 사실을 떠올렸다. 자신은 어쩌면 앞으로도 10년은 더 꾸역꾸역 일하면서 싸구려 식당에서 식사하고 여자도 만나지 못하면서 좁은 다락방에서 살아야 할지도 몰랐다. 생각만 해도 화가 치밀었다. 하지만 카미유가 죽어버린다면, 그는 테레즈와 결혼해 라캥 부인의 재산을 상속받게 될 것이다. 그렇게 되면 직장을 때려치우고 햇볕이나 쬐며 빈둥거릴 수 있을 터였다. 그런 유유자적한 인생을 상상하는 것만으로도 기분이 좋아졌다. 그는 벌써부터 아버지의 죽음을 참을성 있게 기다리며 한가로이 지내는 자신의 모습을 눈앞에 그리고 있었다. 하지만 한참 그런 꿈을 꾸다가 제정신이 들면, 마치 카미유를 때려죽이기라도 할 것처럼 두 주먹을 불끈 움켜쥐었다.

로랑은 테레즈를 원했다. 언제든 자기 혼자서만 그를 소유하고 싶었다. 남편을 없애지 않는다면, 결국 테레즈를 잃게 될 것이다. 테레즈는 말했다. 다시는 올 수 없다고. 생각 같아서는 테레즈를 데리고 어딘가로 달아나버리고 싶었다. 하지만 그랬다간 둘 다 굶어 죽고 말 것이다. 남편을 죽이는 편이 덜 위험할 것이다. 그러면 추문이 퍼질까 봐 염려할 필요도 없다. 단지 한 남자를 밀어내고 그가 그 자리를 차지하기만 하면 되는 거니까. 시골 출신다운 단순하고 거친 논리로, 그는 그 방법이 가장 자연스럽고 나무랄 데 없다고 판단했다. 심지어 그의 신중한 천성은 더 늦기 전에 하루라도 빨리 그걸 실행에 옮기라고 부추기기까지 했다.

땀을 흘리며 침대에 엎드려 있던 그는 테레즈의 머리가 닿았던 베개에 축축한 얼굴을 묻었다. 그리고 메마른 입술로 베개보를 물고 아직도 은은하게 남아 있는 그 여자의 향기를 들이마시고는, 숨을 멈추고 그대로 눈을 감았다. 감은 눈 안에서 불기둥들이 지나가는 것이 보였다. 그는 어떻게 하면 카미유를 잘 죽일 수 있을지 궁리했다. 그러다가 숨이 차오르자, 단숨에 몸을 돌려 눈을 크게 뜨고 창으로 들어오는 차가운 공기를 얼굴 가득 받았다. 그는 별들과 푸르스름한 하늘을 바라보면서 살인에 대한 조언을 찾고 있었다.

하지만 아무것도 찾아내지 못했다. 테레즈에게 말했듯이 그는 어린아이도 멍청한 인간도 아니었다. 테레즈 말대로 칼이나 독약 같은 흔한 방법은 쓰고 싶지 않았다. 위험 없이, 감쪽같이 해치울 방법이 필요했다. 소리도 공포도 없이 그냥 간단히 사라지게 하는 방법. 정욕이 아무리 그를 뒤흔들며 밀어붙인다 해도, 그의 온 존재는 무조건 신중할 것을 요구했다. 지금의 안정적인 생활을 위험에 빠뜨리기에 그는 너무 비겁하고 향락적인 인간이었다. 살인을 저지르려는 것도 조용히 행복하게 살기 위해서였다.

조금씩 졸음이 찾아왔다. 차가운 공기가 미지근한 향기를 내뿜는 테레즈의 유령을 다락방에서 몰아냈다. 몸도 마음도 무겁게 가라앉은 로랑은 감미롭고 흐릿한 마비 상태에 빠져들었다. 잠들면서 그는 적당한 기회가 올 때까지 기다리기로 마음먹었다. 그리고 점차 의식이 가물가물해지면서 '그를 죽일 거야, 그를 죽일 거야.'하는 나직한 속삭임이 자장가처럼 그를 흔들어 재웠다. 5분 뒤, 그는 낮게 숨 쉬며 잠들었다.

테레즈는 11시에 집으로 돌아왔다. 머리가 불처럼 뜨겁고 생각이 흐리멍덩해진 채, 자기가 어디로 가는지도 모르는 상태로 퐁뇌프 파사주에 도착했다. 테레즈의 귀에는 아직도 아까 전에 들었던 로랑의 말이 생생하게 맴돌아서, 방금 막 로랑의 다락방에서 내려온 것처럼 느껴졌다. 라캥 부인과 카미유는 초조하게 테레즈를 기다리고 있었다. 그들이 묻는 말에 테레즈는 길을 잘못 들어 그 집을 찾지 못했고, 승합마차를 기다리느라 한 시간이나 길거리에 서 있었다고 퉁명스럽게 대답했다.

침대에 누우면서 테레즈는 차갑고 축축한 시트의 감촉을 느꼈다. 아직도 열기가 가시지 않았지만, 혐오감으로 온몸에 소름이 끼쳤다. 카미유는 이내 잠이 들었다. 테레즈는, 바보처럼 입을 헤 벌린 채 잠든 생기 없는 그 얼굴을 한참 동안 바라보았다. 그에게서 멀찍이 떨어져 누우면서, 테레즈는 주먹 쥔 손을 카미유의 입에 쑤셔 박고 싶은 충동을 느꼈다.

10

거의 3주일이 지났다. 로랑은 매일 저녁 가게로 왔다. 그는 병을 앓는 사람처럼 기운이 없어 보였다. 눈가에는 푸르스름하게 눈 그늘이 지고, 핏기 없는 입술은 부르터 있었다. 하지만 태연하고 침착한 태도는 여전했다. 그는 카미유의 시선을 피하지 않으면서 자신의 변함없는 우정을 한껏 드러내 보였다. 라캥 부인은 로랑에게 말 못 할 고민이 있다는 것을 눈치채고는 평소보다 더 자상하고 다정하게 그를 챙겨주었다.

테레즈는 다시 예전처럼 말없이 찌푸린 표정을 짓고 있었다. 여느 때보다 움직임이 적었고, 더 무표정하며 조용했다. 테레즈는 로랑 따위는 안중에도 없다는 듯 행동했다. 로랑을 거의 쳐다보지도 않고 말도 거의 건네지 않으면서 아예 없는 사람 취급을 했다. 테레즈의 냉랭한 태도를 보고 마음이 편치 않았던 사람 좋은 라캥 부인은 때때로 로랑에게 말했다. "저 애는 성격이 원래 저런 거니까 마음 쓰지 말아요. 얼굴은 차가워 보여도 속마음은 아주 따뜻하고 정이 많은 애랍니다."

　연인은 이제 밀회를 갖지 않았다. 생빅토르가의 그날 저녁 이후로 더 이상의 만남은 없었다. 저녁에 마주칠 때면 서로 무관심한 척 외면했지만, 그들의 무덤덤한 얼굴 이면에는 극심한 불안과 욕망의 폭풍우가 휘몰아쳤다. 테레즈의 마음 속에는 격정과 비겁함과 지독한 비난과 야유가 있었고, 로랑의 내면에는 음험한 잔혹성과 통렬한 망설임이 있었다. 그들은 자신들의 마음 깊숙한 곳을 감히 들여다보지 못했고, 짙은 안개처럼 머릿속을 채운 알싸한 흥분의 열기를 외면하려 했다.

　문 뒤에서 단둘이 마주칠 때면, 짧은 순간 아무 말 없이 서로의 손을 으스러져라 움켜잡곤 했다. 서로의 살점을 떼어가기라도 할 것처럼 손가락을 밀착시켰다. 그들은 그렇게 서로 손을 맞잡는 것으로 욕망을 가라앉힐 수밖에 없었다. 그들은 그 행위에 온몸을 바쳤다. 더 이상은 아무것도 바라지 않았다. 그들은 때를 기다리고 있었다.

　어느 목요일 저녁, 라캥 부인 집에 모인 손님들은 게임을 시작하기 진에 평소처럼 잠시 이런저런 얘기를 나눴다. 대화에서 주로 등장하는 주제 가운데 하나는 미쇼 영감의 모험담이었다. 모임 사람들은 그의 경찰관 시절에 대해 묻고, 그가 겪은 기이하고 무시무시한 사건들에 관해 들었다. 그럴 때 그리베와 카미유는 마치 「푸른 수염」이나 「엄지 왕자」 이야기를 듣는 어린아이들처럼 겁에 질려 입을 헤 벌리고 눈을 동그랗게 뜬 채 홀린 듯 이야기를 들었다. 이야기들은 무섭기도 하고 재미있기도 했다.

바로 그날, 미쇼 영감은 듣는 이의 간담을 서늘하게 만든 어떤 끔찍한 살인 사건에 관해 자세히 이야기해주었다. 그러더니 고개를 주억거리며 이렇게 덧붙였다.

"하지만 그게 다가 아니에요. 얼마나 많은 범죄가 아직도 밝혀지지 않은 채 어둠 속에 묻혀 있는지 모릅니다! 얼마나 많은 살인자가 법망을 교묘히 빠져나갔는지 몰라요!"

"어떻게 그럴 수가!" 그리베가 놀라서 말했다. "사람을 죽이고도 죗값을 치르지 않고 거리를 버젓이 돌아다니는 놈들이 있단 말입니까?"

올리비에가 경멸하는 듯한 미소를 지으며 나섰다.

"이보세요, 선생님." 그는 딱딱한 목소리로 말했다. "그들을 체포하지 못하는 건 그들이 살인자라는 걸 모르기 때문이죠."

그리베는 그런 논리가 납득되지 않는다는 표정을 지었다. 카미유가 그리베의 편을 들었다.

"나도 그리베 씨와 같은 생각이에요." 그는 쥐뿔도 모르면서 아무 데나 끼어드는 바보처럼, 젠체하며 말했다. "제발 경찰이 일을 제대로 해서 나 같은 선량한 시민이 거리에서 살인자와 부딪치는 일이 없으면 좋겠네요."

올리비에 귀엔 그게 자신을 공격하는 말처럼 들렸다.

"물론 경찰은 일을 제대로 잘하고 있습니다." 그는 화가 나서 큰 소리로 외치듯 말했다. "그렇지만 우리라고 불가능한 일을 해낼 수는 없는 겁니다. 악마의 학교에서 범죄를 배운 흉악범들이 있어요. 그들은 신까지도 가볍게 속여넘길 겁니다. 안 그래요, 아버지?"

"그래, 그렇고말고." 미쇼 영감이 거들었다. "라캉 부인, 아마 당신도 기억하실 겁니다. 내가 베르농에서 근무하던 시절, 대로에서 짐마차꾼이 살해당한 사건이 있었어요. 어떤 웅덩이 밑바닥에서 그 마차꾼의 시신이 토막 난 채로 발견되었지요. 그런데 범인은 끝내 잡히지 않았어요. 아마 그놈은 지금도 잘 살고 있을 겁니다. 어쩌면 우리 이웃일지도 모르죠. 그리베 씨가 집으로 돌아가다가 그놈과 마주치게 될 지도 모르는 일이고."

그리베의 얼굴이 백지장처럼 창백해졌다. 그는 짐마차꾼을 살해한 범인이 지금 자기 등 뒤에 있기라도 한 것처럼 감히 고개도 돌리지 못했지만, 한편으로는 그런 무서운 기분을 즐기는 듯했다.

"아, 아니, 홍!" 그리베는 자기가 무슨 말을 하는지도 잘 모르는 채 더듬거리며 말했다. "아, 아니, 아니! 내 생각은 다릅니다. 나도 아는 이야기가 하나 있습니다. 옛날에 어떤 하인이 주인집에서 은식기 한 벌을 훔친 죄로 감옥에 갇혔어요. 하지만 두 달 뒤, 어떤 나무를 베어 넘어뜨렸는데, 그 나무에 있던 까치집 안에서 그 식기가 발견되었지요. 도둑은 바로 그 까치였던 거예요. 그래서 하인은 풀려났습니다. 아시겠어요? 어떤 식으로든 죄지은 것들은 죗값을 받게 되어 있어요."

그리베는 의기양양했다. 하지만 올리비에는 그런 그를 비웃으며 말했다.

"그래서, 그 까치가 감옥에 갔나요?"

"그리베 씨가 말하려는 건 그런 게 아니잖아요." 카미유는 자신의 상관이 조롱거리가 되는 걸 보고 화가 나서 끼어들었다. "어머니, 도미노 게임 좀 갖다주세요."

라캉 부인이 게임 상자를 가지러 간 동안, 카미유는 미쇼 영감을 보며 말을 이었다.

"그러면 영감님은 경찰이 무능하다는 걸 인정하시는 겁니까? 대낮에도 버젓이 돌아다니는 살인자들이 있으니까?"

"허! 안타깝지만 그런 셈이죠." 전직 경찰관이 대답했다.

"그렇다면 정말 기가 찰 노릇이군요." 그리베가 결론을 내렸다.

그런 대화가 오가는 동안 테레즈와 로랑은 말없이 앉아 있었다. 그들은 그리베의 어리석은 말에도 미소조차 짓지 않았다. 둘 다 식탁 위에 팔꿈치를 괴고 초점 잃은 눈으로 그저 듣고만 있었다. 한순간 그들의 검고 뜨거운 시선이 마주쳤다. 작은 땀방울이 테레즈의 머리카락 뿌리에서 굴러떨어졌다. 로랑이 싸늘한 입김을 내쉬었고, 그 입김에 그의 살이 미세하게 떨렸다.

11

날씨가 화창한 일요일이면 이따금 카미유는 테레즈를 억지로 데리고 나가 샹젤리제 거리를 산책했다. 하지만 젊은 여자는 가게의 눅눅한 어둠 속에 머무르는 게 더 좋았다. 테레즈는 피곤했다. 자기와 팔짱을 낀 채 거리를 걷다가 이런저런 상점들 앞에 멈춰 서서 바보처럼 놀란 표정으로 생각에 잠기곤 하는 남편과 외출하는 것이 죽기보다 싫었다. 하지만 카미유는 고집을 꺾지 않았다. 그는 자기 아내를 사람들에게 보여주는 걸 아주 좋아했다. 직장 동료나 특히 상사를 길에서 우연히 만나면, 아내와 함께 산책하는 것이 무척이나 자랑스럽다는 듯이 인사를 나눴다. 게다가 그는 오로지 걷기위해 걸었다. 외출복을 갖춰 입고 뻣뻣하고 과장된 태도로 허세를 잔뜩 부리며 말도 거의 하지 않고 느릿느릿 걸었다. 테레즈는 그런 남자와 팔짱을 끼고 걷는 것이 괴로웠다.

산책하는 날이면, 라캥 부인은 파사주 끝까지 아들 내외를 따라 나와, 마치 그들이 먼 곳으로 여행을 떠나기라도 하는 것처럼 포옹하고 볼 키스를 하며 작별 인사를 나눴다. 그러면서 충고를 끝없이 늘어놓았다.

"무엇보다 사고를 당하지 않도록 조심해. 파리에는 차가 아주 많아! 그리고 사람들 많은 곳에는 가지 않겠다고 약속해주렴."

라캥 부인은 마지못해 놓아주면서, 멀어지는 두 사람을 오랫동안 바라보다가 가게로 돌아갔다. 부인은 다리가 아파서 오래 걸을 수 없었다.

아주 가끔이긴 하지만 부부가 파리를 벗어나 외곽으로 나갈 때도 있었다. 그들은 생투앙이나 아니에르로 가서, 강변 식당에서 생선튀김 요리를 먹곤 했다. 그들은 한 달 전부터 벼르고 벼른 그 특별한 날을 한껏 즐겼다. 테레즈는 즐거운 마음으로 기꺼이 그 길을 따라나섰다. 밤 10시나 11시까지 바깥 공기를 실컷 마실 수 있는 기회였기 때문이다. 생투앙의 푸른 섬들을 보면 베르농이 떠올랐다. 그곳에 가면 소녀 시절 센강을 보며 느꼈던 모든 야성적인 감성이 되살아나는 것 같았다. 자갈밭에 앉아 강물에 손을 담그고 뜨거운 햇살 아래 시원한 바람을 맞으면 살아 있는 자신을 느낄 수 있었다. 테레즈가 자갈밭에서 옷을 더럽히는 동안, 카미유는 손수건을 깨끗하게 펼쳐놓고 조심조심하면서 테레즈 옆에 쭈그리고 앉았다. 그 젊은 부부는 거의 언제나 로랑을 데리고 다녔다. 로랑은 호탕한 웃음소리와 시골 사람다운 활력으로 산책 분위기를 흥겹게 만들었다.

어느 일요일, 카미유, 테레즈, 로랑은 이른 점심을 먹고 오전 11시경에 생투앙으로 출발했다. 여름 끝자락의 소풍은 오래전부터 계획된 것이었다. 가을이 오고 있었다. 저녁이면 서늘한 기운에 대기가 떨렸다.

그날 아침, 하늘은 아주 푸르고 맑았다. 햇볕은 여전히 뜨겁고, 그늘 밑까지도 후덥지근했다. 그들은 여름의 마지막 햇살을 즐기기로 했다.

세 사람은 늙은 잡화상의 푸념과 걱정을 뒤로하고 삯마차에 올랐다. 파리를 벗어나 성벽에서 내린 뒤에는 대로를 따라 걸어 생투앙에 도착했다. 정오였다. 먼지로 뒤덮인 도로는 햇빛을 받아 눈부신 흰빛을 띠었다. 아찔하도록 답답한 공기는 지글지글 타올랐다. 테레즈가 카미유의 팔짱을 끼고 양산으로 몸을 가린 채 종종걸음으로 걸어가는 동안, 카미유는 아주 커다란 손수건으로 자기 얼굴에만 부채질을 해댔다. 그들 뒤로 로랑이 따라왔다. 햇살이 목을 물어뜯는데도 그는 아무렇지 않은 것 같았다. 로랑은 휘파람을 불거나 발로 자갈을 차면서 이따금씩 애인의 흔들리는 엉덩이를 탐욕스럽게 힐끔거리곤 했다.

생투앙에 도착한 그들은 서둘러 초록빛 풀밭을 찾아, 숲 속으로 들어갔다.

땅바닥에는 떨어진 나뭇잎이 붉은 카펫처럼 깔려 있었는데, 그 위를 밟을 때마다 메마른 떨림과 함께 바스락거리는 소리가 났다. 셀 수 없을 정도로 많은 나무둥치들이 고딕 건축물의 열주처럼 곧게 뻗어 있었다. 나뭇가지들이 산책자들의 이마까지 드리워져서 그들의 눈앞에는 시들어가는 잎사귀들이 만들어놓은 구릿빛의 둥근 천장과 사시나무와 떡갈나무의 희고 검은 둥치들만 보였다. 그들은 숲속의 작은 빈터를 찾아냈다. 그곳은 적막하고 서늘해서 마치 쓸쓸한 동굴 속 같았다. 그들 주위로 센강이 으르렁대는 소리가 들려왔다.

카미유는 마른자리를 골라 프록코트 자락을 들어 올리며 앉았다. 테레즈는 나뭇잎이 깔린 바닥 위에 쓰러지듯 풀썩 주저앉았다. 이미 구겨진 치맛자락이 요란하게 바스락거리는 소리를 냈다. 테레즈는 불룩하게 부풀어 오른 치마 주름 속에 반쯤 뒤덮인 채로, 한쪽 다리를 무릎까지 드러냈다. 로랑은 배를 깔고 엎드려 땅바닥에 턱을 댄 채 그 다리를 쳐다보면서 정부 정책에 관해 불만을 늘어놓는 친구의 말을 듣고 있었다. 카미유는 센강의 모든 섬에 전부 튀일리 공원처럼 벤치를 설치하고, 모래를 깐 산책로를 만들고, 예쁘게 조경도 해서 영국식 정원을 만들어야 한다며 열을 냈다.

　그들은 저녁 식사 전에 들판을 뛰어다닐 생각으로 햇볕이 누그러지기를 기다리면서 세 시간 가까이 빈터에 머물렀다. 카미유는 자기 사무실에서 있었던 하나 마나 한 얘기들을 지루하게 늘어놓았다. 그러다가 지쳤는지 뒤로 벌러덩 누워 잠들어버렸다. 그는 얼굴 위에 모자를 올려놓고 잤다. 테레즈는 아까부터 눈을 감고 잠든 척하고 있었다.

　그 순간 로랑이 테레즈 쪽으로 슬며시 몸을 굴려와 입술을 내밀고 테레즈의 발목 부츠와 종아리에 입을 맞추었다. 로랑이 입을 맞춘 그 가죽, 그 흰 스타킹이 그의 입술을 불타오르게 했다. 강렬한 흙냄새와 테레즈의 은은한 향기가 뒤섞이면서 스며들어와 그의 피를 들끓게 하고 신경을 자극했다. 그는 원하지 않는 금욕 생활을 한 달간 해오면서 불만과 분노에 가득 차 있었다. 뜨거운 햇살 아래 생투앙의 대로를 걷는 동안 가슴속에 불꽃이 일었고 지금 그는 그곳, 나무 그늘과 정적에 휩싸인 쾌락의 한복판, 이름 없는 으슥한 은신처에 있었다. 그럼에도 그는 자신의 여자를 품에 안을 수 없었다. 여자의 남편이 곧 깨어나 그 광경을 보게 된다면 그의 신중한 계획은 물거품이 되고 말 것이기 때문이었다. 언제나 그 사내가 장애물이었다. 로랑은 땅바닥에 납작 엎드려 치마 뒤에 몸을 숨긴 채 연인의 발목 부츠와 흰 스타킹에 조용히 키스를 퍼부으며 흥분해서 몸을 떨었다.

테레즈는 죽은 것처럼 꼼짝도 하지 않았다. 로랑은 테레즈가 자고 있다고 생각했다. 그는 등을 구부리고 일어나 나무에 몸을 기댔다. 그 순간, 그는 두 눈을 반짝이며 허공을 바라보는 테레즈를 보았다. 들어 올린 두 팔 사이로 보이는 테레즈의 얼굴은 윤기 없이 창백한 데다 차갑게 굳어 있었다. 테레즈는 생각에 잠긴 듯했다. 움직이지 않는 눈은 캄캄한 어둠뿐인 심연 같았다. 테레즈는 꼼짝도 하지 않았고, 자기 뒤의 로랑 쪽으로 눈길을 돌리지도 않았다.

로랑은 자신의 애무에도 그처럼 꼼짝도 하지 않고 조용하기만 한 테레즈의 태도에 당황해서 그를 빤히 바라보았다. 주름진 치마폭에 파묻힌 그 하얗고 생기 없는 얼굴은 일종의 공포와 강렬한 욕망으로 가득 차 두려움을 불러일으켰다. 로랑은 몸을 숙여 커다랗게 뜬 테레즈의 두 눈을 입맞춤으로 감겨주고 싶었다. 카미유는 치마폭에 반쯤 파묻혀 잠들어 있었다. 그 가련한 존재, 그 병약한 육신은 깡마른 몰골을 드러낸 채로 가볍게 코를 골았다. 얼굴을 반쯤 가린 모자 아래 얼간이처럼 잠에 취해 벌어진 그의 입이 보였다. 창백한 피부는 가냘픈 턱에 듬성듬성 난 불그스름한 솜털 때문에 지저분해 보였다. 고개를 뒤로 젖히고 있어서 여위고 주름진 목도 보였다. 코를 골 때마다 목 한가운데 툭 튀어나온 목울대가

오르락내리락했다. 그렇게 세상모르고 잠든 카미유는 말할 수 없이 성가시고 추해 보였다.

그를 바라보던 로랑이 갑자기 한쪽 발을 들어 올렸다. 단숨에 카미유의 얼굴을 으깨어버릴 기세였다. 테레즈는 터져 나오려는 비명을 억눌렀다. 그러고는 새파랗게 질린 채 눈을 질끈 감으면서, 튀어 오르는 피를 피하려는 듯 고개를 돌렸다.

로랑은 잠든 카미유의 얼굴 위로 발을 든 채 몇 초 동안 그대로 멈춰 서 있었다. 그러다가 천천히 발을 내려놓고는, 몇 걸음 뒤로 물러났다. 그런 식으로 죽이는 건 멍청한 짓이라는 생각이 들어서였다. 그의 머리를 으깨어놓는 건 경찰에게 날 잡아가라고 광고하는 것이나 다름없었다. 그가 카미유를 해치우려는 이유는 단 한 가지, 테레즈와 결혼하기 위해서였다. 그는 미쇼 영감이 들려줬던 그 짐마차꾼 살인범처럼 범죄를 저지르고 난 뒤에도 버젓이 살아가고 싶었다.

그는 물가로 가서 흐르는 강물을 멍하니 바라보았다. 그러다가 갑자기 수풀 속으로 되돌아왔다. 마침내 간단하고 쉬우면서도 자신에게 위험하지 않은 살해 방법을 찾아낸 거였다.

그는 풀잎으로 코를 간질여 카미유를 깨웠다. 카미유는 재채기를 하면서 일어나더니, 그 장난이 아주 재미있다며 즐

거워했다. 그가 로랑을 좋아하는 건 바로 이처럼 짓궂은 장
난으로 자신을 즐겁게 해주기 때문이었다. 카미유는 계속 눈
을 감고 있는 아내를 흔들어 깨웠다. 테레즈가 일어나서 마
른 잎이 잔뜩 붙은 구겨진 치마를 흔들어 털었다. 그 후 세 명
의 소풍객은 거치적거리는 작은 나뭇가지들을 꺾어가면서
숲속의 빈터를 떠났다.

　　그곳을 벗어난 그들은 나들이옷을 입은 사람들로 붐비
는 오솔길을 이리저리 거닐었다. 나무 울타리 사이로 밝은색
옷을 입은 소녀들이 뛰어다녔다. 뱃놀이하는 사람들이 노래
를 부르며 지나갔다. 부르주아 집안의 부부들, 노인들, 아내
를 동반한 직장인들이 작은 개울 옆을 종종걸음으로 걷고 있
었다. 길마다 사람들로 가득 차 떠들썩했다. 오직 태양만이
한없는 고요함을 지키고 있었다. 해가 서쪽 하늘로 기울면서
노을로 붉게 물든 나무들과 흰 길 위에 창백하고 거대한 빛
의 자락을 던졌다. 산들거리는 하늘에서 서늘한 기운이 내려
오기 시작했다.

　　카미유는 이제 테레즈에게 팔짱을 끼라고 팔을 내주지
않았다. 그는 로랑에게 정신이 팔려 있었다. 로랑과 수다를
떨면서 그의 농담에 웃음을 터뜨리고, 물웅덩이를 펄쩍펄쩍
뛰어넘고, 큰 돌을 들어 올리는 로랑의 묘기를 보며 즐거워
했다. 젊은 여자는 길 한쪽에서 고개를 숙인 채 가끔 허리를

구부려 풀을 뽑기도 하면서 걸었다. 때때로 그 여자는 두 남자 뒤에서 걸음을 멈추고 멀찌감치 자신의 연인과 남편을 바라보곤 했다.

"이봐! 배고프지 않아?" 카미유가 마침내 테레즈에게 소리쳤다.

"고파." 테레즈가 대답했다.

"그러면, 가자!"

테레즈는 배가 고프지 않았다. 단지 피곤하고 불안할 뿐이었다. 로랑의 계획은 몰랐지만, 불안해서 두 다리가 후들거렸다.

세 사람은 강변으로 돌아가 식당을 찾았다. 그들은 기름 냄새와 술 냄새가 코를 찌르는 싸구려 식당에 들어가, 나무 테라스에 놓인 테이블에 자리를 잡았다. 그 집은 고함, 노랫소리, 식기 부딪치는 소리로 가득했다. 테이블마다 사람들이 큰 소리로 떠들어댔고, 그 떠들썩한 소리들은 얇은 칸막이벽에 부딪쳐 와글와글 울려 퍼졌다. 웨이터들이 오르내릴 때마다 나무 계단이 출렁이며 삐걱거렸다.

위쪽 테라스에서는 강바람이 불며 느끼한 기름 냄새를 몰아냈다. 테레즈는 난간에 몸을 기대고 강기슭을 바라보았다. 양옆으로는 선술집과 장터 임시 건물들이 두 줄로 늘어서 있었다. 푸른 잎으로 뒤덮인 정자 아래 듬성듬성한 노란 나뭇잎 사이로 하얀 식탁보와 검은 얼룩 같은 짤막한 외투, 여자들의 화사한 치마가 언뜻언뜻 보였다. 사람들은 모자를 벗은 채 뛰거나 웃으며 오갔다. 그리고 사람들의 시끄러운 소리 속으로 크랭크 오르간(나무 상자에 손잡이가 달린 이동식 오르간으로, 유랑 가수나 거리의 악사들이 시장터나 관광지 등에서 주로 연주했다—옮긴이)의 구슬픈 음조가 뒤섞였다. 생선튀김 냄새와 먼지 냄새가 부드러운 공기 속을 떠돌고 있었다.

테레즈는 저 멀리 낡은 양탄자 같은 잔디밭에서 라탱 지구의 소녀들이 동요를 부르며 맴도는 모습을 내려다보았다. 소녀들은 모자를 목에 걸고 머리칼을 풀어헤친 채 손을 맞잡고 어린아이들처럼 놀고 있었다. 때때로 들릴락 말락 하는 가늘고 싱그러운 목소리로 소리를 질러댔고, 창백한 얼굴들은 바깥 공기의 애무를 받아 순결한 홍조로 부드럽게 물들었다. 소녀들의 불순한 큰 눈은 감상에 젖어 빛났다. 몇몇 남학생들이 도자기 파이프를 입에 물고 느끼한 농담을 던지면서 소녀들이 맴도는 모습을 바라보았다. 그사이 저 너머 센강의 작은 언덕 위로 푸르스름하고 희뿌연 기운이 내려앉았다. 나무들은 창백한 안개와 저녁의 평온함 속에 서서히 잠겼다.

"이봐요!" 로랑이 계단 난간 위로 몸을 굽히면서 외쳤다. "웨이터, 여기, 주문 받아요." 그러고 나서 생각을 고친 듯이 말했다.

"이봐, 카미유, 우리, 식사하기 전에 강으로 내려가 뱃놀이나 좀 하면 어떨까? 닭이 구워지려면 시간이 걸릴 거야. 한 시간이나 기다리는 건 너무 지루하잖아?"

"좋을 대로." 카미유는 심드렁하게 대답했다. "하지만 테레즈는 배가 고플 텐데."

"아니, 아니, 난 기다릴 수 있어." 젊은 여자는 황급히 말했다. 로랑이 테레즈를 빤히 바라보았다.

세 사람 모두 다시 밑으로 내려갔다. 그들은 테이블을 예약하고 음식도 미리 주문한 뒤 한 시간 후에 돌아오겠다고 말했다. 마침 식당 주인이 배를 빌려주는 일도 해서, 그들은 그에게 배도 한 척 빌렸다. 로랑이 제일 작은 배를 고르자, 카미유는 그 배가 너무 작고 가벼워 보인다며 겁을 냈다.

"제기랄!" 카미유는 말했다. "이 안에서는 조금만 움직여도 큰일 나겠어. 까닥하다간 배가 뒤집혀 물에 빠지겠는걸."

사실 그는 물을 끔찍이도 무서워했다. 어릴 때 베르농에서 줄곧 잔병치레에 시달리느라 센강에서 놀 수가 없었던 그는 또래 아이들이 강물에 뛰어들어 노는 동안 따뜻한 이불 속에 누워만 있었다. 반면에 로랑은 물을 아주 좋아해 수영을 선수처럼 잘할 뿐만 아니라, 한번 노를 잡았다 하면 지칠 줄 모르는 노 젓기 선수이기도 했다. 반면 카미유는 어린애처럼 깊은 물에 극심한 공포를 느꼈다. 그는 배가 튼튼한지 확인하려 발끝으로 조심조심 디뎌보았다.

"어서 타." 로랑이 웃으며 소리쳤다. "뭐가 무서워 그렇게 벌벌 떠는 거야?"

카미유는 배 가장자리에 발을 올려놓고 뒤뚱거리면서 뒤쪽으로 가서 앉았다. 단단한 바닥이 느껴지자, 그는 안심하며 자리를 잡고 앉아 용감해 보이려고 농담을 하기도 했다.

테레즈는 심각한 표정으로 꼼짝도 하지 않고 물가에 서 있었다. 배를 묶어둔 밧줄을 풀려고 그쪽으로 다가간 로랑이 허리를 숙이고 낮은 목소리로 빠르게 속삭였다.

"놀라지 마. 난 저 친구를 강물에 빠뜨릴 거야. 당신은 그냥 가만히 있어. 내가 다 알아서 할 테니까."

젊은 여자의 얼굴이 무섭도록 창백해졌다. 그는 땅바닥에 못 박힌 것처럼 꼼짝 않고 서 있었다. 눈이 커다래지고 몸은 뻣뻣하게 굳었다.

"자, 빨리 타." 로랑이 또다시 속삭였다.

테레즈는 움직이지 않았다. 마음속에서 무시무시한 싸움이 벌어지고 있었다. 그는 금방이라도 오열하며 쓰러질까 두려워서 온 힘을 다해 자신의 의지를 붙들었다.

"아! 아!" 카미유가 소리쳤다. "로랑, 테레즈 좀 봐. 잔뜩 겁을 먹었어! 과연 탈 것인가, 말 것인가……."

그는 배 가장자리에 양 팔꿈치를 갖다 대고 뒷좌석에 다리를 뻗고 앉아 흔들거리면서 허세를 부렸다. 테레즈는 야릇한 눈길로 그를 힐끗 쳐다보았다. 그 가련한 남자의 비웃음은 마치 테레즈를 후려치며 몰아대는 채찍질 같았다. 테레즈는 갑자기 배로 뛰어들었다. 테레즈가 앞쪽에 자리를 잡고 앉자, 로랑이 노를 잡았다. 배는 강기슭을 벗어나 천천히 섬을 향해 나아갔다.

해가 서서히 저물었다. 나무 밑으로 거대한 그림자가 생겨났다. 강물은 약간 검어 보였다. 강물 한가운데에는 창백한 은빛 항적이 가늘고 넓게 퍼졌다. 그들이 탄 배는 곧장 센강 한복판으로 나아갔다. 거기서는 저 멀리 강변의 모든 소리가 아련하게 들렸다. 고함과 노랫소리들이 음울하고 약하게, 들릴 듯 말 듯 희미해져갔다. 이제 생선튀김 냄새도 먼지 냄새도 맡을 수 없었다. 시원한 바람이 불어왔다. 공기가 차가워졌다.

로랑은 노 젓기를 멈추고 배가 물결을 따라 흘러가도록 내버려두었다.

맞은편으로 섬들이 불그스름한 덩어리처럼 거대한 모습을 드러냈다. 잿빛으로 얼룩진 짙은 갈색의 강기슭은 마치 수평선에서 다시 만나러 가는 두 개의 넓은 띠 같아 보였다.

강물과 하늘은 똑같이 희끄무레한 천에서 잘려 나온 것 같았다. 가을날의 황혼만큼 잔인하면서도 평온한 것은 없다. 빛줄기는 떨리는 공기 속에서 창백하고, 고목들은 잎을 떨어뜨린다. 여름의 뜨거운 햇볕에 그을린 들판은 첫 찬바람과 함께 죽음의 냄새를 풍긴다. 그리고 하늘에는 절망에 흐느끼는 애처로운 바람이 인다. 밤은 저 높은 곳에서 내려앉으며 수의와 같은 그림자를 펼친다.

세 사람은 침묵한 채로 있었다. 그들은 강물을 따라 흘러가는 배 안에서 마지막 햇살이 높은 나뭇가지들을 떠나는 광경을 바라보았다. 섬이 점점 가까워졌다. 불그스름하고 거대한 덩어리들은 점점 더 어두워졌다. 주변의 모든 것이 황혼 속에서 단순해졌다. 센강, 하늘, 섬들, 작은 둔덕들은 이제 희끄무레한 안개 속에 지워져가는 갈색과 회색의 반점들에 지나지 않았다.

마침내 카미유가 허리를 굽히고 물 위로 고개를 내밀면서 강물에 손을 담갔다.

"와! 물이 엄청 차가워!" 그는 소리를 질렀다. "이런 물 속에 처박히면 정말 기분이 더럽겠다."

로랑은 대답하지 않았다. 조금 전부터 그는 양쪽 강기슭을 불안한 눈빛으로 두리번거리며 살피고 있었다. 그는 입술을 깨물면서 커다란 두 손을 무릎 위로 가져갔다. 바짝 긴장해서 꼼짝도 하지 않던 테레즈는 몸을 뒤로 약간 젖힌 채 뭔가를 기다리는 듯했다.

배는 천천히 두 섬 사이의 좁고 어두운 지류로 들어섰다. 어떤 섬 너머에서, 센강을 거슬러 올라가는 듯한 뱃놀이꾼들의 노랫소리가 아스라이 들려왔다. 멀리 상류 쪽에는 아무도 없었다.

그 순간, 로랑이 자리에서 벌떡 일어나더니 두 팔로 카미유의 허리를 꽉 붙잡았다. 카미유가 웃음을 터뜨렸다.

"아! 그만 둬. 간질이지 마. 그런 장난치지 마……. 이봐, 그만 둬. 이러다가 물에 빠지겠어."

로랑은 더 세게 움켜잡고 그를 흔들어댔다. 카미유는 뒤돌아 경련이 인 듯 무시무시한 친구의 얼굴을 보았다. 그는 지금 무슨 일이 벌어지는 건지 이해할 수 없었다. 막연하면서도 극심한 공포가 그를 사로잡았다. 소리치고 싶었지만, 억센 손이 그의 목구멍을 졸라댔다. 그는 자신을 지키려는 동물적인 본능으로 무릎을 꿇고 안간힘을 쓰며 배 가장자리에 매달렸다. 그리고 그런 식으로 몇 초 동안 버텨냈다.

"테레즈! 테레즈!" 그는 숨이 막혀 헉헉거리며 자신의 아내를 불렀다.

그 젊은 여자는 강물 위에서 삐걱거리며 춤추는 배를 두 손으로 움켜잡은 채 그 광경을 지켜보고 있었다. 테레즈는 눈을 감을 수 없었다. 어마어마한 정신적 긴장이 눈을 부릅 뜨고 그 장면을 계속 지켜보게 만들었다. 테레즈는 뻣뻣하게 굳은 채 그렇게 말없이 앉아 있었다.

"테레즈! 테레즈!"가련한 사내가 숨을 헐떡이며 다시 한번 그를 불렀다.

그 마지막 외침에 테레즈는 오열을 터뜨렸다. 긴장했던 신경이 풀려버린 것이다. 테레즈는 무시무시한 경련을 일으 키며 벌벌 떨다가 바닥에 쓰러졌다. 그러고는 거의 정신을 잃은 채, 죽은 듯이 쓰러져 있었다.

로랑은 계속 카미유의 목을 조르면서 그의 몸을 흔들어 댔다. 마침내 그가 다른 손으로 카미유를 뱃전에서 떼어냈 다. 그는 힘센 두 팔로 어린아이를 들어 올리듯 카미유를 허 공에 쳐들었다. 그때였다. 분노와 공포로 제정신을 잃은 카 미유가 몸을 뒤틀며, 로랑의 목을 있는 힘껏 물었다. 로랑은 고통스러운 비명을 억누르며 카미유를 냅다 강물에 내던졌 다. 이 사이에 로랑의 목에서 떨어져 나온 살점이 끼인 채로 카미유는 강물 속에 곤두박질쳤다.

카미유는 울부짖으면서 강물로 떨어졌다. 두세 번 강물 위로 떠올랐지만, 그의 외침은 점점 잦아들었다.

로랑은 단 1초도 허비하지 않았다. 우선 외투 깃을 세워 목에 난 상처를 감춘 다음, 기절한 테레즈를 두 팔로 안아들고 배를 발로 걷어찼다. 배가 그의 발길질에 뒤집히면서 물속으로 가라앉았다. 그는 테레즈를 붙잡은 채 강물에 몸을 던진 뒤, 물 위로 테레즈를 떠받치고는 애절하게 구조를 요청하기 시작했다.

조금 전에 섬 저쪽에서 노래를 부르며 지나갔던 뱃놀이꾼들이 그의 고함을 듣고 급히 노를 저어 왔다. 불행한 사고가 났다는 걸 즉시 알아차린 것이다. 그들은 먼저 테레즈를 건져 올려 자신들의 배에 눕혀놓은 뒤, 다시 로랑을 구조했다. 배에 올라온 로랑은 친구가 당한 사고를 비통해하며 다시 강물에 뛰어들었다. 그러고는 엉뚱한 곳에서 카미유를 찾는 척하다가 돌아와 눈물을 흘리며 두 팔을 비틀고 머리털을 쥐어뜯었다.

뱃놀이꾼들은 그를 진정시키고 위로하려 애썼다.

"다 내 잘못이에요." 로랑이 외쳤다. "그 불쌍한 친구가 평소처럼 춤을 추며 몸을 흔들게 내버려둬서는 안 되었는데……. 한순간에, 우리 세 사람이 배 한쪽으로 몰렸어요. 그래서 배가 뒤집힌 겁니다. 그는 물에 빠지면서 자기 아내를 구해달라고 나에게 소리쳤어요."

사고가 일어나면 언제나 그렇듯이 현장을 목격한 증인이라고 자처하는 사람들이 나타난다. 뱃놀이하러 온 사람들 중에도 그런 젊은이가 두엇 있었다.

"맞아요, 우리가 분명히 봤어요! 배는 마룻바닥처럼 튼튼하지 않잖아요. 아! 저 가련한 여인이 빨리 깨어나야 할 텐데!"

그들은 뒤집힌 배를 자신들의 배에 매달고는 노를 저어 테레즈와 로랑을 식당까지 데려다주었다. 불과 몇 분 만에 생투앙 전체에 그 사건에 관한 소문이 퍼졌다. 뱃놀이하던 사람들은 마치 사건 현장을 직접 눈으로 본 것처럼 사고에 관해 떠들어댔다. 소식을 듣고 안타까워하는 사람들이 식당 앞에 우르르 몰려들었다.

식당 주인과 그의 아내는 마음씨 좋은 사람들이어서 물에 빠진 테레즈와 로랑에게 자신들의 옷을 선뜻 내주었다. 정신이 든 테레즈는 발작을 일으키며 가슴이 찢어질 듯이 목 놓아 울었다. 테레즈를 침대에 눕혀야 했다. 주변 상황이 그 음흉한 연극을 도와주었다.

테레즈가 어느 정도 진정되자, 로랑은 식당 주인 부부에게 그를 잠시 돌봐달라고 부탁하고 혼자 파리로 돌아갔다. 라캥 부인에게 그 끔찍한 소식을 가능한 한 조심스럽게 전하고 싶었기 때문이다. 하지만 사실 그가 걱정하는 것은 테레즈의 불안정한 정신 상태였다. 그는 테레즈가 좀 더 생각을 가다듬고 정신을 차려서 자신의 역할을 제대로 수행할 수 있을 때까지 시간을 주는 게 낫다고 생각했다.

그들이 주문해놓은 저녁 식사는 뱃놀이꾼들이 대신 먹었다.

12

로랑은 파리로 돌아가는 마차 한구석에서 계획을 세웠다. 그가 범인으로 의심받을 확률은 거의 없었다. 그는 묵직하고 불안한 기쁨, 완전범죄를 저질렀다는 기쁨에 사로잡혔다. 파리 클리시 성문에 다다른 그는 마차를 갈아타고 센강 가에 있는 미쇼 영감 집으로 갔다. 저녁 9시였다.

전직 경찰관은 올리비에 부부와 함께 식탁에 앉아 있었다. 로랑이 그곳을 먼저 찾아간 것은 자기가 의심받을 경우를 대비해 미리 도망갈 구멍을 마련해두기 위해서였다. 그리고 라캥 부인에게 자기가 직접 그 끔찍한 소식을 전하지 않으려는 속셈이기도 했다. 왠지 모르게 그 소식을 직접 전하는 게 내키지 않았다. 울고불고할 게 뻔한 라캥 부인 앞에서 제대로 연기를 할 자신이 없었다. 라캥 부인이 특별히 염려된다거나 해서가 아니라, 부인이 슬퍼하는 모습을 보는 게 부담스러웠기 때문이었다.

미쇼 영감은 로랑이 몸에 너무 꽉 끼는 허름한 옷을 입은 것을 보고 눈짓으로 그에게 까닭을 물었다. 로랑은 슬픔과 피로 때문에 숨이 가쁘다는 듯이 떨리는 목소리로 그 사고에 관해 이야기했다.

"그래서 당신을 만나러 온 겁니다." 그가 설명을 끝맺으며 말했다. "엄청난 충격에 휩싸일 그 가련한 두 여인을 어떻게 해야 할지 모르겠어요. 도저히 저 혼자서는 라캥 부인 집에 갈 용기가 없습니다. 부탁입니다, 저와 함께 가주세요."

그가 말하는 동안 올리비에는 그를 뚫어져라 바라보았다. 로랑은 그의 눈길이 두려웠다. 그 살인자는 대담하게 행동하는 것이 가장 안전한 길이라고 생각하고 경찰 쪽 사람들에게로 달려간 거였다. 하지만 자기를 탐색하듯 살펴보는 그들의 시선을 느끼면서 몸을 떨지 않을 수 없었다. 놀라움과 동정심을 보여주리라 기대했던 사람들에게서 그는 의심의 눈초리를 받았다. 쉬잔은 평소보다 더 파리하고 창백해져서 거의 실신하기 직전이었다. 올리비에는 카미유가 죽었다는 말에 한순간 섬뜩해하긴 했지만 슬픈 감정이라고는 전혀 느끼지 못하는 듯했다. 그는 인상을 잔뜩 쓰며 로랑의 얼굴을 들여다보았다. 하지만 그것은 사건에 흑막이 있지 않을까 의심해서가 아니라 그저 직업적인 습관일 뿐이었다. 한편으로 미쇼 영감은 두려움과 연민, 놀람이 뒤섞인 감탄사를 연발했다. 그는 의자에 앉은 채로 몸을 흔들어대면서 두 손을 맞잡고 고개를 쳐들며 위를 올려다보았다.

"오! 하느님 맙소사." 그는 떠듬떠듬 떨리는 목소리로 말했다. "오! 세상에, 어떻게 그런 끔찍한 일이! 집 밖에서 그렇게 허망하게 죽다니…… 정말 끔찍해. 가엾은 라캥 부인. 그 모친에게는 어떻게 말해야 할까? 여하튼 자네가 우리를 먼저 찾아온 건 정말 잘한 일이네. 우리가 함께 가주지."

그는 의자에서 일어나 지팡이와 모자를 찾으려고 방 안을 쿵쿵 소리가 나게 걸으며, 로랑에게 그 사건의 자세한 경위를 반복해서 물었고, 로랑이 말할 때마다 새삼스럽게 놀라며 감탄사를 내질렀다.

네 사람 모두 집을 나왔다. 퐁뇌프 파사주 입구에서, 미쇼 영감이 로랑을 멈춰 세웠다.

"자넨 따라오지 말게." 그가 로랑에게 말했다. "자네가 가면, 그 불쌍한 모친에게 둘러댈 새도 없이 너무 갑작스럽게 사실을 들이대는 꼴이 될 거야. 부인은 뭔가 큰일이 일어났다는 걸 바로 눈치채고, 우리가 말하기도 전에 억지로 진실을 털어놓게 만들 테니까. 그래선 안 돼. 여기서 우릴 기다리게."

그렇지 않아도 가게로 들어갈 생각에 마음이 불편했던

살인자에게 너무도 고마운 제안이었다. 한결 기분이 편안해진 그는 태연하게 거리를 왔다 갔다 하기 시작했다. 때때로 무슨 일이 있었는지 잊어버린 채 상점들을 기웃거리면서 휘파람을 불고, 지나가는 여자들을 흘끔거리기까지 했다. 그런식으로 거의 30분 동안 있으면서 차츰 냉정을 되찾았다.

로랑은 가볍게 아침을 먹은 이후로 아무것도 먹은 게 없었다. 갑자기 허기가 몰려왔다. 그는 제과점으로 들어가 과자를 마구 집어삼켰다.

파사주의 잡화점에서는 비통한 광경이 펼쳐졌다. 미쇼 영감이 최대한 부드러운 어조로 조심스럽게 돌려 말했지만, 라캥 부인은 자기 아들에게 큰일이 생겼다는 걸 직감했다. 그때부터 그는 절망의 구렁텅이에서 분노를 터뜨리고 폭포수 같은 눈물을 쏟아내며 진실을 말해달라고 울부짖었다. 미쇼 영감은 마음이 약해져 사실대로 털어놓고 말았다. 마침내 진실을 알게 되자 라캥 부인의 고통은 극에 달했다. 그는 소리 없이 흐느끼고 온몸을 흔들고 뒤로 넘어가면서 공포와 고통으로 거의 미친 것처럼 발작을 일으켰다. 그러다가 숨도 제대로 쉬지 못하고 쓰러진 채 때때로 솟구쳐 오르는 고통에 가끔 외마디 비명을 내지르곤 했다. 라캥 부인의 무릎에 엎드려 같이 울던 쉬잔이 부인을 붙잡아주지 않았더라면, 라캥 부인은 가게 바닥에 그대로 널브러졌을 것이다. 자신들의 이기심을 혼란스럽게 만드는 광경에 기분이 언짢아진 올리비에와 그의 아버지는 고개를 돌린 채 말없이 서 있었다.

그 가엾은 어머니는 뻣뻣해지고 끔찍하게 부풀어 오른 몸으로 탁한 센강 속을 떠다니고 있을 아들의 모습을 눈앞에 그려보았다. 그와 동시에 라캉 부인은 죽을 고비를 넘기며 요람 속에 누워 있던 어린 아들의 모습도 떠올렸다. 열 번도 넘게 죽음의 문턱에서 되살려낸 아들이었다. 30년 동안 지극정성으로 키워온 아들이었다. 그런데 지금 그 아들이 느닷없이, 저 멀리 떨어진 차갑고 더러운 물속에서 개처럼 죽은 것이다. 라캉 부인은 아들을 감싸주었던 따뜻한 이불을 떠올렸다. 다정한 말과 애정 표현을 아낌없이 퍼부으며 그렇게 보살피고 애지중지하며 키운 그 모든 수고가 이토록 허망하고 비참하게 물에 빠져 죽은 아들을 보기 위한 것이었단 말인가! 그런 생각을 하자 라캉 부인은 뭔가가 목을 조이는 듯 숨이 막혔다. 그는 차라리 절망에 목이 졸려 지금 당장 죽어버리고 싶었다.

미쇼 영감은 가련한 라캉 부인 곁에 쉬잔을 남겨두고 서둘러 밖으로 나왔다. 그들 부자는 로랑과 함께 급히 생투앙으로 갈 생각이었다.

생투앙으로 가는 동안 그들은 말을 거의 나누지 않았다. 각자 마차 한구석에 처박힌 듯 앉아 있었다. 이따금 빠르게 달리는 마차 안으로 가스등 불빛이 스며들어 그들의 얼굴을 언뜻언뜻 비추곤 했다. 그들을 한데 모이게 한 그 불길한 사건이 그들을 짓누르며 침울한 분위기를 퍼뜨렸다.

마침내 강변의 식당에 도착해 보니, 테레즈는 펄펄 끓어오르는 상태로 누워 있었다. 식당 주인은 젊은 부인의 열이 아주 심한 것 같다고 낮게 속삭였다. 하지만 사실 테레즈는 몸이 쇠한 상태여서 혹시라도 발작하다가 실수로 살인자가 누구인지 발설하지나 않을까 두려워 짐짓 아픈 척하는 것이었다. 테레즈는 입을 꼭 다물고 완강하게 침묵을 지키면서 사람들과 눈을 마주치지 않으려고 눈을 질끈 감았다. 시트를 턱까지 끌어 올리고 베개에 얼굴을 반쯤 파묻은 채, 몸을 아주 작게 웅크린 상태로 주위에서 사람들이 하는 말에 불안하게 귀를 기울였다. 하지만 감은 눈 위로 어른거리는 붉은 빛 속에서, 뱃전에서 싸우던 카미유와 로랑의 모습이 계속 떠올랐다. 한 남자가 창백하고 끔찍하게 부풀어 오른 모습으로 더러운 흙탕물 위에 꼿꼿이 서 있었다. 얼굴을 알아볼 수 없을 정도로 퉁퉁 불었지만 테레즈는 그게 자기 남편임을 단번에 알아보았다. 아무리 억누르려 해도 집요하게 떠오르는 환영 때문에 테레즈의 피는 더욱 뜨겁게 끓어올랐다.

미쇼 영감은 테레즈에게 위로의 말을 해주려 애썼다. 테레즈는 초조하게 꼼지락거리다가 벽 쪽으로 돌아누워 다시 흐느끼기 시작했다.

"그냥 내버려 두세요." 식당 주인이 말했다. "그 부인은 아주 조그만 소리에도 몸을 떨어요. 보시다시피, 좀 쉬게 해 줘야 할 것 같아요."

아래층 식당에서는 경찰이 사건을 조사하면서 조서를 꾸미고 있었다. 미쇼 부자가 아래층으로 내려가고, 로랑이 뒤를 따랐다. 올리비에가 파리 경시청에 근무한다며 자신의 신분을 밝히자, 모든 게 10분 만에 끝났다. 아직 그곳에 남아 있던 뱃놀이꾼들은 마치 자신들이 직접 본 것처럼 그 세 사람이 물에 빠진 정황을 세세하게 증언했다. 설령 올리비에와 그의 아버지가 조금이나마 의심을 품었다 하더라도, 그런 증언 앞에서 의혹은 흔적도 없이 사라졌을 것이다. 더구나 그 부자는 로랑의 진실성을 단 한 순간도 의심하지 않았다. 오히려 조사 중인 경찰에게 로랑을 희생자와 가장 친한 친구라고 소개하면서 그가 카미유 라캥을 구하려고 물에 뛰어들었다는 사실을 조서에 꼭 써넣어달라고 당부하기까지 했다. 다음 날, 신문에서는 그 사건을 아주 상세하게 보도했다. 박복한 홀어머니, 절망에 빠진 젊은 과부, 숭고하고 용감한 친구. 그 모든 건 사회면을 채우기에 부족함이 없었다. 그 사건은 파리의 신문들을 한 바퀴 돌고 난 뒤, 지방의 여러 신문에 자그맣게 실렸다.

조서가 마무리되었을 때, 로랑은 드디어 새로운 인생이 시작되었다고 생각하며 뜨거운 환희가 온몸으로 스며드는 것을 느꼈다. 희생자가 목을 물어뜯었던 그 순간 이후로, 그는 마치 사고가 멈춰버린 것처럼 오래전에 미리 세워둔 계획에 따라 기계적으로 움직였다. 오직 생존 본능만이 그를 움직이게 했고 무슨 말을 해야 할지, 어떻게 행동해야 할지 조언해주었다. 그런데 곧 벌을 받을 리 없다는 확신이 들자, 그의 혈관 속에서 피가 다시 정상적으로 돌기 시작했다. 경찰은 그의 범죄 사실을 비껴갔고, 아무것도 보지 못했으며 아주 쉽게 속아 넘어갔다. 그는 이제 해방되었다. 위험에서 벗어난 것이다. 그런 생각을 하자, 온몸에 기쁨의 땀이 촉촉이 배어나고 열기가 퍼지면서 머리가 유연하게 돌아가기 시작했다. 그는 더없이 침착하고 교활하게 비탄에 빠진 친구 역을 계속해나갔다. 하지만 속으로는 비열한 만족을 느끼며 위층 방에 누워 있을 테레즈를 생각했다.

"그 불쌍한 부인을 이곳에 이대로 둘 수는 없어요." 그가 미쇼 영감에게 말했다. "이대로 뒀다가는 큰 병이 날지도 모릅니다. 빨리 파리로 데려가야 해요. 앞으로 어떻게 해야 할지 서둘러 결정해야겠어요."

2층으로 올라간 그는 테레즈에게 빨리 일어나서 퐁뇌프 파사주로 가자고 애원하듯 말했다. 목소리가 들리자 젊은 여자는 소스라치듯 놀라며 눈을 크게 뜨고 그를 바라보았다. 얼이 빠진 표정으로 떨고 있던 테레즈는 대답도 하지 않고 힘겹게 자리에서 일어났다. 남자들은 테레즈를 식당 안주인과 함께 놔두고 밖으로 나갔다.

식당 안주인의 도움을 받아 옷을 입은 뒤, 테레즈는 비틀거리면서 아래층으로 내려가 올리비에의 부축을 받으며 삯마차에 올랐다.

가는 내내 아무도 입을 열지 않았다. 로랑은 대담하고 뻔뻔스럽게 치마 위로 슬그머니 손을 가져가 테레즈의 손가락을 잡았다. 그는 흐릿한 어둠 속에서 테레즈와 마주 앉아 있었다. 하지만 테레즈가 고개를 숙이고 있어 얼굴을 볼 수는 없었다. 그는 테레즈의 손을 힘껏 움켜쥐고는 마자린가에 다다를 때까지 놓지 않았다. 테레즈의 손이 떨리는 것이 느껴졌다. 하지만 테레즈는 손을 빼내지 않았다. 오히려 어느 순간 그의 손을 애무하기 시작했다. 맞잡은 두 사람의 손은 뜨겁게 불타올랐다. 땀으로 축축해진 손바닥이 찰싹 달라붙었고, 깍지 낀 손가락에는 아플 정도로 힘이 들어가 있었다. 로랑과 테레즈는 그렇게 결합된 손을 통해 상대방의 피가 자신의 가슴속으로 흘러들어오는 듯한 기분을 느꼈다. 그들의 손은 생명이 부글부글 끓는, 불타는 화덕이 되었다. 비탄에 빠진 한밤중 침묵 속에서 그들 손의 격렬한 결합은 카미유가 물속에서 떠오르지 못하도록 머리를 짓누르는 묵직한 납덩어리 같았다.

마차가 멈춰 섰고, 미쇼 부자가 먼저 내렸다. 로랑은 테레즈 쪽으로 몸을 숙이고 조용히 속삭였다.

"약한 모습 보이지 마, 테레즈. 우린 오랫동안 참고 기다려야 해. 명심해."

그동안 한마디도 하지 않던 젊은 여자는 남편이 죽은 이후 처음으로 입을 열었다.

"알았어. 명심할게." 테레즈는 몸을 떨면서 공기처럼 약한 목소리로 속삭였다.

올리비에는 테레즈가 마차에서 내려올 수 있도록 손을 내밀었다. 이번에는 로랑도 가게 안으로 함께 들어갔다. 라캥 부인은 여전히 헛소리를 해대며 누워 있었다. 테레즈는 발을 질질 끌며 간신히 자기 방으로 들어가 침대 위에 쓰러졌다. 쉬잔이 그의 옷을 제대로 벗겨줄 틈도 없었다. 로랑은 모든 게 바라던 대로 되어가는 것을 보고 안심하며 그 집에서 나와, 천천히 생빅토르가의 다락방을 향해 걸음을 옮겼다.

자정이 넘은 시각이었다. 인적 없는 고요한 거리에 서늘한 공기가 흘렀다. 젊은 남자의 귀에는 보도의 포석 위에 규칙적으로 울리는 자신의 발소리만 들렸다. 만족스러워하는 그의 몸으로 시원한 바람이 파고들었다. 정적과 어둠이 빠르게 정욕을 불러일으켰다. 그는 느릿느릿 걸음을 옮겼다.

마침내 로랑은 자기가 저지른 범죄에서 벗어났다. 그는 카미유를 죽였다. 하지만 그것은 이제 끝난 사건이므로 더 이상 사람들의 입에 오르내리지 않을 것이다. 이제 조용히 살면서 테레즈와 결합할 날을 기다리기만 하면 되었다. 살인을 생각할 때면 때때로 숨통이 막히곤 했지만 사건은 종결되었고, 이제 그는 막혔던 가슴이 뻥 뚫린 것처럼 마음 편히 숨을 쉴 수 있었다. 망설임과 두려움에 시달리며 겪던 고통에서 그는 마침내 벗어났다.

사실 그는 약간 얼이 빠져 있었다. 피로감에 몸과 마음이 멍해진 상태였다. 집으로 돌아온 그는 깊은 잠에 빠져들었다. 하지만 잠자는 동안 그의 얼굴에는 가벼운 신경성 경련이 일어나곤 했다.

13

다음 날, 로랑은 상쾌한 기분으로 가뿐하게 일어났다. 아주 오랜만에 잠을 푹 잤다. 창으로 들어오는 차가운 공기가 정체되어 있던 그의 피를 빠르게 펌프질했다. 전날 일어난 일들은 거의 떠오르지도 않았다. 목에서 불타는 듯한 통증이 느껴지지 않았더라면, 평소와 다를 것 없는 저녁을 보내고 10시쯤 잠자리에 들었다가 깨어났다고 착각했을 정도였다. 카미유에게 물린 자국은 벌겋게 달군 쇠로 낙인을 찍어놓은 것 같았다. 그 상처 부위가 몹시 아프겠다는 생각을 하자 정말로 지독한 통증이 느껴졌다. 수십 개의 바늘이 조금씩 살속으로 파고드는 것 같았다.

그는 셔츠 깃을 내리고, 벽에 걸린 싸구려 거울에 목을 비춰보았다. 2수짜리 동전만 한 붉은 자국이 동그랗게 나 있었다. 살점이 떨어져 나간 자리에는 검은 반점들과 함께 불그죽죽한 생살이 드러나 보였다. 어깨까지 흘러내린 가늘고 긴 핏자국 위에 피딱지가 앉아 비늘처럼 벗겨지고 있었다. 하얀 목 위에 선명하게 드러난 이빨 자국은 거무튀튀한 갈색을 띠었다. 그 자국은 오른쪽 귀밑에 있었다. 로랑은 등을 구부린 채 목을 길게 빼고 거울을 들여다보았다. 푸른 기가 도는 그 싸구려 거울을 보면서 그는 얼굴을 잔뜩 찌푸렸다.

하지만 이 정도 상처는 며칠만 지나면 말끔하게 나을 거라고 스스로 진단을 내리고는 만족해하면서 물을 아끼지 않고 오랫동안 몸을 씻었다. 그러고 나서 옷을, 갈아입고 평소처럼 태연하게 사무실로 출근했다. 직장에서 그는 비통한 목소리로 그 사건에 관해 이야기했다. 신문에서 사고 기사를 읽은 직장 동료들 사이에서 그는 화제의 주인공이 되었다. 오를레앙 철도국 직원들은 일주일 내내 그 얘기밖에 하지 않았다. 그들은 동료가 물에 빠져 죽은 것이 무슨 자랑거리라도 되는 양 떠들어댔다. 그리베는 다리를 건널 때야 괜찮지만 센강 한복판에서 배를 타면 까딱 잘못하다가 빠져 죽을 수도 있다는 둥 하나 마나 한 소리를 쉴 새 없이 늘어놓았다.

로랑에게는 아직 은밀한 불안이 남아 있었다. 카미유의 죽음이 공식적으로 인정되지 않았기 때문이다. 테레즈의 남편은 분명히 죽었다. 하지만 그의 시신이 발견되지 않아서 사망진단서를 받을 수 없었다. 이 일을 깨끗이 마무리하려면 시신을 찾아내야 했다. 사고 다음 날 사람들이 익사자의 시신을 열심히 찾아보았지만 성과가 없었다. 다들 카미유의 시신이 어느 섬의 벼랑 밑 깊숙한 구덩이에 처박혀 있는 게 분명하다고 생각했다. 강가에서 고물을 줍는 몇몇 사람들이 포상금을 노리고 센강을 샅샅이 뒤지고 다녔다.

로랑은 매일 아침 출근길에 시체공시소에 들렀다. 그는 혼자서 깔끔하게 뒷마무리를 하리라 다짐했다. 구역질이 날 만큼 역겨웠고 때로는 몸서리치도록 두려웠지만, 그는 일주일이 넘도록 꼬박꼬박 시체공시소에 들러서 안치대 위에 누운 시체들의 얼굴을 하나하나 살펴보았다.

그곳에 들어가면 물로 씻긴 시신들의 역겨운 냄새에 구역질이 났고, 서늘한 냉기가 살갗을 타고 흘렀다. 축축한 벽의 습기 탓에 입은 옷이 무겁게 느껴졌고, 그래서 양어깨가 더욱더 묵직하게 짓눌렸다. 그는 방문객과 시신들 사이를 갈라놓은 유리 칸막이벽 앞으로 곧장 다가갔다. 그리고 유리벽에 창백한 얼굴을 바짝 갖다 대고 시신들을 살펴보았다. 그의 눈앞에는 시체 안치대로 쓴 잿빛 포석들이 줄지어 있었다. 포석 위에 벌거벗은 채 누운 시신들의 몸 여기저기에 푸르고 노랗고 희고 붉은 얼룩들이 있었다. 어떤 시신들은 사후경직으로 뻣뻣하게 굳었지만 겉모습은 멀쩡해 보였다. 반면에 피범벅이 된 채 썩은 고깃덩이 같아 보이는 시신도 있었다. 황량한 안쪽 벽에는 치마나 바지 같은, 얼굴이 저절로 찌푸려질 정도로 처참한 누더기들이 걸려 있었다. 처음에 로랑의 눈에는 옷가지와 시신들로 검고 붉은 반점을 이룬 시체 안치대와 희끄무레한 벽만 보였다. 세세한 건 전혀 알아볼 수 없었다. 어디선가 졸졸졸 물 흐르는 소리도 들렸다.

그러다가 조금씩 시신들이 눈에 익자, 그는 하나하나 살펴보며 나아갔다. 그가 관심을 가지는 건 오직 익사한 시신이었다. 물에 부풀고 푸르뎅뎅해진 시체가 몇 구 있었다. 그는 카미유를 찾으려 시신들을 열심히 살펴보았다. 그런 시체의 얼굴은 형체도 알 수 없을 정도로 문드러진 경우가 많았다. 뼈가 물컹한 살갗을 뚫고 나오고, 얼굴은 끓는 물에 푹 삶아서 뼈가 저절로 빠져나간 것처럼 흐물흐물해 보였다. 로랑은 주춤거렸다. 시신들을 자세히 들여다보며 자기가 죽인 희생자의 야위고 수척한 시신을 찾아내려 애썼지만 익사자들은 하나같이 거대했다. 그는 잔뜩 부풀어 오른 배, 불어 터진 엉덩이, 피둥피둥한 굵은 팔 들을 보았다. 이제 더 이상 어떻게 해야 할지 알 수 없었다. 그저 끔찍하게 찡그린 표정으로 자기를 비웃는 듯한 푸르죽죽한 고깃덩이들 앞에서 계속 몸을 떨 뿐이었다.

어느 날 아침 로랑은 태어나서 처음 맛보는 극심한 공포에 사로잡혔다. 그는 몇 분 전부터 어떤 익사체를 바라보고 있었다. 작은 키에 얼굴이 끔찍하게 훼손된 시체였다. 그 익사체의 살은 너무 물러서, 흐르는 물에 살점이 조금씩 떨어져 나갔다. 시체공시소 직원이 물줄기를 시신의 얼굴에 갖다 대자 코 왼쪽 살갗에 구멍이 파였다. 그러더니 갑자기 코가 뭉크러지고 입술이 떨어지면서 흰 이가 드러났다. 마치 익사자가 웃음을 터뜨리는 것처럼 보였다.

카미유인 것 같다는 생각이 들 때마다 로랑의 가슴은 불에 덴 것처럼 타들어갔다. 그는 자기가 살해한 희생자의 시신을 간절히 찾아내고 싶었다. 그러면서도 막상 그 시신이 눈앞에 있다는 생각이 들면 말할 수 없이 겁에 질리곤 했다. 시체공시소를 찾아가기 시작하면서 그는 밤마다 악몽에 시달리며 몸을 부들부들 떨고 숨을 헐떡였다. 로랑은 몸을 흔들어대며 두려움을 털어 없애려 했다. 자신이 어린애처럼 겁을 집어먹었다고 생각했고 강해지고 싶었다. 하지만 몸이 뜻대로 되지 않았다. 습기로 가득 차고 메스꺼운 냄새가 진동하는 시체공시소에 들어서는 순간, 혐오감과 공포가 온몸을 사로잡았다.

맨 마지막 줄에 이를 때까지 익사체가 한 구도 보이지 않는 날이면 그는 안도의 한숨을 내쉬었다. 혐오감도 훨씬 덜했다. 그러면서 그는 점차 단순한 구경꾼이 되어갔다. 음산하고 기괴한 모습의 시체를 바라볼 때면 묘한 즐거움을 느껐다. 그걸 보고 있으면 기분이 좋아졌다. 특히 가슴을 드러낸 여자들의 시신을 볼 때면 야릇한 쾌감마저 느껴졌다. 아무렇게나 널브러진 채 피로 얼룩지고 군데군데 구멍이 뚫린 그 알몸들은 그를 끌어당겨 붙잡고 놓아주지 않았다. 한번은 공장노동자였던 듯한 스무 살가량의 젊은 여자 시체를 보았는데, 몸집이 크고 풍만한 그 시체는 포석 위에서 잠든 것처럼 보였다. 탱글탱글하고 풍만한 몸이 시체의 창백한 빛깔과 대비되면서 몹시 미묘한 분위기를 자아냈다. 시체는 머리를 약간 기울인 채 살짝 미소를 지으며 도발적으로 가슴을 내밀고 있었다. 목에 검은색 목걸이처럼 둘러진 울혈이 없었더라면, 마치 남자를 유혹하는 화류계 여자처럼 보일 정도였다. 그는 실연의 아픔을 견디지 못해 목을 매어 자살한 여자였다. 로랑은 공포와 뒤섞인 음란한 욕정에 사로잡혀 오랫동안 그 여자의 몸을 이리저리 살펴보았다.

매일 아침 시체공시소를 방문하면서 로랑은 수많은 사람이 끊임없이 그곳을 들락거린다는 사실을 알게 되었다.

시체공시소는 가난한 사람이건 부유한 사람이건 누구나 공짜로 구경할 수 있는 볼거리를 제공하는 곳이었다. 그곳의 문은 모두에게 개방되므로, 원하는 사람은 누구나 들어올 수 있었다. 그 죽음의 공연을 단 한 차례도 놓칠 수 없다는 듯 매일같이 아주 먼 곳에서 일부러 찾아오는 열혈 팬도 있었다.

포석 위에 아무것도 없는 날이면, 그들은 실망스럽다는 듯 구시렁거리며 그곳을 떠났다.

시신이 가득한 날에는, 그러니까 죽은 자의 몸뚱이가 잔뜩 전시되어 있을 때면 구경꾼들은 신이 나서 유리벽으로 달려들어 값싼 감동을 느꼈다. 그들은 공포에 사로잡히고, 농지거리를 해대고, 극장에서처럼 박수를 치거나 휘파람을 불고, 오늘 시체는 최고였다고 찬사를 퍼부으며 만족한 얼굴로 그곳을 떠났다.

얼마 지나지 않아 로랑은 하루도 빼먹지 않고 꼬박꼬박 그곳을 찾는 사람들이 어떤 부류인지 파악하게 되었다. 어울리지 않는 잡다한 부류의 인간들이 다 함께 시체들을 두고 동정하거나 비웃고 있었다. 몇몇 노동자들은 빵과 연장을 팔에 끼고 일터로 가는 길에 그곳에 들르곤 했다. 그들은 죽음을 하찮은 오락거리로 생각했다. 그들 중에는 출근 전에 그곳에서 만나 자기들끼리 시체의 일그러진 얼굴을 두고 한마디씩 농담이나 품평을 하면서 다른 방문객들을 웃기는 이도 있었다. 그들은 불에 타 죽은 사람을 '숯쟁이'라 불렀다. 목매달아 죽은 사람이나 물에 빠져 죽은 사람, 살해된 사람들, 몸에 구멍이 뚫리거나 으스러진 사람의 시신이 그들의 놀림감이 되었다. 그들은 약간 떨리는 목소리로 그 공간의 소름 끼치는 정적을 깨뜨리며 저급한 농담을 내뱉었다. 그리고 변변찮은 연금으로 살아가는 사람들, 기름기가 다 빠져나간 비쩍 마른 노인들이 들어왔다. 한가롭게 거닐다가 무료함을 달래려고 들어와서 조용하고 다정다감한 사람들 특유의 흐리 멍덩한 눈으로 시체를 바라보는 이들도 있었다. 여자도 아주 많았다. 그 가운데에는 흰 블라우스에 깨끗한 치마를 입은 여공들도 있었다. 그 젊은 여자들은 발그레하게 상기된 얼굴로 마치 새로운 상품을 전시해놓은 진열장을 들여다보듯이 눈을 부릅뜨고 꼼꼼하게 살펴보면서, 유리벽의 한쪽 끝에서 다른 쪽 끝까지 빠르게 지나가곤 했다. 그리고 입을 벌린 채 슬픈 표정을 짓는 서민층 여자들, 비단 드레스를 멋지게 차려입고 무심하게 치맛자락을 끌고 다니며 구경하는 귀부인들도 있었다.

어느 날 로랑은 옷을 잘 차려입은 어떤 여자가 유리벽으로부터 몇 발자국 떨어진 곳에서 흰 삼베 손수건으로 코를 틀어막은 채 못 박힌 듯 서 있는 것을 보았다. 그 여자는 우아한 회색 비단 치마에 검은 레이스가 달린 반외투를 입고 있었다. 얼굴에는 베일이 드리워져 있었고, 장갑을 낀 손은 아주 작고 섬세해 보였다. 그 여자 주위로 바이올렛 향기가 은은하게 떠돌았다. 여자는 어떤 시신을 바라보았다. 몇 발자국 떨어진 포석 위에 키가 크고 건장한 남자의 시신이 누워 있었다. 공사장 비계에서 떨어져 즉사한 지 얼마 되지 않은 석공의 시신이었다. 가슴팍은 딱 벌어졌고, 잔 근육과 큰 근육이 균형 있게 발달했으며, 새하얀 피부에는 윤기가 흘렀다. 그의 몸은 마치 대리석을 깎아 만든 것 같았다. 여인은 그 시신을 유심히 살펴보았다. 아니, 눈으로 그를 뒤집어보기도 하고 무게를 가늠해보기도 하면서 정신을 온통 빼앗긴 채 이리저리 뜯어보았다. 여인은 베일 한쪽 귀퉁이를 들어 올리고 마지막으로 다시 한번 그 시신을 쳐다보고 나서 자리를 떠났다.

간혹 사내아이들이 무리 지어 몰려오기도 했다. 열두 살에서 열다섯 살쯤 된 아이들은 유리벽을 따라 달리다가 여자 시신이 있으면 그 앞에 멈춰 섰다. 그러고는 유리벽에 손을 갖다 대고, 맨살을 드러낸 가슴을 능글맞은 눈길로 바라보았다. 그들은 팔꿈치로 서로를 밀쳐대고 상스러운 말들을 내뱉으며 죽음의 학교에서 여자를 배웠다. 그 불량한 꼬마 녀석들은 인생의 첫 애인을 시체공시소에서 만나는 셈이었다.

그곳에 드나든 지 일주일이 지나자, 로랑은 진저리가 났다. 아침에 본 시체들이 밤마다 꿈에 나왔다. 스스로 사서 겪는 그 매일매일의 고통, 그 끔찍한 혐오감이 너무 견디기 힘들어서, 그는 앞으로 딱 두 번만 더 가보고 더 이상 가지 않겠다고 다짐했다. 다음 날 시체공시소에 들렀을 때, 그는 가슴을 망치로 얻어맞은 듯 엄청난 충격을 받았다. 바로 눈앞의 포석 위에 카미유가 있었다. 카미유는 똑바로 누워 고개를 살짝 든 채, 눈을 가늘게 뜨고서 그를 쳐다보았다.

살인자는 자신이 살해한 남자에게서 눈을 떼지 못하고 홀린 듯 유리벽으로 천천히 다가갔다. 마음이 괴롭지는 않았다. 다만 속에서 엄청난 한기가 느껴져 몸이 살짝 떨릴 뿐이었다. 생각만큼 심하게 떨리지도 않았다. 그는 꼼짝도 하지 않고 시신을 멍하니 바라보았다. 불과 5분 정도였지만 그 시간이 아주 길게 느껴졌다. 그러면서 눈앞에 놓인 그 모든 끔찍한 선과 칙칙한 색깔을 무의식적으로 머릿속에 하나하나 새겨나갔다.

카미유의 상태는 끔찍했다. 보름 동안 물속에 잠겨 있었지만, 얼굴은 아직 허물어지지 않았고, 이목구비도 그대로 보존된 상태였다. 다만 피부가 누르스름한 흙빛을 띨 뿐이었다. 뼈가 앙상하게 드러난 머리는 꽤 부어올라 찌그러져 보였다. 고개는 약간 젖혀지고, 머리칼이 양쪽 관자놀이에 달라붙어 있었다. 그리고 살짝 들린 눈꺼풀 안으로 생기 잃은 흰자위가 드러나 보였다. 비틀린 입술은 한쪽 귀퉁이만 당겨 올라가서, 마치 기분 나쁜 냉소를 짓는 것 같았다. 하얀 이 사이로 거무스레한 혀끝이 보였다. 겉모습은 여전히 인간의 것이긴 했지만, 미리통이 무두질을 해놓은 것처럼 극심한 고통과 공포로 짓이긴 모양새였고, 몸은 마치 녹아내린 살덩어리

156

같았다. 끔찍할 정도로 지독한 고통을 받았던 게 틀림없었다. 두 팔은 더 이상 그의 몸에 붙어 있다고 할 수 없을 정도였다. 양쪽 쇄골이 어깨살을 뚫고 비어져 나오고, 초록빛을 띤 가슴께에는 갈비뼈들이 검은 띠처럼 드러나 있었다. 찢어지고 벌어진 왼쪽 옆구리에는 검붉은 살점들이 너덜거렸다. 몸통 전체가 이미 썩어가는 중이었다. 그나마 아직 단단해 보이는 두 다리도 얼룩덜룩한 반점들로 뒤덮여 흉측했고, 두 발은 축 늘어져 있었다.

로랑은 카미유를 내려다보았다. 그토록 무시무시한 익사체는 지금까지 한 번도 본 적이 없었다. 게다가 그 시신은 살아 있을 때보다 더 여위고 볼품없어 보였다. 썩어가면서 점점 더 오그라들었기 때문이다. 그는 아주 작은 덩어리가 되어 있었다. 그 덩어리가 바로 그의 어머니가 탕약 먹여 키운, 연봉 1200프랑을 받던 그 어리석고 병약한 사내였다. 볼품없는 몸뚱이, 따뜻한 이불 속에서 애지중지 키운 그 가련한 육신은 차가운 돌침대 위에서 떨고 있었다.

로랑은 폐부가 쑤시는 듯한 이상한 감정을 느끼며 입을 벌린 채, 그 앞에 꼼짝 않고 오랫동안 서 있었다. 그러다가 마침내 정신을 차리고 밖으로 나와 강변을 빠르게 걷기 시작했다. 그는 걷는 내내 이런 말을 되풀이했다. "내가 저렇게 만든 거야. 정말 끔찍하다." 썩어가는 시신에서 나는 코를 찌르는 악취가 계속 그를 따라오는 것 같았다.

　그는 미쇼 영감에게 달려가 시체공시소에서 카미유를 찾았다고 말했다. 확인 절차가 끝나고 익사체를 땅에 묻은 뒤, 사망신고를 마쳤다. 로랑은 비로소 안심했고, 이제는 자기가 저지른 범죄와 그 이후 자신을 따라다니던 고통스럽고 끔찍한 모든 것들을 깨끗이 잊어버리고 싶었다.

14

퐁뇌프 파사주의 잡화점은 사흘 동안 문을 닫았다. 다시 문을 열었을 때, 가게 안은 이전보다 더 어둡고 축축해 보였다. 먼지로 뒤덮여 누르스름한 빛을 띤 진열장이 그 집의 슬픔을 그대로 보여주는 것 같았다. 물건들은 더러운 진열장 안에서 멋대로 뒹굴었다. 녹슨 봉에 걸린 리넨 모자 너머로 보이는 테레즈의 얼굴은 전보다 더 메마르고 창백한 데다 흙빛마저 돌았다. 그 얼굴은 음산한 고요 속에서 미동도 하지 않았다.

파사주의 모든 이웃 여자들은 테레즈를 측은히 여겼다. 모조 보석 가게 주인은 손님이 올 때마다 혼자 보기 아까운 진기한 물건을 보여주기라도 하듯이 그 젊은 과부의 수척해진 옆모습을 가리켰다.

라캥 부인과 테레즈는 사흘 동안 아무 말도 나누지 않고 얼굴조차 마주치지 않으면서 각자 자신의 침대에 틀어박혀 지냈다. 늙은 잡화상은 베개를 등에 받치고 침대에 앉아 초점 잃은 눈으로 멍하니 앞을 바라보기만 했다. 아들의 죽음이 말로 표현할 수 없는 충격을 주어서 그는 죽은 사람처럼 쓰러진 채 절망의 구렁텅이에 빠져 헤어나지 못했다. 라캥 부인은 몇 시간 동안 한마디 말도 없이 꼼짝도 하지 않고 있다가, 느닷없이 미친 사람처럼 울부짖곤 했다. 울고, 고함을 지르고, 헛소리를 해댔다. 옆방의 테레즈는 잠들어 있는 듯했다. 테레즈는 벽 쪽으로 얼굴을 돌린 채 머리끝까지 이불을 뒤집어쓰고 있었다. 덮은 이불을 들썩이며 흐느껴 울지도 않고 뻣뻣한 자세로 죽은 듯이 누워만 있었다. 마치 침실의 어둠 속에, 옴짝달싹하지 못하게 만드는 생각들을 숨겨놓은 것 같았다. 두 여인을 돌보는 일을 맡은 쉬잔은 조심스러운 걸음으로 이 침대에서 저 침대로 조용히 오가며 근심이 가득한 얼굴로 그들을 살펴보곤 했다. 그렇지만 벽 쪽을 보고 누운 테레즈를 돌아눕게 하지도 못했고, 아주 작은 소리에도 깨어나 눈물을 쏟아내는 라캥 부인을 위로하지도 못했다.

사흘째 되던 날, 테레즈는 뭔가 결심한 듯 상기된 얼굴로 갑자기 이불을 걷어내고 벌떡 일어나 침대에 앉았다. 그는 관자놀이를 쓰다듬으며 머리를 쓸어 올리고 나서 그대로 이마에 손을 얹더니, 아직 뭔가 더 생각할 게 남았다는 듯이 잠시 골똘히 앞을 바라보았다. 이윽고 그는 카펫 위로 펄쩍 뛰어내렸다. 열이 올라 붉은 기를 띤 팔다리가 후들거렸다. 누워 있는 동안 눌린 살에 대리석 무늬처럼 푸르스름한 자국들이 생겨나 있었다. 테레즈는 며칠 사이에 늙어버린 것 같았다.

침실 안으로 들어서던 쉬잔은 일어나 있는 테레즈를 보고 깜짝 놀라 걸음을 멈췄다. 쉬잔은 온화하고 느릿한 목소리로 다시 자리에 누워 좀 더 쉬라고 말했다. 테레즈는 쉬잔의 말을 들은 체 만 체하고는, 몸을 떨면서 황급히 옷을 찾아 입었다. 옷을 다 차려입은 뒤에는 거울 앞으로 가서 자기 모습을 비춰보며 눈을 비비고 뭔가를 지워버리려는 듯 두 손으로 얼굴을 쓸어내렸다. 그러고 나서 한마디 말도 없이 급히 식당을 지나 라캥 부인의 방으로 들어갔다.

늙은 잡화상은 멍한 얼굴로 말없이 누워 있었다. 테레즈가 들어오자 부인은 고개를 돌려 그 젊은 과부에게 눈길을 던졌다. 테레즈는 먹먹한 가슴으로 말없이 라캥 부인 앞으로 다가섰다. 두 여인은 잠시 서로를 바라보았다. 조카의 불안은 점점 더 커졌고, 고모는 무언가를 열심히 기억해내려 애쓰는 것 같았다. 마침내 기억이 난 듯 라캥 부인이 떨리는 두 팔을 내밀어 테레즈의 목을 껴안고 외쳤다.

"불쌍한 내 아가, 가엾은 카미유!"

라캥 부인은 울음을 터뜨렸다. 그의 눈물은 젊은 과부의 뜨거운 살갗 위에서 금세 말라버렸다. 테레즈는 시트 주름 속에 자신의 메마른 눈을 숨겼다. 그는 늙은 시어머니가 울다 지치기를 기다리면서 그렇게 시트 위에 엎드린 채 가만히 있었다. 살인 이후로 테레즈는 이 첫 만남을 내내 두려워하며 지냈다. 테레즈가 자리에 계속 누워 있었던 건 바로 이 순간을 늦추기 위해, 자기가 어떤 끔찍한 연기를 해야 할지 침대 속에서 마음 편히 궁리하기 위해서였다.

라캉 부인이 좀 진정하자, 테레즈는 어서 자리를 털고 일어나 가게로 내려가야 한다며 호들갑을 떨었다. 늙은 잡화상은 그동안 거의 어린애가 된 듯했다.

조카딸이 갑자기 눈앞에 나타나자, 부인은 까맣게 잊었던 기억을 다시 떠올렸고, 주위의 사물이나 사람들을 알아볼 수 있게 되었다. 그는 쉬잔에게 돌봐줘서 고맙다고 인사치레를 했다. 때때로 숨이 막힐 듯 슬픔이 복받쳐 올라 말을 제대로 잇지 못하기도 했지만, 더 이상 헛소리를 하지는 않았다. 라캉 부인은 걸어오는 테레즈를 보면서 갑자기 눈물을 펑펑 쏟았다. 그리고 조카에게 가까이 오라고 말하고는 또다시 흐느껴 울면서 조카를 껴안고, 이제 자신에게 남은 건 테레즈밖에 없다고 숨을 몰아쉬며 말했다.

그날 저녁, 라캉 부인은 일어나서 뭐라도 먹고 기운을 차려야 한다는 말에 순순히 따랐다. 테레즈는 고모가 얼마나 끔찍한 충격을 받았는지 알 수 있었다. 그 가련한 노파는 다리가 너무 무거워 식당까지 가는 데도 지팡이가 필요했다. 식당에 앉아서도 라캥 부인은 주위의 벽이 흔들리는 것 같은 느낌을 받았다.

하지만 라캥 부인은 다음 날부터 당장 가게 문을 다시 열고 싶어 했다. 방 안에 혼자 있다가 미쳐버리지나 않을까 두려웠기 때문이다. 그는 한 층 한 층 힘겹게 발을 옮기면서 느릿느릿 계단을 내려가 계산대 너머에 앉았다. 그날부터 그는 고요한 슬픔에 잠긴 채 그 자리에 못 박힌 듯 있었다.

테레즈는 그 옆에서 생각에 잠긴 채 앉아 있었다. 가게에 다시 어두운 정적이 찾아왔다.

15

로랑은 가끔, 이틀이나 사흘에 한 번씩 퇴근 후에 그 집을 찾아왔다. 그는 가게에 머무르며 라캥 부인과 30분 정도 이런저런 얘기를 나누고는, 테레즈와는 눈도 마주치지 않고 가버리곤 했다. 늙은 잡화상은 그를 조카딸 테레즈를 구한 생명의 은인일 뿐만 아니라, 자기 아들을 살려내려고 온 힘을 다한 고결한 마음씨를 지닌 젊은이라고 생각하면서 따뜻하고 다정하게 그를 맞았다.

어느 목요일 저녁, 로랑이 가게에 와 있을 때 미쇼 영감과 그리베가 들어왔다. 8시를 알리는 종이 울렸다. 철도국 서기와 전직 경찰관은 이제는 소중한 저녁 모임을 다시 시작해도 폐가 되지 않겠다고 생각했고, 그래서 마치 약속이나 한 것처럼 똑같은 요일 똑같은 시간에 잡화점에 도착한 것이었다. 그들 뒤로 올리비에와 쉬잔까지 가게로 들어왔다.

그들은 식당으로 올라갔다. 손님들이 오리라고는 생각도 하지 못했던 라캉 부인은 황급히 램프를 켜고 차를 끓였다. 모두가 찻잔을 앞에 두고 식탁에 둘러앉아 상자에서 도미노를 꺼냈을 때, 갑자기 옛날 생각이 난 가엾은 어머니가 손님들을 바라보며 울음을 터뜨렸다. 빈자리가 하나 있었다. 바로 아들의 자리였다.

그곳에 모인 사람들은 그토록 슬퍼하는 라캉 부인의 모습에 어쩔 줄 몰라 했고, 분위기는 순식간에 얼어붙어버렸다. 그들의 얼굴에는 자기의 행복만을 생각하는 이기심이 드러나 있었다. 카미유에 대한 기억이 벌써 희미해졌기 때문에 예상치 못한 상황이 거북스럽기만 했다.

"자, 자, 부인." 미쇼 영감이 약간 초조해하면서 외쳤다. "그렇게 슬퍼하지 마세요. 그러다가 병나겠어요."

"우리도 언젠가는 죽을 텐데요." 그리베가 말했다.

"운다고 아드님이 살아 돌아오지는 않아요." 올리비에가 설교하듯이 말했다.

"제발 괴로워하지 마세요." 쉬잔이 속삭였다.

하지만 라캉 부인은 울음을 멈추지 못하고 더 구슬프게 흐느꼈다.

미쇼 영감이 다시 말했다. "자, 기운 내세요. 기분을 풀어드리려고 우리가 왔잖아요? 이제 제발 그만 슬퍼하세요. 잊으려고 노력하자고요. 다 같이 잔돈 내기 게임이나 하는 게 어때요?"

잡화상은 있는 힘을 다해 눈물을 삼켰다. 그도 손님들이 저녁 시간을 즐기려는 이기적인 마음으로 상황을 대충 좋게 넘기려 한다는 것을 알아차린 것 같았다. 아직도 울음이 채 가시지 않았지만, 라캥 부인은 심하게 들먹이며 눈시울을 닦았다.

도미노 패가 부인의 가엾은 두 손에서 떨렸다. 눈가에 맺힌 눈물 때문에 앞을 제대로 볼 수 없었다.

게임이 시작되었다.

로랑과 테레즈는 담담한 표정으로 그 광경을 지켜봤다. 이 젊은 남자는 목요일 저녁 모임이 다시 시작된 것이 무척이나 기뻤다. 자신의 목적을 이루려면 이 모임이 무엇보다 필요하다는 것을 알았기에 이런 날이 돌아오기를 간절히 바라고 있었다. 게다가 익숙한 사람들과 함께 있으니 왠지 모르게 마음이 편했다. 그는 용기 내어 테레즈를 정면으로 바라보았다.

검은 상복을 입고 창백한 얼굴로 생각에 잠긴 젊은 여인에게서, 그는 지금까지 발견하지 못했던 아름다움을 느꼈다. 테레즈와 눈길을 마주치고, 테레즈가 피하지 않고 마주 바라봐주는 게 너무도 행복했다. 테레즈의 몸과 마음은 언제나 그의 것이라 생각했다.

16

열다섯 달이 지났다. 초기의 강렬한 고통은 누그러들었다. 날이 갈수록 점점 마음이 안정되고 차분하게 가라앉았다. 지치고 무기력했던 생활도 원래대로 제자리를 찾았다. 큰 위기를 겪은 다음에 뒤따르는 단조롭고 맥없는 나날이었다. 처음에 로랑과 테레즈는 새로운 생활에 그냥 끌려갔다. 하지만 내면에서는 그 모든 변화를 철저히 분석해볼 필요가 있는 어떤 은밀한 작업이 일어나는 중이었다.

얼마 지나지 않아 로랑은 이전처럼 매일 저녁 가게로 왔다. 하지만 이제는 그곳에서 식사를 하지도 않았고, 저녁 내내 머무르지도 않았다. 그는 9시 반에 맞춰 도착해 가게 문을 닫아주고 곧바로 돌아갔다. 마치 두 여인에게 봉사하러 와서 임무를 완수하고 가는 것 같았다. 피치 못할 이유로 임무를 다하지 못한 날이면 다음 날 하인처럼 공손하게 사과했다.

목요일에는 라캥 부인을 도와 램프 불을 켜고 손님들을 친절하게 맞았다. 그는 늙은 잡화상이 충분히 감동할 만큼 세심한 배려와 친절을 묵묵히 베풀었다.

테레즈는 자기 주위에서 이리저리 오가며 일하는 그를 조용히 바라보았다. 테레즈의 얼굴에는 창백한 기운이 사라져 더 건강해 보였고, 더 자주 미소를 지었으며, 더 온화해 보였다. 신경질적으로 입꼬리를 삐죽 올리면서 입가에 깊은 주름을 만드는, 그런 고통과 공포가 뒤섞인 이상한 표정을 짓는 일도 거의 없었다.

그 연인은 더 이상 단둘이 만나려고 특별히 애를 쓰지도 않았다. 그들은 밀회 약속도 잡지 않았고, 남몰래 입을 맞추려 하지도 않았다.

마치 그 살인이 그들의 육체적 욕망을 잠재워버린 것 같았다. 그토록 그들을 애끓게 했던 탐욕스러운 욕망이 카미유를 살해함으로써 완전히 채워진 것 같았다. 그 범죄가 그들에게 너무도 강렬한 쾌감을 불러일으켜서 이제는 육체관계가 오히려 불쾌하고 혐오스럽게 느껴지는 듯했다.

그들은 자유롭게 사랑하며 살고 싶다는 꿈 때문에 살인까지 저질렀다. 그러므로 이제 얼마든지 손쉽게 그런 생활을 시작할 수도 있었다. 팔다리를 제대로 못 쓰게 된 데다 정신마저 온전하지 못한 라캥 부인도 더는 그들의 장애물이 아니었다. 그 집은 그들의 것이나 다름없었고, 마음 내키는 대로 어디로든 갈 수도 있었다. 하지만 그들은 더 이상 서로에게 성적 매력을 느끼지 못했고, 욕망은 사라져버렸다. 그들은 담담하게 이야기를 나누며 그냥 그렇게 지냈다. 마치 서로의 살을 멍들게 하고 뼈를 으스러뜨릴 것 같던 그 격렬한 포옹을 잊어버린 것처럼, 시선을 마주쳐도 얼굴이 달아오르거나 가슴이 두방망이질 치지도 않았다. 아니, 오히려 단둘이 있게 되는 상황을 피하기까지 했다. 단둘이 있을 때면 딱히 할 말이 없었고, 상대방에게 너무 냉담한 태도를 보일까 봐 겁도 났다. 악수를 하면서 살이 닿을 때면 뭔지 모를 불편함까지 느껴졌다.

　게다가 그들은 자신들이 왜 그토록 서로에게 무관심하고 겁을 먹게 되었는지 그 이유를 안다고 여겼다. 상대방을 냉담하게 대하는 건 조심하기 위해서라고 생각했다. 그 생각에 따르면, 그들의 냉담함과 금욕은 신중하게 행동하기 위한 최선의 선택이었다. 그들은 그런 육체의 안정과 마음의 수면 상태를 스스로 원한다는 듯 행동했다. 또 한편으로, 혐오감을 느끼는 이유는 아직도 남아 있는 두려움, 징벌에 대한 은밀한 두려움 때문이라고 생각했다. 때때로 그들은 억지로 희망을 가져보려 하고, 예전의 불꽃 튀기던 꿈을 되찾아보려 애쓰기도 했지만 그때마다 자신들의 상상력이 텅 비어버린 것을 보고 깜짝 놀랐다. 그래서 그들은 결혼하게 될 거라는 생각에만 매달렸다. 그 목표를 이루면 더 이상 아무런 두려움도 느끼지 않고 서로에게 몸을 내맡긴 채, 열정을 되찾고, 꿈꿔왔던 쾌락을 마음껏 누릴 수 있을 터였다. 그 희망 하나로 그들은 마음을 달래면서 내면에 움푹 파인 공허의 나락으로 떨어지지 않을 수 있었다. 그들은 이전처럼 서로 사랑한다고 확신하면서, 영원히 결합하여 완전한 행복을 누리게 될 때를 기다렸다.

테레즈는 마음이 이토록 평온했던 적이 없었다. 그는 확실히 좋아졌다. 완강하기만 했던 고집도 어느새 느슨하게 풀어졌다.

밤에 혼자 누워 있을 때면 테레즈는 행복감을 느꼈다. 항상 곁에 있던 카미유의 여윈 얼굴, 왜소한 몸, 자신의 살을 자극해놓고는 충족되지 않는 욕망 속으로 내팽개치던 그 보잘것없는 몸을 더 이상 느끼지 않아도 되었다. 테레즈는 하얀 이불 아래에서 자신이 순결한 소녀가 되었다고 생각하며, 고요와 어둠 속 평화를 느꼈다. 그는 천장이 높고 불빛이 구석까지 닿지 않을 정도로 넓은 데다, 약간 냉기가 돌면서 수도원 같은 분위기를 풍기는 그 방이 마음에 들었다. 심지어 창문 앞에 높이 솟은 검은 담벼락까지 사랑하게 되었다. 테레즈는 여름 내내 밤마다 그 담벼락의 잿빛 돌과 굴뚝과 지붕에 둘러싸인, 별이 총총한 작은 하늘을 몇 시간이고 바라보곤 했다. 그리고 악몽에 소스라치며 깨어날 때 말고는 로랑 생각은 하지 않았다. 무서운 꿈을 꾸다 놀라서 깨면 테레즈는 침대에서 일어나 앉아 눈을 크게 뜨고서 잠옷 속으로 기어들 것처럼 몸을 잔뜩 웅크린 채 벌벌 떨었다. 이럴 때 옆에 남자가 있다면 이처럼 느닷없이 두려움에 떠는 일은 없을 거라고 생각했다. 그는 연인을 마치 자기를 지키고 보호해주는 개 정도로 생각했다. 차갑게 식어버린 테레즈의 몸은 더 이상 욕망으로 뜨겁게 달아오르지 않았다.

낮에는 가게에 앉아 밖에서 일어나는 일들에 관심을 가졌다. 마음의 문을 연 테레즈는 더 이상 남몰래 반감을 가지고 증오심과 복수심을 마음속에 품은 채 살지 않았다. 몽상만 하는 것도 넌더리가 났다. 이제는 직접 행동하고 눈으로 볼 필요가 있었다. 테레즈는 아침부터 저녁까지 파사주를 지나가는 사람들을 바라보며 바깥에서 들리는 소리에 귀를 기울였다. 오가는 사람들을 보고 있으면 시간 가는 줄을 몰랐다. 그는 호기심이 많아지고 수다스러워졌다. 한마디로 말해서, 여자가 되었다. 그전까지는 남자 같은 행동과 생각만 하던 테레즈가 마침내 여자가 된 것이다.

그렇게 거리를 관찰하며 지내던 테레즈의 눈에 어느 날 어떤 젊은이가 들어왔다. 아직 학생인 그는 근처의 가구 딸린 싸구려 호텔에서 지내며 하루에도 몇 번씩 가게 앞을 지나다녔다. 시인처럼 머리칼이 풍성하고 장교처럼 콧수염을 기른 그 남학생은 창백한 아름다움을 지니고 있었다. 테레즈의 눈에 그는 우아하고 기품이 있어 보였다. 테레즈는 아무것도 모르는 순진한 아가씨처럼 일주일 내내 그 남학생에게 푹 빠져 지냈다. 테레즈는 소설도 읽었다. 독서는 여태까지 몰랐던 낭만의 세계를 열어주었다. 그러면서 남학생과 로랑을 비교해보니 로랑이 너무 뚱뚱하고 투박하다는 생각이 들었다. 피와 신경으로만 사랑했던 테레즈는 이제 머리로 사랑하기 시작했다. 그러던 어느 날, 그 학생이 사라졌다. 다른 곳으로 숙소를 옮긴 것 같았다. 테레즈는 몇 시간도 되지 않아 그를 잊었다.

테레즈는 도서관에 회원으로 등록했다. 그리고 자기가 읽는 소설 속의 모든 주인공에게 열광했다. 이 갑작스러운 독서열은 테레즈의 기질에 지대한 영향을 미쳤다. 감수성이 예민해진 테레즈는 까닭 없이 웃거나 울었다. 내면에서 이제 막 자리 잡으려던 균형이 깨어지고 만 것이다. 테레즈는 갈피를 잡지 못하고 끝없는 몽상에 빠져들었다. 그사이에 문득문득 카미유가 떠올라 마음이 뒤숭숭해지기도 했고, 로랑을 생각할 때면 공포와 경계심이 들다가도 한편으로는 새롭게 욕망이 느껴지기도 했다. 그렇게 해서 테레즈는 불안한 상태로 되돌아갔다. 때로는 당장 로랑과 결혼할 방법을 찾아보기도 했고, 때로는 이대로 달아나서 영영 그를 보지 않을 생각도 했다.

정숙함과 명예에 관해 이야기하는 소설들은 테레즈의 본능과 의지 사이에 장애물처럼 놓여 있었다. 그는 여전히 센강과 싸우고 싶어 하며 거리낌 없이 간통을 저지르는 길들일 수 없는 짐승이었다. 하지만 테레즈는 선의와 다정함이 무엇인지 느낄 수 있었다. 올리비에의 아내 쉬잔의 유순한 얼굴과 생기 없는 태도를 이해했고, 남편을 죽이지 않고도 행복할 수 있다는 것을 알게 되었다. 그래서 더 이상 자신을 돌아보지 않았고, 자기가 어떤 존재인지 전혀 알 수 없는 모호한 상태에서 하루하루를 보냈다.

한편 로랑은 다른 식으로 안정과 흥분 사이를 오갔다. 처음에 그는 깊은 안정감을 맛보았다. 그동안 자신을 짓누르던 엄청난 무게에서 벗어난 것 같았다. 그러다 가끔 놀라서 생각에 잠기기도 했다. 마치 악몽을 꾼 것 같았다. 자기가 카미유를 강물에 던지고 시체공시소에서 그의 시신을 보았던 건 실제로 일어난 일이 아닌 것만 같았다. 범죄의 순간이 떠오르면 그는 화들짝 놀라곤 했다. 자기가 살인을 저질렀다는 게 도저히 믿어지지 않았다. 겁이 나서 온몸이 떨렸다. 범죄가 발각되어 단두대에 목이 잘려나갈 수 있다는 생각이 들 때면 이마에 식은땀이 솟았다. 차가운 칼날이 목에 닿는 것 같았다. 일을 저지르는 동안 그는 고집스럽고 난폭한 짐승처럼 앞뒤 가리지 않고 돌진했었다. 하지만 이제 뒤돌아서서 자기가 막 뛰어넘은 심연을 보자, 아찔할 정도로 공포가 밀려왔다.

"그때 난 분명, 뭔가에 취했던 거야." 그는 생각했다. "그 여자의 뜨거운 애무가 날 취하게 만든 거야. 빌어먹을! 난 멍청했고 제정신이 아니었어! 단두대에 처형당할 미친 짓을 겁 없이 저지르다니……. 하지만 결국 다 잘 지나갔잖아. 만약 그런 상황이 또 닥친다면, 두 번 다시 그런 짓을 저지르지 않을 거야."

기가 꺾인 로랑은 그 어느 때보다 나약하고 겁이 많아지고 조심스러워졌다. 그는 살이 찌고 무기력해졌다. 뼈도 신경도 없어 보이는 그 거대한 몸을 잔뜩 움츠린 로랑의 모습을 보았다면, 그 누구도 그가 난폭하고 잔인하게 사람을 죽였으리라고는 꿈에도 생각하지 못했을 것이다.

그는 예전의 생활을 되찾았다. 그리고 몇 개월 동안 묵묵히 맡은 일을 해내며 모범적인 직원이 되었다. 저녁에는 생빅투아르가의 싸구려 식당에서 빵을 잘게 잘라 느릿느릿 씹으며 되도록 오래 식사했다. 그러고 나서 몸을 젖혀 등을 벽에 기댄 채 파이프 담배를 피웠다. 통통하게 살이 오른 그의 모습은 꼭 인자한 아버지 같아 보였다. 낮에는 아무 생각도 하지 않았고, 밤에는 꿈도 꾸지 않고 깊은 잠을 잤다. 얼굴에는 윤기가 흐르고 발그레하게 혈색도 돌았다. 배는 불룩 튀어나오고, 머릿속은 텅 비워진 채, 그는 행복감을 느꼈다.

그의 육체는 죽어버린 것 같았다. 테레즈 생각은 거의 하지 않았다. 언제가 될지는 모르지만 나중에 자신과 결혼하게 될 여자로서 그를 가끔 떠올릴 뿐이었다. 그 여자는 잊은 채, 결혼으로 얻게 될 새로운 인생을 머릿속에 그리면서 그와의 결혼을 기다렸다. 테레즈와 결혼하면 그는 직장을 그만두고 취미로 그림이나 그리며 한가로이 빈들빈들 살아갈 생각이었다. 뭔지 모를 불편함을 느끼면서도 매일 저녁 테레즈의 가게로 가는 것은 그러한 희망 때문이었다.

어느 일요일, 그는 뭘 해야 할지 몰라 따분해하다가 전에 한동안 함께 살았던 학교 친구의 집을 찾아갔다. 화가가 된 그 친구는 살롱에 출품할 그림을 그리고 있었다. 천 조각 하나만 겨우 걸친 채 벌거벗은 몸을 웅크린 나체의 바캉트(로마 신화의 포도주 신 바쿠스의 여제관. 비유적으로 술주정하는 음탕한 여자를 뜻하기도 한다-옮긴이)를 묘사한 그림이었다. 아틀리에 안쪽에 여자 모델이 머리를 뒤로 젖히고 몸통을 비틀어 엉덩이를 높이 치켜든 자세로 누워 있었다. 그 여자는 때때로 미소를 지으며 뻣뻣해진 몸을 풀려고 기지개를 켜곤 했다. 로랑은 담배를 입에 문 채 친구와 얘기를 나누면서 맞은편에 앉은 모델을 바라보았다. 그렇게 그 여자를 한참 바라보고 있자니 피가 끓어오르고 몸이 후끈 달아올랐다. 그는 저녁때까지 기다렸다가 그 여자를 자기 집으로 데려갔다.

로랑은 거의 1년 동안 그 여자를 정부로 삼았다. 그 가엾은 여자는 그가 아주 잘생긴 남자라고 생각하면서 그를 사랑하게 되었다. 여자는 아침에 집을 나가 하루 종일 포즈를 취하러 돌아다니다가 저녁이 되면 늘 같은 시간에 꼬박꼬박 돌아왔다. 여자는 로랑의 돈은 한 푼도 쓰지 않으면서 자기가 버는 돈으로 먹고 입고 쓰며 생활을 유지했다. 로랑은 여자가 어디서 뭘 하고 다니건 전혀 신경 쓰지 않았다. 그 여자 덕분에 그는 더 안정적인 생활을 할 수 있었고, 그래서 그는 여자를 건강하고 여유로운 생활을 유지하는 데 필요한 도구처럼 생각했다. 그는 자기가 그 여자를 사랑하는지 어떤지는 생각조차 해보지 않았고, 테레즈를 배신하는 것이라는 생각은 더더욱 하지 않았다. 그저 전보다 생활이 더 윤택해지고 행복해졌다고 생각할 뿐이었다.

그러는 사이 테레즈의 애도 기간도 끝이 났다. 어느 날, 화사한 색깔의 드레스를 입은 테레즈를 본 로랑은 그가 다시 젊어지고 전보다 아름다워진 것 같다고 생각했다. 하지만 여전히 테레즈 앞에서는 왠지 모르게 마음이 불편했다. 얼마

전부터 테레즈는 호된 열병을 앓고 난 사람처럼 굴었다. 이상하리만치 이랬다저랬다 변덕이 죽 끓듯 하는가 하면, 아무 이유도 없이 웃었다 울었다 하면서 종잡을 수 없는 모습을 보였던 것이다. 그는 테레즈의 혼돈과 불안의 원인이 무엇인지 어느 정도 짐작했기 때문에 그런 불안정한 태도가 더더욱 겁이 났다. 그는 겨우 찾은 안정적인 생활이 위태로워질까 봐 몹시 두려워하면서 망설이기 시작했다. 그동안 그는 자신의 욕망을 적당히 만족시키면서 평화롭게 살아가고 있었다. 그를 욕정의 구렁텅이에 빠뜨려 미쳐 날뛰게 한 그 신경질적인 여자와 다시 관계를 맺어 지금의 생활을 위험에 빠뜨리고 싶지 않았다. 물론 그가 이런 것들을 곰곰이 따져본 건 아니었다. 테레즈와 다시 관계를 맺는 그 순간부터 자신에게 불안과 두려움이 되살아나리라는 것을 본능적으로 느꼈을 따름이었다.

잠잠해진 그의 마음을 뒤흔든 첫 번째 충격은, 결국 테레즈와 결혼할 수밖에 없다는 것을 깨달았을 때 일어났다. 카미유가 죽은 후로 열다섯 달이 지났다. 로랑은 한순간 결혼은커녕 테레즈를 차버리고, 아낌없이 모든 걸 바치면서 자기를 편안하게 해주는 그 모델과 함께 살 생각을 했다. 하지만 그렇게 되면 자기가 쓸데없이 사람을 죽인 꼴이 되었다. 지금 자기를 혼란에 빠뜨리는 테레즈를 독차지하려고 저지른 그 끔찍한 범죄와 그동안의 수고를 떠올리자, 테레즈와 결혼하지도 않을 거라면 뭐 하러 그런 잔인한 살인을 저질 렀는지 의구심이 들었다. 남의 아내를 빼앗으려고 한 남자를 물에 던져 죽이고 열다섯 달을 숨죽이며 기다리다가, 결국 여기저기 아틀리에로 몸을 굴리고 다니는 어린 여자애와 살 생각을 하다니, 자기가 봐도 너무 바보 같고 우스웠다. 게다 가 그와 테레즈는 피와 공포로 맺어진 관계가 아닌가? 그는 자신의 내면에서 소리를 지르며 몸을 뒤트는 테레즈를 희미 하게 느꼈다. 그는 테레즈에게 종속되어 있었다. 그는 자신 의 공범자를 두려워했다. 만약 테레즈와 결혼하지 않는다면, 그 여자가 복수심과 질투심에 불타서 경찰에 모든 사실을 털 어놓을지도 몰랐다. 그런 생각이 머릿속에서 방망이질 쳤다.

그는 다시 흥분에 사로잡혔다.

그런데 그 무렵 모델 여자가 갑자기 그를 떠났다. 어느 일요일, 그 여자는 돌아오지 않았다. 여자는 더 포근하고 안 락한 새 보금자리를 찾은 것 같았다. 로랑은 별로 괴롭지 않 았다. 다만 밤마다 여자와 함께 자던 것이 습관이 되어버려 서 갑작스러운 빈자리가 허전할 뿐이었다. 일주일이 지나 자 성욕을 주체할 수가 없었다. 그는 다시 저녁마다 파사주 의 가게를 찾아가기 시작했다. 그러고는 불길이 이글거리는 눈으로 테레즈를 바라보았다. 책을 읽다가 몸을 부르르 떨며 고개를 든 젊은 여자는 자신을 바라보는 그의 눈길에 몽롱한 표정을 지으며 몸을 내맡겼다.

두 사람은 약 1년간 무심하고 구역질 나는 오랜 기다림의 시간을 보낸 뒤, 그렇게 불안과 욕망으로 가득 찬 삶으로 되돌아왔다. 어느 날 저녁, 가게 문을 닫던 로랑이 통로에서 테레즈를 잠시 붙잡았다.

"오늘 밤에 당신 방으로 가도 될까?" 그는 달아오른 목소리로 물었다.

젊은 여자는 두렵다는 몸짓을 하며 말했다.

"아니, 안 돼. 기다리자. 조심해야지."

"난 충분히 오래 기다렸어. 이제 지쳤어. 난 당신을 원해." 로랑이 말했다.

테레즈가 미친 듯이 그를 쳐다보았다. 손과 얼굴이 열기로 달아올라 뜨거웠다. 테레즈는 잠시 망설이는 듯 하다가 갑자기 말했다.

"우리 결혼해. 그럼 난 당신 게 되잖아."

17

잔뜩 긴장한 로랑은 불안에 떨면서 파사주를 떠났다. 테레즈의 뜨거운 숨결을 맡으며 결혼 승낙을 얻자, 예전 격렬했던 둘의 관계가 다시 떠올랐다. 그는 시원한 바람을 온 얼굴로 받으려 모자를 벗어 들고 강둑길을 걸어갔다.

생빅토르가의 숙소 정문에 다다르자 그는 자기 방으로 올라가기가, 혼자 있기가 두려웠다. 전혀 생각지도 못한 공포가 까닭 없이 휘몰아치면서, 마치 겁먹은 어린아이처럼 다락방에 누군가가 숨어 있을 것만 같은 두려움을 느꼈다. 그처럼 겁먹기는 처음이었다. 그는 왜 그렇게 느닷없이 온몸이 떨리는지 그 이유를 따져볼 생각조차 하지 않았다. 그는 어느 술집에 들어가 자정이 될 때까지 한 시간 동안 술잔을 기계적으로 비우면서 조용히 앉아 있었다. 그는 테레즈를 생각했다. 그날 저녁에도 자신을 받아들이려 하지 않았던 테레즈에게 화가 났지만, 그래도 그 여자와 함께 있었더라면 이렇게 두렵지는 않았을 거라는 생각이 들었다.

　문 닫는 시간이 되어서 하는 수 없이 술집을 나와야 했다. 그는 술집으로 다시 들어가 성냥을 얻어 왔다. 숙소 관리 사무실은 2층에 있었다. 양초를 얻으려면 긴 복도를 지나 계단을 올라가야 했다. 그 복도, 그 무시무시한 암흑의 끝, 그 캄캄한 계단이 로랑을 겁에 질리게 했다. 평소에는 어두운 곳을 아무렇지 않게 지나다녔지만, 그날 저녁에는 감히 벨을 누르지도 못했다. 지하실 입구 근처에 숨어 있던 살인자가 갑자기 튀어나와 그의 목을 조를 것만 같았다. 마침내 벨을 눌렀다. 그리고 성냥을 켜서 복도로 들어가기로 마음먹었다. 성냥불은 이내 꺼졌다. 그는 달아날 엄두도 내지 못한 채 숨을 헐떡이며 그 자리에 못 박힌 듯 멈춰 섰다. 불안해서 부들부들 떨리는 손으로 축축한 벽에 대고 다시 성냥을 그었다. 복도 저 끝에서 사람들의 목소리와 발소리가 들리는 것 같았다. 성냥개비들이 그의 손가락 사이에서 계속 부러졌다. 그러다가 드디어 성냥을 켜는 데 성공했다. 유황이 지글거리며 서서히 성냥개비에 불이 붙자, 로랑은 어쩐지 더욱더 불안해졌다. 창백하고 푸르스름한 유황빛 너머로 너울거리는 무시무시한 형태를 언뜻 본 것 같았다. 이윽고 성냥불이 탁탁 소리를 내며 반짝거리더니 제대로 불꽃을 피워올렸다. 그제야 안심한 로랑은 빛이 사그라지지 않도록 조심하면서 살금살금 앞으로 나아갔다. 지하실 앞을 지날 때는 맞은편 벽에 몸을 바짝 붙였다. 거기서 커다란 그림자를 보고 오싹해졌던 것이다. 그는 몇 계단을 한달음에 뛰어 올라가 관리사무실에 다다랐다. 초를 얻어 불을 붙이고 나서야 이제 살았구나 싶은 생각이 들었다. 그는 촛불을 높이 치켜들고 모퉁이를 지날 때마다 구석구석에 불빛을 비추면서 더욱 조심스럽게 위층으로 올라갔다. 촛불을 들고 계단을 오를 때 기이하게 너울거리면서 갑자기 나타났다 사라지곤 하는 그 커다란 그림자를 보면서 그는 알 수 없는 두려움과 불안감에 휩싸였다.

다락방에 도착한 그는 재빨리 방 안으로 들어간 뒤 급히 문을 닫았다. 그러고는 혹시 누가 방 안에 숨어 있는 건 아닐까 침대 밑부터 들여다보고, 방 안 구석구석을 꼼꼼하게 살펴보았다. 누군가가 천창을 통해 내려올 수도 있겠다는 생각이 들어 천창도 닫았다. 집 안을 살펴보고 문단속까지 다 마치고 난 후에야, 그는 그렇게 겁을 내는 자신의 모습에 놀라면서 옷을 벗었다. 그러다가 어린아이 같은 자신의 행동을 생각하니 어처구니가 없어서 웃음이 났다. 여태껏 그렇게 겁을 먹은 적이 한 번도 없었기 때문에, 자기가 왜 그처럼 느닷없이 공포를 느꼈는지 이해할 수가 없었다.

그는 자리에 누웠다. 온기가 살짝 느껴지는 이불 속에

들어가자, 두려움 때문에 잊었던 테레즈가 또다시 생각났다. 두 눈을 감고 억지로 잠을 청하려 애썼지만, 그의 의지와는 달리 생각들이 저절로 몰아치며 이리저리 이어졌고, 테레즈와 결혼을 하면 얻게 될 이득이 계속 꼬리를 물며 떠올랐다. 그는 몸을 이리저리 뒤척이며 중얼거렸다. '이제 그만 생각하자. 잠을 자야 해. 출근하려면 8시에 일어나야 한다고.' 그리고 다시 잠을 자보려고 애를 썼지만, 또다시 생각들이 하나씩 되살아났고, 추론이 시작되었다. 그는 고질적인 몽상에 빠져들면서, 테레즈와 반드시 결혼해야 하는 이유를 생각했다. 욕망과 신중함을 저울질하며, 테레즈를 소유하는 것이 좋다는 쪽과 그렇지 않다는 쪽의 논거들을 번갈아 머릿속에 나열해보았다.

잠을 자기는 틀린 것 같았다. 그는 흥분해서 잠이 오지 않는다는 것을 깨닫고는 더 이상 자려고 애쓰지 않고 그냥 눈을 크게 뜨고 똑바로 누워 있었다. 그러자 테레즈와의 추억이 그의 머리를 온통 채우기 시작했다. 안정은 깨어졌다. 그를 들끓게 하던 음욕이 다시 그를 뒤흔들었다. 그는 자리에서 일어나 퐁뇌프 파사주로 당장 되돌아갈 생각을 했다. 파사주의 문을 열고 뒷계단으로 올라가 쪽문을 두드릴 것이고, 그러면 테레즈가 그를 맞아줄 것이다. 그런 생각을 하자 피가 거꾸로 치솟아 목덜미가 벌게졌다.

그의 공상은 놀랍도록 선명했다. 그는 거리의 집들을 빠른 걸음으로 스쳐 지나가면서 이렇게 중얼거렸다. "나는 되도록 빨리 테레즈에게로 가려고 이 대로를 따라간다. 그리고 교차로를 건넌다." 그러고 나서 파사주의 철문이 삐걱 소리를 냈다. 그는 모조 보석상에게 들키지 않고 테레즈의 방으로 올라갈 수 있어 다행이라고 생각하면서 어둡고 인적 없는 샛길로 들어섰다. 그런 다음 샛길 끝에 다다라 이전에 그토록 자주 오르내렸던 그 뒷계단에 발을 올려놓는 자기 모습을 상상했다.

거기서 그는 과거의 강렬했던 기쁨을 느꼈고, 간통의 짜릿한 공포와 뼛속을 파고드는 듯한 관능적인 쾌락을 떠올렸다. 기억은 실제로 감각을 자극했다. 그는 샛길의 지린내와 곰팡내를 맡고, 끈적이는 벽의 감촉을 느끼며, 그곳을 떠도는 칙칙한 어둠을 볼 수 있었다. 그는 귀를 쫑긋 세우고 숨을 헐떡이면서 계단을 하나하나 올라갔다. 자기가 원하는 여자에게 두려움을 안고 한 발 한 발 다가가는 동안 그는 이미 자신의 욕망을 충족시키고 있었다.

마침내 그는 문을 두드렸다. 문이 열렸다. 속치마만 입은 순백의 테레즈가 그곳에서 그를 기다렸다.

그의 상상이 실제로 눈앞에 펼쳐졌다. 그의 눈은 어둠 속을 응시하며 실제로 그 장면들을 보고 있었다. 그는 자기가 거리를 달린 끝에 파사주로 들어가서, 그 집 뒷계단을 올라간 뒤, 불같이 뜨거우면서도 창백한 테레즈를 실제로 보았다고 생각했다. 그는 침대에서 펄쩍 뛰어내리며 중얼거렸다. "난 그곳에 가야 한다. 테레즈가 날 기다리고 있다." 하지만 그 갑작스러운 움직임에 환영이 눈앞에서 사라지고 말았다. 천창으로 스며든 싸늘한 기운이 느껴지자, 그는 덜컥 겁이 나 맨발로 서서 잠시 숨을 멈춘 채 귀를 쫑긋 세웠다. 천창 위에서 무슨 소리가 들린 것 같았다. 테레즈의 집으로 가려면 맨 아래층에 있는 지하실 입구를 다시 지나가야 할 것이다. 그 생각을 하자, 차디찬 전율이 등을 타고 흘렀다. 그는 다시 공포에 사로잡혔다. 어리석게도 그 극심한 공포에 굴복했다. 그는 경계의 눈빛으로 방 안을 둘러보았다. 희끄무레한 빛의 파편들이 떠돌고 있었다. 그는 불안한 마음에 서두르면서도 조심조심 침대로 다시 올라갔다. 그러고는 마치 자기를 위협하는 칼날을 피하려는 것처럼 이불을 뒤집어쓰고 몸을 웅크렸다.

피가 목으로 뻗쳐올랐고, 목이 불에 타는 것처럼 화끈거렸다. 그는 손을 목으로 가져갔다. 카미유가 물어뜯은 상처 자국이 만져졌다. 그는 그 흉터를 거의 잊고 지냈다. 자신의 몸에 그런 흉터가 있다는 사실을 새삼 깨닫자, 온몸이 오싹해졌다. 그 흉터가 그의 살을 파먹는 것 같았다. 더 이상 흉터를 만지고 싶지 않아 거기서 재빨리 손을 뗐다. 하지만 여전히 그 상흔이 살을 파헤치며 목에 구멍을 뚫는 것 같았다. 그 부위를 손톱 끝으로 살짝 긁어보았다. 참을 수 없을 만큼 쓰라렸다. 그는 흉터를 건드리지 않으려고 두 무릎 사이에 두 손을 단단히 끼워 넣었다. 그리고 잔뜩 긴장한 채로 목에 극심한 통증을 느끼면서, 두려움에 이를 딱딱 부딪쳤다.

이제 그는 허공을 뚫어져라 노려보면서 온통 카미유 생각에 사로잡혀버렸다. 지금까지 로랑은 그 익사자 때문에 괴로운 밤을 보낸 적이 없었다. 그런데 테레즈를 생각하자 그 남편의 유령이 따라왔다. 살인자는 더 이상 감히 눈을 뜰 수가 없었다. 방 한구석에서 희생자를 보게 될까 두려웠다. 한순간, 침대가 이상하게 흔들린 것 같았다. 그는 침대 밑에 있는 카미유가 자기를 떨어뜨린 뒤 물어뜯으려고 흔들어대는 거라고 생각했다. 공포로 얼이 빠지고 머리카락이 곤두섰다. 로랑은 침대가 점점 더 심하게 흔들린다는 생각에 매트리스에 바짝 들러붙었다.

이윽고 그는 침대가 흔들리지 않는다는 걸 알아차렸다. 자신의 상상에 혼자 반응한 것이었다. 그는 침대에서 일어나 자기가 바보 같다고 생각하면서 촛불을 켰다. 그러고는 흥분을 가라앉히려고 큰 컵에 물을 가득 따라 벌컥벌컥 들이켰다.

"쓸데없이 술을 마신 게 잘못이었어." 그는 생각했다.

"오늘따라 내가 왜 이러는지 모르겠군. 정말 바보 같아. 내일 출근하면 녹초가 되겠어. 침대에 눕자마자 곧바로 자야 했는데…… 괜히 이런저런 것들을 생각하느라 때를 놓쳤어. 이제라도 어서 자자."

그는 다시 촛불을 불어 끄고는, 이제 아무 생각도 하지 않고 두려워하지도 않겠다고 굳게 다짐하면서 조금 진정된 기분으로 베개에 머리를 파묻었다. 피곤이 몰려오면서 신경이 느슨해졌다.

여느 때처럼 깊은 잠을 이루지는 못했지만 뒤척이는 사이에 서서히 흐릿한 반수 상태에 빠져들었다. 온몸이 마비되면서 부드럽고 관능적인 멍한 상태에 빠져든 것 같았다. 그는 졸음에 빠져들면서도 자신의 몸을 느꼈다. 죽은 듯한 육체 속에서 정신은 그대로 깨어 있었다. 몰려오는 생각을 쫓아내면서 잠을 깨지 않으려고 애썼다. 이윽고 선잠에 들어 기력이 빠져나가고 의지가 달아났을 때, 또다시 생각들이 하나하나 서서히 되돌아와 녹초가 된 그를 휘감았다. 그의 몽상이 다시 시작되었다. 그는 자신과 테레즈를 갈라놓은 그 길을 다시 걸어갔다. 계단을 내려가고 달려서 지하실 앞을 지나 건물 밖으로 나왔다. 그는 눈을 뜬 채로 꿈을 꾸면서 자기가 방금 전에 지나갔던 그 모든 길을 다시 따라갔다. 퐁뇌프 파사주로 들어가고, 뒷계단을 올라가 문을 두드렸다. 하지만 그에게 문을 열어준 건 테레즈가 아니었다. 속치마 바람에 가슴을 드러낸 그 젊은 여자가 아니라, 카미유가 문 앞에 서 있었다. 시체공시소에서 보았던 그대로, 푸르죽죽하게 변한 끔찍한 모습의 카미유였다. 그 시체가 하얀 이 사이로 거무스름한 혀끝이 보이는 기괴한 웃음을 지으면서 그에게 두 팔을 내밀었다.

로랑은 소스라치게 놀라 비명을 내지르며 잠에서 깨어났다. 온몸이 땀으로 흠뻑 젖어 있었다. 그는 욕지거리를 하고 자신에게 화를 내면서 이불을 다시 머리끝까지 끌어올렸다. 다시 잠들고 싶었다.

또다시 그는 서서히 잠이 들었다. 하지만 아까처럼 녹초가 되어 무기력한 반수 상태에 들어서는 순간, 다시 앞으로 걸어가기 시작했다. 그는 자신의 강박이 이끄는 곳으로 되돌아갔다. 테레즈를 만나려고 달려갔는데, 문을 열어주는 건 또다시 그 익사자였다.

공포에 질린 가련한 사내는 또 자리에서 일어나 앉았다. 그 집요한 꿈을 어떻게든 몰아내고 싶었다. 잡념을 완전히 산산조각 내버리는 깊은 잠을 자고 싶었다. 깨어 있는 동안에는 그 유령을 어떻게든 몰아낼 수 있었지만 머릿속을 마음대로 할 수 없게 되는 그 순간부터, 그의 정신은 그를 관능적 쾌락과 끔찍한 공포로 이끌고 갔다.

그는 다시 잠을 청했다. 하지만 선잠이 들어 관능 속으로 빠져들다가 갑자기 소스라치듯 놀라서 벌떡 깨는 일이 되풀이되었다. 그는 매번 들끓는 욕망에 이끌려 테레즈에게 달려갔고, 매번 문 너머로 카미유의 시체를 만났다. 똑같은 길을 열 번도 넘게 걷고 또 걸었다. 살이 불탈 듯이 흥분한 상태로 똑같은 길을 따라가고, 똑같은 감각을 느끼고, 똑같은 행동을 했다. 열 번이 넘게 아주 세세한 것까지 정확히 그대로 되풀이되었다. 그가 테레즈를 껴안으려고 두 팔을 뻗을 때마다, 그의 품에 안기는 것은 번번이 그 익사자였다. 숨을 헐떡이며 놀라서 깨는 음산한 결말이 반복되어도 욕망은 사그라지지 않았다. 몇 분 뒤 다시 잠이 들자마자 그의 욕망은 그 역겨운 시체가 기다리고 있다는 사실을 잊어버리고, 뜨겁고 부드러운 여인의 몸을 찾아 또다시 달려갔다. 한 시간 동안 로랑은 연이어 찾아오는 그 악몽, 끊임없이 되풀이되는데도 번번이 예측하지 못하는 그 불길한 꿈, 놀라 소스라칠 때마다 더욱더 커지는 공포로 자신을 산산조각 내는 그 꿈을 계속 꾸었다.

그렇게 계속되는 충격 중에서도 마지막 장면은 그 어떤 것보다 강렬하고 고통스러웠다. 그래서 그는 더 이상 잠과 씨름하지 않고 자리에서 일어나기로 마음먹었다. 해가 떠오르고 있었다. 잿빛 하늘을 희끄무레한 사각형으로 자른 천창으로 우중충한 회색빛을 뚫고 희미한 새벽빛이 비쳐 들었다.

로랑은 치밀어 오르는 짜증을 억누르며 천천히 옷을 입었다. 자기가 어린애처럼 겁에 질려 잠을 설쳤다는 사실에 어이가 없어 화가 났다. 그는 바지를 입으면서 기지개를 켜고 팔과 다리를 문질러댔다. 그리고 열에 들떠 제대로 자지 못한 탓에 초췌해지고 게슴츠레해진 얼굴을 두 손으로 쓸어내리면서 이런 말을 되풀이했다.

"그런 생각을 하지 말았어야 했어. 잠을 잤어야 했어. 잠을 잤더라면 기분도 상쾌하고 몸도 거뜬할 텐데……. 아! 테레즈가 어제저녁에 승낙해줬더라면! 테레즈가 나와 잠을 자주기만 했어도……."

그런 생각, 테레즈와 함께 있었으면 그렇게 두렵지 않았을 거라는 생각이 들자, 그는 마음이 좀 편안해졌다. 사실 지난밤과 같은 밤을 또다시 겪게 될까 두려웠다.

그는 얼굴에 물을 찍어 바르고 나서 빗질을 했다. 그렇게 몸단장을 끝내자, 머리가 개운해지면서 간밤의 두려움이 사라졌다. 엄청나게 피로했지만 이제 이성적으로 생각해볼 수 있었다.

"나는 겁쟁이가 아니야." 그는 옷을 다 입고 나서 생각했다. "카미유 따위가 뭐 대수라고……. 그 가엾은 녀석이 내 침대 밑에 있다고 생각하다니, 어처구니가 없군! 그렇지만 이제 매일 밤 그런 생각을 하게 될지도 몰라. 무슨 수를 써서라도 하루빨리 결혼을 해야겠어. 테레즈가 날 껴안아주면 카미유 생각은 나지 않을 거야. 그가 내 목에 입을 맞춰주면 이 상처도 더는 아프지 않을 거야. 어디, 물린 상처를 좀 볼까."

그는 거울 앞에 다가가 목을 빼고 들여다보았다. 그 상처는 옅은 장밋빛을 띠었다. 상처에서 희생자의 이빨 자국을 보자 갑자기 흥분이 되면서 피가 솟구쳤다. 그 순간 그는 이상한 현상을 보았다. 피가 몰리면서 상처 자국이 붉어진 것이다. 핏빛은 점점 더 짙어지면서 하얗고 기름진 목덜미에서 새빨갛게 두드러졌고, 그와 동시에 상처를 바늘로 쿡쿡 찌르는 것처럼 그 부위가 심하게 욱신거렸다. 그는 황급히 셔츠 깃을 세웠다.

"괜찮아, 테레즈가 낫게 해줄 거야. 입맞춤 몇 번이면 씻은 듯이 나을 텐데, 뭐. 나도 참 멍청하지, 그런 바보 같은 생각을 하다니!"

그는 모자를 쓰고 아래로 내려갔다. 바깥 공기를 마시면서 좀 걸을 필요가 있었다. 지하실 문 앞을 지나면서 그는 미소를 지었다. 그는 문이 걸쇠로 단단하게 잠겨 있는지 확인했다. 그러고는 밖으로 나가서 상쾌한 새벽 공기를 마시며 한적한 보도를 느릿느릿 걸어갔다. 새벽 5시경이었다.

로랑은 끔찍한 하루를 보냈다. 오후에는 쏟아지는 졸음

과 싸워야 했다. 묵직해진 머리가 자기도 모르게 자꾸 아래로 떨어져, 상사의 발소리가 들리는 순간 다급하게 고개를 들어 올리곤 했다. 그처럼 불안하게 상사의 눈치를 보면서 졸음과 사투를 벌이다가 마침내 그는 지쳐 나가떨어지고 말았다.

온몸이 녹초가 되었지만 그래도 저녁에 테레즈를 보러 가고 싶었다. 테레즈도 로랑 못지않게 열에 들뜨고 불안에 짓눌린 채 기진맥진한 상태였다.

그가 자리에 앉자 라캥 부인이 말했다.

"우리 가엾은 테레즈가 잠을 설쳤어요. 무슨 나쁜 꿈을 꿨는지 밤새 잠을 못 자고 뒤척였나 봐. 밤중에 여러 번 소리를 지르더군요. 그러더니 결국 오늘 아침에는 저렇게 병이 단단히 나버렸답니다."

고모가 말하는 동안 테레즈는 로랑을 빤히 쳐다보았다. 상대방의 얼굴이 똑같은 긴장으로 떨리는 것을 보고, 그들은 자신들이 똑같은 공포를 느꼈음을 분명히 알아차렸다. 그들은 밤 10시까지 서로 마주 앉아서 별 의미 없는 얘기를 나눴다. 하지만 그러면서도 서로의 속마음을 이해했고, 한시라도 빨리 결합해 익사자를 떨쳐버리자는 생각을 서로의 눈빛에서 읽었다.

18

로랑이 열에 시달렸던 그날 밤, 테레즈에게도 카미유의 유령이 찾아왔다.

1년이 넘도록 무관심하게 지내다가 느닷없이 밀회를 가지자는 로랑의 애타는 제안은 테레즈의 마음을 단번에 뒤흔들어놓았다. 혼자 자리에 누워 곧 결혼하게 될지도 모른다는 생각을 하자 테레즈는 달아오르기 시작했다. 그 생각에 잠이 오지 않아 몸을 뒤척이는데, 눈앞에 익사한 남편이 나타났다. 테레즈도 로랑과 마찬가지로 욕망과 극심한 공포 속에서 몸을 뒤틀며 허우적댔고, 로랑과 마찬가지로 연인의 품에 안기면 더 이상 두려움에 시달리지도, 고통도 느끼지도 않을 거라고 생각했다.

같은 날 같은 시각에 그 여자와 남자는 자신들의 무시무시한 사랑에 숨을 헐떡였다가 공포에 질렸다가 하는 혼란을 겪었다. 그들 사이에는 피의 공포와 육체적 욕망이라는 공통점이 있었다. 두 사람은 똑같은 전율을 느꼈다. 일종의 뼈아픈 유대감 속에서 그들의 심장은 똑같은 불안으로 죄어들었다. 그때부터 그들은 쾌락을 즐기고 고통을 견뎌내기 위해 한 몸이 되었고 하나의 영혼이 되었다. 그런 합일, 그런 상호침투는 엄청난 신경의 동요를 겪는 사람들에게 흔히 일어나는 심리적이고 생리적인 현상이었다.

테레즈와 로랑은 1년이 넘도록 그들의 몸을 얽어매고 결합시키는 굴레에 갇혀 살았다. 살인으로 인한 극심한 발작에 이어 침울하고 무기력해지는 단계에 이르렀을 때, 두 죄인은 환멸을 느끼며 이제 그만 그 기억에서 벗어나 마음의 평안을 얻고 싶었다. 그래서 그들은 이제 스스로 자유롭다고, 둘을 옭아맨 질긴 유대의 끈은 이제 끊겼다고 믿기까지 했다. 느슨해진 굴레는 땅에 끌렸고, 그들은 자신들이 일종의 행복한 마비 상태에 빠져 있다고 생각했다. 그들은 다른 곳에서 사랑을 찾으려 했고, 평온하고 안정된 삶을 꿈꾸었다. 하지만 되돌릴 수 없는 사건의 진실에 떠밀려 불타는 말을 다시 주고받던 그날, 굴레가 다시 팽팽하게 당겨졌고, 그로 인해 그들은 흔들리면서 자신들이 영원히 한데 묶인 존재라는 것을 깨닫게 되었다.

다음 날부터 당장 테레즈는 로랑과 결혼하기 위해 은밀

한 작업을 시작했다.

그것은 위험이 여기저기 도사린, 쉽지 않은 일이었다. 두 사람은 경솔하게 행동해서 사람들의 의심을 사지 않을까, 카미유의 죽음으로 자신들이 이익을 얻게 되었다는 사실을 갑자기 지나치게 드러내지 않을까 두려워 몸을 떨었다. 직접 결혼 이야기를 꺼낼 수 없다는 걸 깨달은 두 사람은 상당히 그럴듯한 방법을 생각해냈다. 자신들이 감히 요구할 수 없는 일을 라캥 부인이나 목요일의 손님들이 먼저 제안하게 만드는 것이었다. 테레즈를 재혼시켜야 한다는 생각을 갖게 만들고, 무엇보다 그런 생각을 그들 스스로 해낸 것처럼 만들어야 했다.

그 연극은 시간이 오래 걸릴 뿐만 아니라, 아주 세심한 연출과 연기가 필요했다. 테레즈와 로랑은 각자 맡을 역할을 정했다. 그들은 아주 사소한 몸짓이나 말 한마디까지도 철저히 계산해서 극도로 신중하게 연기를 해나갔다. 사실 그들은 잔뜩 긴장했고, 초조해서 안절부절못하고 있었다. 끊임없는 긴장 속에 살면서도 겉으로는 미소를 지으며 평온한 척하려면 철저하게 비열하고 한없이 뻔뻔해야 했다.

그들이 하루라도 빨리 결혼하기를 바란 것은, 더 이상 서로 떨어져 혼자 지낼 수 없었기 때문이었다. 매일 밤 익사자가 찾아왔고, 불면증이 그들을 이글이글 타오르는 숯불 침대 위에 눕혀 놓고 쇠꼬챙이로 이리저리 뒤집어댔다. 신경이 날카롭게 곤두선 그들의 눈앞에 밤마다 잔혹한 환영이 나타나 피를 더욱더 뜨겁게 달구었다. 해가 지면 테레즈는 자기 방으로 올라갈 엄두도 내지 못했다. 불을 끄자마자 이상한 빛이 번쩍거리면서 유령들이 우글대는 그 커다란 방 안에서 아침까지 혼자 갇혀 있는 것이 너무도 무섭고 두려웠다. 테레즈는 밤새 촛불을 켜둔 채, 눈을 부릅뜨면서 잠들지 않으려고 애를 썼다. 그러다가 피곤해서 눈이 저절로 감기는 바로 그 순간, 어둠 속에서 어김없이 나타나는 카미유를 보고는 소스라치게 놀라 눈을 번쩍 떴다. 새벽이 다 되어서야 겨우 눈을 붙였기 때문에 아침이면 지칠 대로 지친 몸을 이끌며 일어났고, 낮 시간 동안에는 간신히 움직였다. 로랑 역시 지하실 입구를 지나가면서 두려움을 느꼈던 그날 밤 이후로 완전히 겁쟁이가 되었다. 그 전에는 짐승처럼 자신만만하게 살았지만, 이제는 조그만 소리에도 벌벌 떨면서 어린아이처럼 얼굴이 새파래졌다. 온몸을 거세게 뒤흔드는 공포의 전율이 계속 그를 따라다녔다.

　밤에는 테레즈보다 훨씬 더 괴로웠다. 무기력하고 맥 빠진 그 커다란 몸뚱이가 공포로 인해 갈기갈기 찢기는 듯한 고통을 겪었다. 해가 저물 때면 지독한 두려움을 느꼈다. 집으로 돌아가지 않고 텅 빈 거리에서 밤을 새우고 싶다는 생각이 들 때가 한두 번이 아니었다. 한번은 비가 억수로 퍼붓는 바람에 아침이 올 때까지 다리 밑에서 밤을 지새운 적도 있었다. 거기서 그는 차갑게 얼어붙은 몸을 잔뜩 웅크린 채, 강둑 위로 다시 올라갈 엄두도 내지 못하고 거의 여섯 시간 동안 희끄무레한 어둠 속에서 시커먼 강물을 바라보았다. 이따금 공포가 휘몰아쳐서 축축이 젖은 땅바닥에 바짝 엎드려 있기도 했다. 다리 밑으로 강물을 따라 떠내려가는 익사체들의 긴 행렬이 눈앞에 보이는 것 같았다. 너무 지쳐서 하는 수 없이 집으로 돌아가면, 방문을 단단히 걸어 잠그고 한쪽 구석에 웅크리고 앉아 날이 밝아올 때까지 엄청난 열에 시달리며 허우적댔다. 똑같은 악몽이 집요하게 되풀이되었다. 한껏 달아오른 테레즈의 품에서 떨어져 나와 카미유의 차갑고 끈적이는 품에 안기는 그런 꿈이었다. 숨 막힐 듯 뜨겁게 그를 꽉 끌어안던 정부가 어느새 익사체로 변해 썩어가는 얼음장처럼 차가운 가슴으로 그를 짓누르는 꿈을 연이어 꾸었다. 관능적인 쾌감 뒤에 느닷없이 혐오감을 느끼게 되고, 사랑으로 뜨겁게 달아오른 육체를 안았다가 어느 순간 진흙 속에서 썩은 차갑고 물컹거리는 시체와 살을 맞대면서, 그는 두려움에 온몸이 떨리고 숨을 제대로 쉴 수 없었다.

그 연인의 공포는 날이 갈수록 점점 더 커졌다. 매일 밤 악몽에 짓눌리니 미칠 지경이었다. 불면증을 없앨 유일한 방법은 이제 육체관계뿐인 것 같았다. 하지만 사람들의 시선을 조심해야 했기 때문에 감히 만날 약속을 할 수도 없었다. 그들은 행복한 밤을 보낼 구원의 날을 생각하며 자신들의 결혼식을 기다리고 있었다.

그들은 편안하게 잠을 자고 싶다는 그 한 가지 욕망 때문에 결합을 간절히 원했다. 살인으로 인한 압박감에 짓눌려 서로에게 냉담했던 기간 동안 두 사람은 자신들의 이기적인 욕망 때문에 그런 범죄를 저질렀다는 사실을 망각한 채 서로를 밀어내며 결혼을 주저했다. 하지만 다시 흥분에 사로잡히면서 그들은 욕정과 이기심의 밑바닥에서, 자신들이 애초에 카미유를 죽이려고 했던 이유가 바로 그들 표현대로 '합법적인 결혼'을 통해 그 기쁨을 한껏 누리기 위한 것이었다는 사실을 기억해냈다. 사실 그들이 막다른 골목에 내몰리듯 결혼을 결심하게 된 건 어떤 막연한 절망감 때문이었다. 그들의 마음속 깊은 곳에는 두려움이 있었다. 그들의 욕망은 위기에 처해 있었다. 어떤 면에서, 그들은 공포에 사로잡힌 채 서로에게 몸을 의지하면서 심연을 굽어보는 셈이었다. 그렇게 서로 달라붙은 채로 말없이 웅크린 동안 그들은 이글거리는 욕망에 정신이 혼미해지고 온몸에 힘이 빠져나가면서 미친 듯이 심연으로 추락했다. 두 사람은 현재를 마주하면서, 불안한 기다림과 겁에 질린 욕망 때문에 판단력을 잃고 말았다.

그들은 사랑의 기쁨과 안정적인 생활을 누리는 미래를 꿈꾸고 싶었다. 하지만 벌벌 떨면서 서로를 바라볼수록 그들은 곧 자신들이 떨어질 심연의 밑바닥에서 느낄 공포를 더욱더 선명하게 짐작할 수 있었고, 그래서 더더욱 행복을 다짐하면서 자신들이 결혼해야만 하는 반박할 수 없는 이유들을 눈앞에 늘어놓으려 했다.

테레즈가 결혼을 바랐던 건 오로지 무서웠기 때문이고, 그의 몸이 로랑의 격렬한 애무를 원하기 때문이었다. 테레즈는 제정신을 잃을 정도로 날카로워진 상태였다. 사실 그는 얼마 전까지 읽었던 소설들 때문에 혼란스러운 데다 몇 주일 전부터 계속 시달려온 그 지독한 불면증으로 인해 신경이 곤두섰고 한껏 달아올라 있었다.

천성적으로 훨씬 더 낯이 두껍고 뻔뻔한 로랑은 공포와 욕망에 지배당하면서도, 자신의 결정에 어떤 득과 실이 있을지 조목조목 따져보았다. 그는 자신을 괴롭히는 막연한 두려움과 불안을 떨쳐내고, 그 결혼이 필연적이며 완전한 행복에 이르는 길이라는 것을 확실히 하려고 이전에 했던 계산을 처음부터 다시 해보았다. 죄포스의 농부인 아버지가 도무지 죽을 기미를 보이지 않기 때문에 유산을 물려받으려면 앞으로도 얼마나 더 오래 기다려야 할지 기약이 없었다. 게다가 자기가 받아야 할 유산이 아버지 마음에 쏙 들게 농사를 잘 짓는 키 크고 건장한 사촌의 주머니로 들어가게 되지는 않을까 불안하기도 했다. 그렇게 되면 그는 계속 가난뱅이 신세를 벗어나지 못한 채, 불편한 잠자리에서 자고, 먹는 것도 제대로 못 먹고, 여자도 없이 비좁은 다락방에서 궁상맞게 살아가야 할 터였다. 더욱이 그는 남은 인생을 일하지 않고 살고 싶었다. 무엇보다 지금 다니는 직장이 지겨워지기 시작했다. 일거리들이 힘든 건 아니었지만 천성이 게으른 그는 그것마저 점점 더 부담스럽게 느껴졌다. 아무리 생각해봐도 결론은 항상 똑같았다. 아무것도 하지 않고 사는 게 최고의 행복이다. 그래서 그는 테레즈와 결혼해서 아무것도 하지 않고 빈둥거리며 살려고 카미유를 물에 빠뜨려 죽였다는 사실을 다시금 떠올렸다. 물론, 테레즈의 몸을 독차지하고 싶은 욕망이 살인을 저지른 주된 동기인 건 분명했다. 하지만 그를 살인으로 이끈 건 카미유의 자리를 꿰차고 카미유처럼 보살핌을 받으며 평생토록 아무 걱정 없이 행복하게 살 수 있으리라는 희망이었다. 오로지 욕정에만 이끌려 그런 짓을 저질렀다면, 그렇게까지 겁을 내고 몸을 사리며 지내지는 않았을 것이다. 그러니까 사실은, 그는 아등바등 돈을 벌지 않고도 여유롭고 한가롭게 살면서 성적 욕망도 마음대로 충족시킬 수 있는 삶을 위해 살인을 저지른 것이었다. 의식적이건 무의식적이건 전에 품었던 그 모든 생각이 머릿속에 다시 떠올랐다. 그는 정신을 차리고, 카미유의 죽음으로 얻고자 했던 이익을 이제 거둬들일 때가 되었다고 되새겼다. 그리고 그 이익, 앞으로의 삶에서 누릴 그 행복을 머릿속에 펼쳐보았다. 그는 직장을 그만두고 유유자적하며 행복하게 살아갈 것이다. 먹고 마시고, 잠도 푹 잘 것이다. 언제라도 성적 욕망을 채워주고 심리적 안정도 되찾아줄, 피가 뜨거운 그 여자도 오롯이 그의 것이 될 것이다. 게다가 얼마 지나지 않아 라캥 부인으로부터 4만 몇천 프랑을 상속받을 것이다. 그 가엾은 노인네는 날마다 조금씩 죽어가니까. 그렇게 되면 마침내 그는 동물처럼 아무 생각 없이 행복하게 살아가면서, 모든 것을 잊어버릴 것이다.

테레즈와 결혼하기로 합의를 본 이후로 로랑은 늘 그런 생각을 하고 또 했다. 그는 또 다른 이점을 찾아내려 했고, 이 기적으로 생각하며 그 익사자의 아내와 자기가 결혼하지 않으면 안 될 새로운 이유를 발견할 때마다 뛸 듯이 기뻐했다. 하지만 아무리 억지로 희망을 가지려 해도, 아무리 게으름과 육체적 쾌락이 보장된 안락한 미래를 꿈꾼다 해도, 그는 늘 갑작스러운 전율에 몸이 얼어붙었고, 기쁨을 가로막는 불안이 목구멍으로 치밀어 오르는 것을 느꼈다.

19

그럼에도 테레즈와 로랑의 은밀한 작업은 결실을 맺었다. 테레즈가 세상 다 산 사람처럼 맥을 놓고 지내자, 라캥 부인이 걱정하기 시작했다. 늙은 잡화상은 조카딸이 왜 그토록 슬퍼하는지 이유를 알고 싶어 했다. 그러자 젊은 여자는 비탄에 잠긴 과부 역할을 아주 능수능란하게 연기했다. 그는 확실한 대답을 피하면서, 막연히 권태롭다든가, 기운이 없다든가, 머리가 아프다고 말했다. 고모가 계속 질문을 퍼부으면, 몸이 아픈 건 아닌데 왠지 가슴이 답답하고 까닭 없이 눈물이 난다고 대답했다. 그러고는 계속 숨이 막히는 것처럼 답답해하고, 창백한 얼굴로 안쓰러운 미소를 지으며 모든 게 허무하고 절망스럽다는 듯 침묵을 지켰다. 젊은 여자는 몸을 웅크린 채 알 수 없는 병으로 서서히 시들어가는 것 같았다. 라캥 부인은 덜컥 겁이 났다. 이제 이 세상에서 그에게 남은 건 조카 테레즈밖에 없었다. 부인은 자신의 눈을 감겨줄 이 아이를 지켜달라고 밤마다 하늘에 기도했다.

그러한 노년의 마지막 사랑에는 약간의 이기심이 섞여 있었다. 테레즈를 잃고 파사주의 눅눅한 가게에서 쓸쓸히 홀로 죽을 수도 있다는 생각이 들 때면 그는 그나마 조카딸이 곁에 있어서 자기가 계속 살아갈 힘을 얻을 수 있다는 사실을 깨닫고는, 그 작은 위안마저 빼앗길 것 같아 불안해했다. 그때부터 라캥 부인은 조카에게서 눈을 떼지 않았고, 심한 불안과 걱정으로 젊은 여자의 슬픔을 살피면서 어떻게 하면 그를 말 없는 절망에서 벗어나게 해줄 수 있을지 고민했다.

상황이 심각해지자 부인은 자신의 오랜 친구 미쇼 영감의 의견을 들어봐야겠다고 생각했다. 어느 목요일 저녁, 라캥 부인은 가게에서 그를 붙잡고 근심을 털어놓았다.

그 노인은 자신이 한때 경찰이었다는 사실을 증명이라도 하듯 거침없이 직설적으로 대답했다.

"그래요. 나도 오래전부터 테레즈가 시무룩한 걸 눈치 챘습니다. 며느님이 왜 그렇게 안색이 노랗고 슬퍼 보이는지 나는 그 이유를 잘 알지요."

"이유를 아신다고요?" 잡화상 여자가 말했다. "어서 말해주세요. 그 애를 낫게 할 수만 있다면!"

"오! 치료 방법은 아주 간단합니다." 미쇼 영감이 웃으면서 대답했다. "테레즈가 독수공방한 지 벌써 2년 가까이 되지 않습니까? 며느님에겐 남편이 필요합니다. 눈을 보면 알 수 있어요."

전직 경찰의 거침없는 말에 라캥 부인은 충격을 받았다. 부인은 자신이 생투앙의 그 끔찍한 사건 이후로 아직도 가슴 속 상처가 아물지 않아 고통받듯이, 그 젊은 과부도 똑같이 생생하게 고통받고 있으리라 생각했다. 아들이 죽은 후 며느리에게 다른 남자가 필요하리라고는 전혀 생각해보지 않았다. 그런데 지금 미쇼 영감은 테레즈가 시름시름 앓는 건 남편이 필요하기 때문이라고 껄껄 웃으며 말했다.

"되도록 빨리 결혼을 시키세요." 그는 가게를 나서면서 말했다. "며느님이 완전히 시들어버리는 걸 보고 싶지 않다면요. 내 생각은 그렇습니다. 그러면 모든 게 다 좋아질 겁니다. 내 말을 믿으세요."

라캥 부인은 자기 아들이 벌써 잊힌 존재가 되었다는 사실을 쉽게 받아들일 수 없었다. 미쇼 영감은 카미유의 이름조차 꺼내지 않고 테레즈가 꾀병을 부린다며 농담까지 하기 시작했다. 그 가엾은 어머니는 사랑하는 아들에 관한 생생한 추억을 마음속에 간직한 건 이제 자기 혼자뿐임을 깨달았다. 그는 눈물을 흘렸다. 카미유가 한 번 더 죽은 것 같았다. 그렇게 실컷 울고 더 이상 슬퍼할 힘도 없게 되었을 때, 자기도 모르게 미쇼 영감이 한 말을 떠올렸다. 라캥 부인은 아들을 또다시 죽이는 것이나 다름없는 그 결혼을 대가로 자기도 약간의 혜택을 얻을 수 있다고 생각했다. 그러자 조금씩 마음이 바뀌기 시작했다. 얼어붙은 정적에 휩싸인 가게에서 맥없이 축 늘어진 테레즈와 단둘이 마주할 때면 그런 비열한 생각이 들었다. 라캥 부인은 쓰디쓴 아픔을 겪었다고 끝없는 절망에 빠져 모든 기쁨을 거부하고 신세 한탄이나 하며 살아가는 그런 메마른 마음의 소유자가 아니었다. 그는 천성이 온화하고 헌신적이며 서글서글해서, 감정을 숨김없이 토로하면서 상냥하고 다정하게 살아가야 하는 사람이었다. 하지만 조카가 입을 꾹 다문 채 창백하고 쇠약해진 모습으로 앉아 있기 시작한 후부터 그는 삶이 견딜 수 없이 괴로웠고 가게는 무덤처럼 느껴졌다. 라캥 부인은 따뜻한 애정과 사랑 표현을 원했고, 조용히 임종을 지켜줄 다정하고 성격 좋은 누군가가 자기 옆에 있기를 바랐다. 그런 무의식적인 바람 때문에 그는 테레즈를 재혼시키자는 계획을 받아들였다. 심지어 그는 아들을 잠시 잊기까지 했다. 죽은 거나 다름없는 라캥 부인의 삶에 새로운 의지와 활력을 불어넣는 일종의 각성이 일어난 것이었다. 그는 조카이자 며느리인 테레즈의 남편감을 찾기 시작했다. 그의 머릿속에는 온통 그 생각뿐이었다. 그런데 그 일은 그리 만만치 않았다. 가엾은 늙은 여자는 테레즈보다 자기 생각을 훨씬 더 많이 했다. 그는 자기에게 더 유리하고 자기가 더 행복해지는 쪽으로 며느리를 재혼시키고 싶었다. 며느리의 새 남편이 자신의 말년을 괴롭게 만들지 않을까 몹시 걱정되었기 때문이다. 자신의 삶에 낯선 남자가 들어온다고 생각하면 너무 두렵고 불안해서 잠도 제대로 잘 수가 없었다. 오직 그런 이유 때문에 그는 며느리와 터놓고 재혼 문제를 얘기하지 못하고 멈칫거렸다.

테레즈가 자라면서 몸에 익힌 완벽한 위선으로 권태롭고 의기소침한 척 연기를 하는 동안, 로랑은 다정다감하고 친절한 남자를 연기했다. 그는 두 여인을 세심하게 배려했고, 특히 라캥 부인에게는 아낌없는 관심을 기울이며 입안의 혀처럼 굴었다. 그는 차츰 그 가게에서 없어서는 안 될 존재가 되어갔다. 오직 그만이 그 어두컴컴한 동굴 같은 곳에 조금이나마 활기를 불어넣었다. 로랑이 오지 않은 저녁이면 늙은 잡화상은 절망한 테레즈와 단둘이 마주하는 것에 거의 두려움까지 느끼면서, 마치 뭔가를 잃어버리기라도 한 것처럼 거북하게 주위를 두리번거렸다. 로랑이 가끔 저녁에 가게로 가지 않는 것은 자신이 그들에게 얼마나 중요하고 필요한 존재인지 더 확실하게 각인시키기 위해서였다. 그는 매일 퇴근하자마자 곧바로 가게로 가서 파사주가 문을 닫을 때까지 머물렀다. 거기서 그는, 이제 제대로 걷지도 못하게 된 라캥 부

인이 원하는 자질구레한 물건들을 갖다 주거나 하면서 이런
저런 잔심부름을 도맡아 했고, 옆에 앉아 잡담도 나누었다.
그는 배우처럼 사람의 마음을 뒤흔드는 감미로운 목소리로
그 불쌍한 노파의 비위를 맞췄다. 특히 그는 친구로서, 타인
의 고통에 가슴 아파하는 순수한 영혼을 가진 다정한 남자로
서, 테레즈의 건강을 진심으로 걱정하는 척했다. 그는 몇 번
이나 라캥 부인을 따로 불러, 자기가 그 젊은 여자의 얼굴에
서 본 변화를 이야기하고, 지치고 쇠약해진 여자의 모습에
몹시 겁을 먹은 척하면서 은근히 늙은 여자를 공포에 빠뜨
렸다.

　　"머지않아 테레즈를 잃을지도 모르겠어요." 그는 울먹이
는 목소리로 속삭였다. "테레즈가 시름시름 앓는다는 건 누
가 봐도 알 수 있잖아요. 아! 행복했던 시절은 이제 끝났나
봐요! 우리가 함께 보낸 저녁 시간들이 얼마나 즐겁고 평화
로웠는데!"

　　라캥 부인은 그 말을 들으면서 괴로워했다. 로랑은 더욱
대담하게 카미유 얘기까지 꺼냈다.

　　"내 가엾은 친구의 죽음이 테레즈에게 너무 가혹한 충격
이었나 봐요. 2년 전, 카미유를 잃은 그 참담한 날 이후로 테
레즈는 죽어가고 있어요. 그 어떤 것도 그를 위로할 수 없고,
그 무엇으로도 그를 치유할 수 없을 겁니다. 이제 단념할 때

가 온 것 같아요."

파렴치한 거짓말에 노파는 뜨거운 눈물을 쏟았다. 아들을 생각하면 마음이 괴롭고 눈앞이 캄캄해졌다. 카미유라는 이름이 나올 때마다 정신이 나간 것처럼 오열했다. 그리고 아들이 되살아나기라도 한 것처럼 아들의 이름을 말하는 로랑을 껴안았다. 로랑은 카미유라는 이름이 부인의 마음에 얼마나 큰 감동과 혼란을 불러일으키는지 그 위력을 알아차렸다. 그는 마음대로 라캥 부인을 울릴 수 있었고, 감정을 복받치게 만들어 상황을 명확하게 보지 못하게 할 수도 있었다. 그는 자신의 영향력을 악용해서 괴로움에 몸부림치는 힘없는 노파를 손아귀에 쥐고 마음대로 흔들어댔다. 매일 저녁, 몸서리나도록 비위가 상하는 것을 꾹꾹 눌러 참으면서 카미유의 성품이 얼마나 훌륭했는지, 그의 마음이 얼마나 따뜻했는지, 늙은 부인에게 익사자에 관한 찬사를 늘어놓았다. 그는 너무도 뻔뻔스럽게 자기 손으로 죽인 희생자를 칭찬했다. 그러다가 간혹 자기를 이상하게 바라보는 테레즈와 시선이 마주치면 온몸에 전율을 느꼈고, 끝내는 자기가 카미유에 관해 말했던 좋은 점들이 사실처럼 느껴지게 되었다. 그럴 때면 그는 갑자기 심한 질투심에 사로잡혀 입을 다물었다. 자기가 강물에 던져놓고 이제 와서 망상 어린 확신으로 칭찬하는 그 사내를, 테레즈가 진짜 사랑하는 건 아닐까 두려웠다.

로랑이 이야기하는 내내 라캥 부인은 눈물이 앞을 가려 주위를 전혀 보지 못했다. 그는 계속 울면서, 로랑이 다정하고 너그럽다고 생각했다. 그만이 부인의 아들을 기억했고, 그만이 감동에 차서 떨리는 목소리로 아직도 그의 아들에 관해 말했다. 라캥 부인은 눈물을 닦고, 무한한 애정을 담은 눈으로 그 젊은 남자를 바라보았다. 부인은 그를 자신의 친자식처럼 사랑하게 되었다.

어느 목요일 저녁, 미쇼 영감과 그리베가 이미 식당에 자리를 잡고 앉아 있을 때였다. 로랑이 들어오더니 테레즈 곁으로 다가가 걱정스러운 표정으로 몸은 좀 어떠냐고 물었다. 그는 그곳에 있는 사람들에게 보여줄 심산으로 잠시 테레즈 옆에 앉아 건강을 걱정해주는 다정한 친구인 척 연기했다. 두 사람을 바라보던 미쇼 영감이 몸을 숙이고, 늙은 잡화상에게 로랑을 가리켜 보이며 아주 낮게 속삭였다.

"보세요. 며느님에게 딱 맞는 남편감이 바로 저기 있네요. 빨리 이 결혼을 밀어붙이세요. 필요하다면 우리가 도와드리죠."

미쇼 영감은 속으로 뭔가를 생각하며 엉큼한 미소를 지었다. 테레즈에게는 분명 원기 왕성한 남편이 필요할 거라고 생각하는 듯했다. 라캥 부인은 한 줄기 빛이 자신에게 비치는 것 같았다. 그는 테레즈와 로랑을 결혼시킴으로써 자신이

얻게 될 이득이 어떤 것인지 단번에 알아차렸다. 그 결혼은
이미 자신과 며느리, 그리고 매일 저녁 가게로 와서 두 사람
의 마음을 다독거려주는 훌륭한 성품을 지닌 로랑, 그 세 사
람을 결합시킨 끈을 더욱 튼튼하게 해줄 것이다. 그렇게 되
면 로랑은 더 이상 자기 집에 드나드는 외간 남자가 아니라
한집안 식구가 되는 거기 때문에 불행해질 염려는 할 필요가
없었다. 오히려 테레즈에게 보호자를 만들어줌으로써 자신
도 더 행복한 노년을 보낼 수 있을 것이고, 지난 3년 동안 자
신에게 마치 친자식 같은 정을 보여준 이 젊은이를 두 번째
아들로 삼을 수 있을 것이다. 그리고 테레즈도 로랑과 결혼
하면 카미유를 까맣게 잊어버리는 배신 행위는 하지는 않을
것이다. 마음의 종교는 이상하고 미묘한 측면이 있다. 생판
모르는 사내가 과부가 된 며느리를 품에 안는 것을 보면 분
명히 눈물을 흘리겠지만, 아들 친구의 품에 며느리를 넘겨준
다고 생각하니 아무런 거부감이 없었다. 그 두 사람을 결혼
시키는 것이, 입방아를 찧어대는 사람들 말처럼 집안 망신이
라는 생각도 전혀 들지 않았다.

　손님들이 도미노 게임을 하는 저녁 내내, 늙은 잡화상
은 따뜻한 눈길로 그 한 쌍을 바라보았다. 그걸 본 그 젊은 남
녀는 자신들의 연극이 성공했고, 이제 머지않아 결실을 맺게
되리라는 것을 짐작할 수 있었다. 미쇼 영감은 그 집을 나서

기 전에 라캥 부인과 낮은 목소리로 잠시 이야기를 주고받았다. 그러고 나서 그는 정답게 로랑의 팔을 잡아끌면서 함께 걷자고 말했다. 로랑은 멀어져가면서 재빨리 테레즈와 시선을 주고받았다. 각자 알아서 연기를 잘 해내야 한다는 절박함이 담긴 시선이었다.

　미쇼 영감은 당사자의 마음을 떠보는 임무를 맡았다. 그동안 두 과부에게 너무도 헌신적이었던 로랑이었지만, 전직 경찰관이 결혼 이야기를 꺼내자 몹시 놀라는 것처럼 보였다. 로랑은 떨리는 목소리로, 자기는 가엾은 친구의 아내를 누이처럼 사랑하기 때문에, 그와 결혼하는 것은 모두를 모독하는 짓이라고 말했다. 하지만 전직 경찰관은 자기 생각을 완강하게 밀어붙였다. 동의를 얻어내려고 온갖 그럴듯한 이유를 갖다 붙이고, 헌신이라는 말을 입에 올리기까지 했다. 심지어 라캥 부인에게는 아들이, 테레즈에게는 남편이 되어주는 게 그의 의무라는 말까지 하며 그 젊은이를 부추겼다. 로랑은 차츰 설득당하는 척했다. 그리고 자기는 전혀 생각지도 못한 일이지만 미쇼 영감이 말한 헌신과 의무 때문에 어쩔 수 없이 결혼을 받아들인다는 듯 떨리는 목소리로 대답했다. 그의 입에서 승낙의 말을 얻어낸 미쇼 영감은 할 일을 다했다는 듯 두 손을 비비면서 로랑의 곁을 떠났다. 그는 자기가 엄청난 일을 해냈다고 생각했다. 목요일 저녁 모임에 이전의 즐거움을 되찾아줄 이 결혼을 처음으로 생각해낸 자신이 자랑스러웠다.

　미쇼 영감이 강둑을 따라 천천히 걸어가며 로랑과 이야기를 나누는 동안, 라캥 부인도 테레즈와 비슷한 대화를 했다. 며느리가 평소처럼 창백한 얼굴로 비틀거리며 자기 방으로 들어가려 할 때, 늙은 잡화상은 잠시 그를 불러 세웠다. 그리고 다정한 목소리로 왜 그렇게 근심 가득한 얼굴을 하고 있는지 이유가 있다면 솔직하게 얘기해달라고 애원하듯 말했다. 그렇지만 애매모호한 대답만 돌아왔고, 그래서 부인은 과부로 사는 것이 얼마나 공허하고 쓸쓸한지 자기도 겪어봐서 다 안다고 이야기했다. 그러고는 재혼 얘기를 조금씩 내비치면서 테레즈의 의중을 떠보다가 마침내 재혼할 생각이 없느냐고 대놓고 물었다. 테레즈는 뛸 듯이 화를 내면서 재혼은 꿈에도 생각해본 적이 없으며 영원히 카미유의 아내로 살아갈 거라고 말했다. 라캥 부인은 울기 시작했다. 그는 그건 잘못된 생각이며 영원히 절망 속에서 살아갈 수는 없다고 했다. 그러다가 결국, 절대로 카미유의 자리를 다른 남자에게 내주지 않을 거라고 소리치는 그 젊은 여자 앞에서 라캥 부인은 불쑥 로랑의 이름을 꺼냈다. 그리고 로랑이 얼마나 괜찮은 사람인지, 그와 결혼하면 이로운 점이 얼마나 많은지 홍수처럼 말을 쏟아놓았다. 저녁 내내 머릿속으로 생각했던 것들을 남김없이 테레즈에게 털어놓았다. 라캥 부인은 단순한 이기심으로, 자기가 사랑하는 친자식 같은 두 사람의 보살핌을 받으며 행복한 말년을 보내는 자기 모습을 상상했다. 테레즈는 고개를 숙인 채, 그렇다면 어쩔 수 없다는 듯 다소곳이, 라캥 부인의 소박한 바람을 만족시켜줄 준비를 하고서 그 말을 듣고 있었다.

늙은 잡화상이 마침내 말을 그쳤을 때, 테레즈는 괴로운 듯 말했다.

"난 로랑을 오빠처럼 생각했지, 그 이상은 생각해본 적이 없어요. 하지만 고모가 그토록 원하시니까, 그를 남편으로 사랑하도록 노력해볼게요. 나는 고모를 행복하게 해드리고 싶어요. 지금처럼 카미유를 그리워하며 조용히 울면서 살고 싶지만, 그 결혼으로 고모가 행복해질 수 있다면 이제 그만 눈물을 거둘게요."

테레즈는 늙은 부인을 껴안았다. 그의 고모는 그 누구보다 자기가 먼저 아들을 잊어버렸다는 사실에 스스로 놀라고 당황했다. 잠자리에 들면서는 비통하게 흐느꼈다. 테레즈보다 강하지 못한 자신이 부끄러웠고, 며느리는 스스로를 희생해가며 그 결혼을 받아들이는데 자기는 이기심으로 그 결혼을 원했던 것을 자책했다.

다음 날 아침, 미쇼 영감과 라캥 부인은 파사주 가게 문

앞에서 짧은 대화를 나눴다. 그들은 각자의 교섭 결과를 서로에게 들려주고, 상황이 원만하게 돌아간다고 확신하면서 그 젊은 한 쌍을 그날 저녁 아예 약혼시켜버리기로 했다.

그날 저녁 5시쯤 로랑이 가게로 들어섰을 때, 미쇼 영감은 이미 가게에 와 있었다. 젊은이가 자리에 앉자마자, 전직 경찰이 그의 귀에 대고 말했다.

"테레즈가 승낙했네."

그 갑작스러운 말은 테레즈에게도 들렸다. 테레즈는 창백한 얼굴로 대담하게 로랑을 똑바로 쳐다보았다. 연인은 몇 초 동안 서로 의논하는 것처럼 시선을 교환했다. 두 사람 모두 더 이상 빼지 않고 그들의 제의를 단번에 받아들여야 한다는 것을 알아차렸다. 로랑은 일어나 라캥 부인에게로 다가가서, 울음을 참으려고 갖은 애를 쓰는 그의 손을 잡았다.

"사랑하는 어머니." 그가 미소를 지으며 말했다. "어제 저녁, 어머니의 행복에 관해 미쇼 씨와 얘기를 나눴어요. 저희 두 사람은 어머니를 행복하게 해드리고 싶습니다."

로랑이 자기를 '사랑하는 어머니'라고 부르자, 가엾은 노파는 참았던 눈물을 쏟고 말았다. 부인은 한마디도 하지 못한 채, 얼른 테레즈의 손을 잡아 로랑의 손에 쥐여주었다.

연인은 서로의 살이 닿는 것을 느끼면서 전율했다. 그들은 흥분해서 뜨거운 손을 꼭 맞잡았다. 젊은 남자가 머뭇거리는 목소리로 말했다.

"테레즈, 우리, 어머님이 노후를 행복하고 편안하게 보내실 수 있도록 함께 노력해볼까요?"

"네." 젊은 여자는 들릴 듯 말 듯 대답했다. "당연히 그렇게 해야죠. 그건 우리의 의무니까."

그러자 로랑은 라캥 부인을 돌아보고 몹시 창백한 얼굴로 덧붙여 말했다.

"강물에 빠진 카미유가 저한테 이렇게 외쳤어요. '내 아내를 구해줘. 아내를 부탁하네.' 제가 테레즈와 결혼하는 게 그 친구의 마지막 부탁을 들어주는 거라고 생각합니다."

테레즈는 그 말을 듣고 로랑에게서 손을 빼냈다. 어떤 충격을 받은 것 같았다. 로랑의 뻔뻔스러움에 질린 테레즈는 얼빠진 눈으로 그를 쳐다봤다. 그동안 흐느끼던 라캥 부인이 가쁜 숨을 몰아쉬면서 말했다.

"그래, 그래요. 사랑하는 로랑, 저 애와 결혼하세요. 저 애를 행복하게 해줘요. 내 아들도 무덤 속에서 당신에게 고마워할 거야."

로랑은 갑자기 맥이 풀리는 듯하여 의자 등받이에 몸을 기댔다. 눈물을 흘릴 정도로 감동하며 지켜보던 미쇼 영감도 그를 테레즈 쪽으로 밀면서 말했다.

"자, 키스하세요. 이로써 두 사람은 약혼한 겁니다."

로랑은 젊은 과부의 두 뺨에 입술을 대면서 어떤 거북함을 느꼈고, 테레즈는 연인의 입술이 닿자 불에 데기라도 한 것처럼 화들짝 뒤로 물러섰다. 로랑이 사람들 앞에서 테레즈에게 키스하는 건 이번이 처음이었다. 테레즈의 피가 한꺼번에 얼굴로 몰렸다. 그동안 간통을 저지르면서 단 한 번도 부끄러움을 느끼지 않았던 그녀였지만, 지금은 왠지 얼굴이 화끈 달아올랐다.

그 고비를 간신히 넘긴 뒤, 두 살인자는 안도의 한숨을 내쉬었다.

그들의 결혼은 결정되었다. 그들이 아주 오래전부터 추구해오던 꿈이 마침내 이루어지는 순간이었다. 모든 것이 그날 저녁에 일사천리로 진행되었다. 다음 목요일, 그리베와 올리비에 부부도 그들의 결혼 소식을 전해 들었다. 미쇼 영감은 그 소식을 전하면서 신이 난 듯 손을 비벼대며 되풀이해 말했다.

"이런 생각을 해낸 게 바로 나야. 두 사람을 결혼시킨 게 나라고. 멋진 부부가 될 테니 두고 보세요!"

쉬잔은 테레즈를 말없이 껴안으며 입 맞췄다. 생기라고는 찾아볼 수 없이 백짓장처럼 새하얀 얼굴을 한 그 가련한 여자는 힘든 일을 겪었는데도 꿋꿋하게 버텨내는 젊은 과부에게 오래전부터 더할 수 없는 친근감을 느꼈다. 쉬잔은 일종의 경외심 같은 것을 느끼면서 어린아이처럼 순진무구하게 테레즈를 좋아했다. 올리비에는 라캉 부인과 테레즈에게 축하 인사를 건넸고, 그리베는 슬쩍 외설적인 농담을 몇 마디 시도했지만 별 반응을 얻지 못했다. 요컨대, 그 자리에 모인 사람들은 몹시 기뻐하고 즐거워했고, 모든 것이 정말 잘 됐다고 말했다. 사실 그들은 진즉부터 이 혼인을 예상했었다.

테레즈와 로랑은 계속 의연하고 현명하게 처신했다. 그들은 자신들의 관계가 다정하고 친절한 우정 그 이상도 이하도 아니라는 것을 사람들에게 보여주었다. 게다가 그들은 라캉 부인을 위해 자신들이 희생해가며 결혼하는 척했다. 겉으로 봐서는 그들이 얼마나 공포와 욕망에 뒤흔들리는지 짐작조차 할 수 없었다. 라캉 부인은 엷은 미소를 머금은 채 감사한 마음을 담은 자애로운 눈길로 그들을 바라보았다.

이제 몇몇 절차만이 남았다. 로랑은 아버지에게 승낙을 받기 위해 편지를 써야 했다. 파리에 사는 아들이 있다는 것을 거의 잊고 지내던 죄포스의 늙은 농부는 결혼을 하든지 목을 매달아 죽든지 마음대로 하라는 단 넉 줄의 답장을 보내왔다. 돈은 단 한 푼도 줄 생각이 없으니 무슨 짓을 해도 상관없다는 내용이었다. 그런 식으로 결혼 허락을 받은 로랑은 마음이 몹시 언짢았다.

그처럼 매정한 편지를 읽은 라캥 부인은 마음이 아픈 나머지 어리석은 짓을 저지르고 말았다. 수중에 있던 4만 몇천 프랑을 조카 명의로 돌려놓은 것이다. 부인은 그 신혼부부의 선량한 마음씨를 믿고 자신의 모든 행복을 그들에게 걸면서 전 재산을 내맡겼다. 로랑은 빈손으로 그 집에 들어갈 생각이었다. 그것도 모자라 조만간 직장을 그만두고 다시 그림을 그리겠다고 말하기까지 했다. 하기야 그 세 식구는 앞날을 크게 걱정할 필요가 없었다. 꼬박꼬박 나오는 연금에다 잡화점의 수익까지 합하면, 분명 넉넉하게 살 수 있을 것 같았다. 그들은 행복하게 살 만한 충분한 조건을 갖춘 상태였다.

결혼식 준비가 서둘러 진행되었다. 절차는 최대한 간소화하기로 했다. 다들 하루라도 빨리 로랑을 테레즈의 방으로 밀어 넣고 싶어 안달인 듯했다. 마침내 바라던 날이 왔다.

20

그날 아침, 로랑과 테레즈는 각자 자기 방에서 똑같이 기쁨에 들떠 잠을 깼다. 두 사람 모두 공포에 짓눌린 밤은 전날 밤을 마지막으로 영원히 끝났다고 생각했다. 그들은 더 이상 혼자 잠자리에 들지 않을 것이고 익사자로부터 서로를 지켜줄 터였다.

테레즈는 방 안을 둘러보고 넓은 침대를 눈으로 가늠하면서 야릇한 미소를 지었다. 그러고는 일어나서, 신부 화장을 도와주기로 한 쉬잔을 기다리며 천천히 옷을 입었다.

로랑은 잠자리에서 일어나 한동안 그대로 앉아, 비좁고 지저분한 다락방에 작별을 고했다. 마침내 그는 그 누추한 곳을 떠나 원하던 여자와 같이 살게 되었다. 때는 12월이었다. 추워서 몸이 떨렸다. 오늘 밤부터는 따뜻하게 지낼 수 있을 거라고 생각하면서 그는 침대에서 뛰어내렸다.

라캥 부인은 그가 경제적으로 넉넉지 않다는 것을 눈치채고는, 일주일 전에 자기가 오랫동안 아끼고 아껴 모은 500프랑이 든 지갑을 그의 손에 슬쩍 쥐여 주었다. 젊은 남자는 사양하는 시늉 한번 하지 않고 그 돈을 받아서 새 옷을 맞춰 입었다. 그뿐만 아니라 늙은 잡화상의 돈으로 테레즈에게 줄 결혼 선물도 마련했다.

　　검은 바지, 프록코트, 하얀 조끼, 고급 셔츠와 넥타이가 두 개의 의자 위에 가지런히 펼쳐져 있었다. 로랑은 비누로 씻고 향수를 뿌린 다음, 꼼꼼하게 몸단장을 했다. 그는 잘생겨 보이고 싶었다.

　　높고 빳빳한 칼라 때문에 목이 몹시 아팠다. 단추가 잘 끼워지지 않아 서두르다가, 풀 먹인 천에 목이 베인 것 같았다. 그는 눈으로 확인하고 싶어 턱을 들었다. 그 순간, 카미유가 물어뜯은 상처 부위가 벌겋게 변한 것이 보였다. 상처 자국이 칼라에 쏠려 살이 약간 벗겨진 듯했다.

　　얼굴에 핏기가 가신 로랑은 입술을 깨물었다. 하필이면 이런 날 그 상처가 눈에 띄었다는 게 겁이 나고 화도 났다. 그는 칼라를 구겨버리고, 다른 칼라를 골라 아주 조심스럽게 붙였다. 그런 다음 옷을 마저 차려입었다. 새 옷을 입고 계단을 내려가려니 움직임이 너무 거북스러웠다. 풀 먹인 천 때문에 고개를 제대로 돌리지도 못했다. 움직일 때마다 칼라의 가장자리가 익사자의 이빨에 깊숙이 팬 상처를 찔러댔다. 그는 바늘이 쑤시는 것 같은 통증을 느끼면서 마차에 올라탔다. 테레즈를 태우고 시청과 교회로 가야 했다.

중간에 증인이 되어주기로 한 오를레앙 철도국 직원과 미쇼 영감을 만나 마차에 태웠다. 그들이 가게에 도착했을 때, 모든 사람이 대기하고 있었다. 신부 측 증인이 되어줄 그리베와 올리비에도 와 있었다. 쉬잔은 마치 방금 막 옷을 입힌 인형을 보는 여자아이처럼 신부를 바라보고 있었다. 라캥 부인은 이제 제대로 걷지도 못했지만 자기 자식들이 가는 곳은 어디든지 따라다니고 싶어 했다. 그들은 부인을 부축해 마차에 태운 다음 출발했다.

모든 것이 시청과 교회에서 예정대로 진행되었다. 사람들은 신랑 신부가 침착하고 겸손하다며 칭찬했다. 감동 어린 목소리로 결혼 서약을 하는 두 사람의 모습에 그리베까지 감격했다.

두 살인자는 마치 꿈을 꾸는 것 같았다. 식을 치르면서 나란히 앉거나 무릎을 꿇은 동안에도, 자기도 모르게 끔찍한 생각이 떠올라 괴로웠다. 그들은 눈도 마주치지 않으려 했다. 마차에 다시 올랐을 때, 그들은 전보다 서로를 더 낯설게 느꼈다.

피로연은 벨빌 언덕 위의 어느 작은 식당에서 조촐하게

열기로 했다. 하객이라고 해봤자 미쇼 영감과 그의 아들 부부, 그리베가 다였다. 저녁 6시가 되기를 기다리면서 신혼부부는 마차를 타고 온 거리를 돌아다녔다. 시간이 되자 그들은 먼지와 포도주 냄새가 코를 찌르는 싸구려 식당으로 들어갔다. 노란색으로 칠해진 작은 방 안의 식탁에는 7인분의 음식이 준비되어 있었다.

　피로연 분위기는 화기애애했다. 하지만 신랑 신부는 굳은 표정으로 무언가를 생각했다. 두 사람은 아침부터 계속 알 수 없는 이상한 느낌에 사로잡혀 있었다. 그들은 자신들을 영원히 결합시킬 결혼식 절차와 의식이 너무도 빠르게 진행되는 것을 보면서 처음부터 얼이 빠진 상태였다. 그런 데다 식이 끝난 후 오랫동안 흔들리는 마차를 타고 거리를 달린 탓에 마치 요람 속의 아기처럼 흔들어 재워진 기분이었다. 몇 달 내내 마차를 타고 돌아다닌 것만 같았다. 그들은 마차를 타고 달리는 동안 계속 얼빠진 마비 상태에 잠겨 생기 없는 눈으로 단조로운 거리의 상점과 행인들을 바라보면서, 마차가 가는 대로 끌려다녔다. 그러다가 큰 소리로 웃으려 하고 몸을 흔들며 억지로 마비 상태에서 깨어나려 애썼다. 마침내 식당으로 들어가자 극심한 피로가 그들의 어깨를 짓눌렀다. 그렇게 점점 더 심하게 멍한 상태에 빠져들었다.

　서로 얼굴을 마주하고 테이블에 앉은 두 사람은 어색한

표정으로 미소를 지으며 다시 깊은 몽상에 빠져들었다. 그들은 기계처럼 먹고, 대답하고, 움직였다. 나른한 피로에 휩싸인 머릿속에 떠오른 생각은 순식간에 사라지는 것 같다가도 끊임없이 되돌아왔다. 결혼을 했지만 전과 달라진 건 아무것도 없는 것 같았다. 그들은 내심 놀랐다. 어떤 심연이 자신들을 여전히 갈라놓는 것 같았다. 때때로 그 심연을 어떻게 뛰어넘을 수 있을지 생각해보기도 했다. 그들 사이에 어떤 물질적인 장애물이 나타나면 그들은 살인을 저지르기 전으로 돌아간 것 같다가도 갑자기, 몇 시간 후면 함께 잠자리에 들 거라는 사실을 떠올렸다. 그 순간 그들은 자신들이 어떻게 한 침대에서 잠을 잘 수 있는지 어리둥절해서 서로를 바라보았다. 그들은 자신들이 결혼했다는 것을 실감하지 못했다. 아니, 오히려 금방이라도 누군가가 자신들을 난폭하게 떼어놓고 멀리 떨어뜨릴 것만 같았다.

하객들은 그 신혼부부를 둘러싸고 바보처럼 히죽거리며, 어색함을 없애려면 빨리 말을 놓는 게 좋다고 부추겼다. 하지만 그들은 말을 더듬고 얼굴을 붉힐 뿐, 사람들 앞에서 연인처럼 행동할 엄두를 내지 못했다.

기다림 속에서 욕망은 시들어버렸고, 과거의 모든 감정은 이미 사라지고 없었다. 그들은 그 격렬했던 욕정을 잃어버렸다. 심지어 그날 아침에 느꼈던 기쁨, 이제 더 이상 두려워하지 않아도 된다는 안도감에서 비롯된 그 깊은 기쁨마저 잊어버렸다. 모든 일에 그저 지칠 뿐이었다. 그날 낮에 있었던 일들이 이해할 수 없는 기이한 모습으로 머릿속을 맴돌았다. 그들은 말없이 기계적인 미소를 지은 채 그 무엇도 기대하지 않고 아무것도 바라지 않으면서 그냥 거기에 있었다. 짓눌린 내면 깊숙한 곳에서는 고통스러운 불안이 막연하게 들끓었다.

로랑은 목을 움직일 때마다 살이 물어뜯기는 것 같은 엄청난 고통을 느꼈다. 옷의 칼라가 카미유가 물어뜯은 상처를 끊임없이 건드리고 찔러댔다. 시장이 혼인서약서를 읽는 동안에도, 주례사제가 하느님 이야기를 하는 동안에도, 그 길고 긴 하루의 매분 매초마다 익사자의 이빨이 살갗을 뚫고 들어오는 것을 느꼈다. 때때로 목에서 피가 흘러내려 자기가 입은 하얀 조끼를 붉게 물들이는 것 같기도 했다.

신랑 신부가 말없이 진중한 태도를 보이자 라캥 부인은 내심 고마웠다. 그들이 기뻐서 달아오른 모습을 보였더라면 그 가엾은 어머니는 상처를 받았을 것이다. 부인은 비록 보이지는 않지만 아들이 그곳에 참석해 아내를 로랑의 손에 넘겨주는 것 같다고 생각했다. 그리베는 라캥 부인과 생각이 달랐다. 그는 그 결혼식이 쓸쓸해 보였고, 그래서 분위기를 띄우려고 애를 썼다. 하지만 뭔가 바보 같은 말을 하려고 자리에서 일어나려 할 때마다 미쇼 영감과 올리비에의 따가운 시선 때문에 그대로 앉아야만 했다. 그러다가 마침내 나설 기회가 오자 그는 건배를 하자고 말했다.

"신랑 신부의 2세를 위해 건배합시다." 그는 음험한 표정으로 말했다.

사람들이 그를 따라 건배했다. 테레즈와 로랑은 그리베가 하는 말을 들으면서 얼굴이 하얗게 질렸다. 자식을 낳을 수도 있다는 생각은 한 번도 해본 적이 없었다. 차디찬 전율이 그들을 뚫고 지나갔다. 두 사람은 떨리는 손으로 술잔을 부딪치다가, 자신들이 얼굴을 마주하고 있다는 사실에 새삼 놀라면서 겁에 질린 눈길로 서로를 주시했다.

피로연은 일찌감치 마무리됐다. 하객들은 신랑 신부를 신방까지 데려다주고 싶어 했다. 신혼부부가 파사주의 가게로 돌아왔을 때는 겨우 9시 반밖에 되지 않았다. 모조 보석상은 아직도 가게 안에서 파란색 벨벳이 깔린 보석 상자를 앞에 두고 앉아 있었다. 그는 호기심에 고개를 들고 미소 띤 얼굴로 신랑 신부를 바라보았다. 그와 시선이 부딪치자 두 사람은 화들짝 놀라면서 두려움에 떨었다. 늙은 보석상은 로랑이 으슥한 샛길을 들락거리는 걸 봤으니 그전에 두 사람이 자주 밀회를 가졌다는 사실을 이미 알 것 같았다.

집 안으로 들어간 테레즈는 곧바로 라캉 부인과 쉬잔과

함께 신방으로 들어갔다. 신부가 첫날밤을 위해 몸단장을 하는 동안 남자들은 식당에 앉아 있었다. 새신랑은 무기력하게 축 처져 있을 뿐, 신부를 빨리 보고 싶어 안달하는 기색이 전혀 없었다. 그는 여자들이 사라지자 기다렸다는 듯이 주고받는 미쇼 영감과 그리베의 저속한 농담을 말없이 듣고 있었다. 라캥 부인이 쉬잔과 함께 신방에서 나오며 감격스러운 목소리로 신부가 기다린다고 말했을 때, 로랑은 몸을 부르르 떨고 정신이 나간 것처럼 잠시 그대로 앉아 있었다. 그러다가 누군가가 내민 손을 꽉 잡고 술에 취한 듯 비틀거리면서 문에 몸을 기댄 채 테레즈의 방으로 들어갔다.

21

로랑은 문을 조심스럽게 닫은 뒤, 잠시 그 문에 몸을 기댄 채 불안하고 당황한 표정으로 방을 둘러보았다.

벽난로에서 불이 활활 타오르면서 천장과 벽에 너울거리는 노란빛을 넓게 퍼뜨렸다. 그렇게 흔들리는 장작 불빛으로 방은 환하게 밝혀져 있었다. 테이블 위에 켜놓은 램프 불빛은 벽난로 불빛 때문에 있으나 마나였다. 라캥 부인은 그 방을 새로운 젊은 연인을 위한 보금자리로 만들어주려고 향수를 듬뿍 뿌리고 정성을 다해 밝고 아름답게 꾸며놓았다. 그는 침대를 레이스로 장식하고 벽난로 장식대 위에 커다란 장미 다발을 꽂은 꽃병을 올려놓고는 아주 흡족해했다. 방은 적당히 따뜻했고, 감미로운 향기가 떠돌았다. 공기는 일종의 관능적인 마비 상태에 빠진 채 고요하고 차분하게 가라앉았다. 떨리는 침묵 속에서 벽난로의 장작이 타들어가며 탁탁 튀는 소리를 냈다. 그곳은 마치 행복한 사막, 포근하면서도 향긋하고 바깥의 소리가 전혀 들리지 않는 은밀한 장소, 신비로운 관능과 열정의 욕구를 채우기 위해 준비된 비밀의 공간 같았다.

테레즈는 벽난로 오른쪽에 있는 나지막한 의자에 앉아 있었다. 손으로 턱을 괴고 타오르는 불꽃을 뚫어져라 바라보았다. 로랑이 들어왔는데도 그는 고개를 돌리지 않았다. 속치마와, 레이스가 수놓인 캐미솔만 입은 테레즈는 활활 타오르는 벽난로 불빛과 대비되어 더욱 하얗게 보였다. 캐미솔 끈이 어깨에서 흘러내려와, 분홍빛을 띤 한쪽 어깨 끝이 검은 머리카락에 반쯤 가려진 채 드러났다.

로랑은 말없이 몇 걸음 다가갔다. 그리고 겉옷과 조끼를 벗었다. 셔츠만 입은 그는 여전히 꼼짝도 하지 않는 테레즈를 다시 바라보았다. 그는 망설이는 듯했다. 그러다가 맨살이 드러난 테레즈의 어깨를 보고는, 몸을 떨면서 허리를 숙여 그곳에 입술을 갖다 댔다. 젊은 여자는 급히 돌아보면서 어깨를 빼냈다. 혐오와 공포가 뒤섞인 이상한 눈길로 로랑을 노려보았다. 그 시선에 로랑 역시 갑자기 같은 감정에 사로잡힌 것처럼 어색하게 뒤로 물러섰다.

로랑은 벽난로를 사이에 두고 테레즈의 맞은편으로 가서 앉았다.

그들은 꽤 오랫동안 그렇게 말없이 꼼짝도 하지 않고 앉아 있었다.

때때로 장작더미에서 빨간 불꽃이 탁탁 튀어 오르면서 살인자들의 얼굴을 핏빛으로 물들였다.

이들이 사람들의 눈을 피해가며 바로 그 방에 틀어박혀 서로에게 몸을 맡긴 지도 거의 2년이 되었다. 테레즈가 로랑과 공모해 카미유를 살해하기로 마음먹고 생빅토르가로 그를 찾아갔던 날 이후로 그들은 사랑의 밀회를 갖지 않았다. 조심해야 한다는 생각이 그들의 육체를 갈라놓았다. 이따금 손을 잡거나 짧은 키스를 나누는 게 전부였다. 카미유를 살해한 이후로 또다시 욕정에 불타올랐을 때도, 미칠 듯이 서로를 원했지만 합법적으로 인정받을 수 있는 결혼식 날 밤을 기다리면서 그 욕망을 꾹꾹 눌렀다. 그리고 드디어 그날이 찾아온 것이다. 하지만 그들은 별안간 어색해하면서 불안한 눈빛으로 서로의 얼굴만 바라볼 뿐이었다. 그토록 간절히 원했던 열정적인 포옹을 위해 이제 팔을 뻗기만 하면 되지만, 그들의 팔은 이미 사랑에 지치고 욕망도 완전히 고갈된 것처럼 무기력해 보였다.

그들은 한마디 말도 없이 냉랭하게 있는 것이 괴로웠지만 서로에게 아무런 욕망도 느끼지 못했기에 두려움이 섞인 어색한 표정으로 서로 바라보기만 했다. 뜨겁게 타오르던 그들의 꿈이 이상한 현실을 맞이한 것이었다. 카미유를 죽이고 결혼을 성취해낸 것만으로도, 로랑의 입술이 테레즈의 어깨를 스친 것만으로도, 그들의 음욕이 구역질 나는 혐오와 극심한 두려움으로 바뀌기에 충분했다.

그들은 예전에 자신들을 불태웠던 그 열정을 약간이나마 되찾아보려고 안간힘을 썼다. 하지만 몸에서 근육과 신경이 다 빠져나가버린 것 같았다. 당혹감과 불안은 증폭되어갔다. 그들은 그렇게 음울한 표정으로 말없이 서로 마주 보는 것이 부끄러웠다. 상대방에게 바보처럼 보이고 싶지 않았다. 서로를 으스러져라 껴안고 키스할 기력이 있기를 바랐다. 그들은 서로에게 속해 있었다. 언제든지 서로를 소유하고 파렴치하게 뒹굴며 욕망을 채우려는 욕심에 한 남자를 죽이고 잔혹극을 연출했었다. 그런 그들이 완전히 기력을 잃은 채, 괴로운 마음과 생기 잃은 몸으로 벽난로 양쪽 끝에 떨어져 나무토막처럼 뻣뻣하게 앉아 있었다. 아무리 생각해도 너무 끔찍하고 잔인한 조롱 같은 결말이었다. 그래서 로랑은 사랑의 감정을 되살리려고 상상력에 도움을 청했다. 이전에 자신들이 나누었던 사랑에 관해 이야기하면서 그때의 기억을 되찾으려고 애썼다.

"테레즈." 그가 젊은 여자 쪽으로 몸을 기울이며 말했다. "이 방에서 우리 둘이 오후를 보내던 거, 생각나? 내가 저쪽문으로 몰래 드나들었잖아. 하지만 오늘은 방문으로 당당하게 들어왔어. 이제 우린 자유야. 눈치 보지 않고 마음껏 사랑할 수 있어."

그는 주저하는 목소리로 힘없이 말했다. 젊은 여자는 나지막한 의자에 웅크린 채 그의 말을 흘려들으며 생각에 잠긴 얼굴로 여전히 불꽃만 바라보았다. 로랑이 말을 이었다.

"기억나? 내가 바랐던 꿈 말이야. 나는 당신과 온밤을 보내고 당신 품에서 잠들었다가 다음 날 당신 입맞춤을 받으며 깨고 싶었어. 이제 그 꿈이 이뤄진 거야."

테레즈는 자기 귀에 대고 웅얼거리는 목소리를 듣고 깜짝 놀란 것처럼 몸을 움찔했다. 그러고는 로랑 쪽으로 고개를 돌려, 그 얼굴을 바라보았다. 벽난로의 불빛 때문에 로랑의 얼굴에 불그스름한 반사광이 비쳤다. 테레즈는 핏빛으로 물든 그 얼굴을 보고 몸서리를 쳤다.

젊은 남자는 혼란스러운 듯, 더욱 불안해하면서 말을 이었다.

"우린 성공했어, 테레즈. 모든 난관을 물리치고 드디어 하나가 된 거야. 이제 미래는 우리 것이야, 안 그래? 아무 걱정 없이 편안하게 행복을 누릴 미래, 마음껏 사랑할 미래……. 카미유는 이제 여기 없어."

로랑은 목이 메어 말을 잇지 못했다. 카미유라는 이름에 테레즈는 가슴을 망치로 얻어맞은 듯한 충격을 받았다. 두 살인자는 넋이 나간 채 떨면서 창백한 얼굴로 서로를 응시했다. 여전히 벽난로의 노란 불빛이 너울거리고, 미적지근한 장미 향이 떠돌았다. 정적 속에서 장작이 타들어가는 메마른 소리만 조용하게 들렸다.

기억의 끈이 풀렸다. 그들의 기억이 불러낸 카미유의 유령이 불타오르는 벽난로 앞으로 와서 신랑 신부 사이에 자리를 잡았다. 테레즈와 로랑은 그 후덥지근한 공기 속에서 익사자의 싸늘하고 축축한 냄새를 맡을 수 있었다. 그들은 시체가 그곳에, 자신들 옆에 있다고 생각해서 감히 움직일 엄두도 내지 못한 채 서로를 살펴보았다. 그 순간, 그들이 저지른 끔찍한 범죄의 모든 과정이 기억 속에서 하나하나 펼쳐졌다. 희생자의 이름만으로도, 그들은 완전히 과거로 되돌아가 살인을 저질렀을 때 느꼈던 불안과 공포를 다시 생생하게 느낄 수 있었다. 두 사람은 입을 굳게 다문 채 서로 바라보기만 했다. 똑같은 악몽에 사로잡힌 둘은 그 잔인한 살인에 관해 눈으로 대화를 주고받기 시작했다. 겁에 질린 시선을 교환하며 침묵의 대화가 이어졌다. 그들은 견딜 수 없는 공포와 날카로운 불안에 빠졌다. 신경이 팽팽해져서 금방이라도 터져버릴 것 같았고, 곧 발작을 일으켜 소리를 질러대며 치고받고 싸움을 시작할 것만 같았다. 로랑은 그 기억을 몰아내려고 공포를 불러일으키는 테레즈의 시선을 피해 도취 상태에서 난폭하게 빠져나왔다. 그는 방 안을 서성이다가 구두를 벗고 실내화로 갈아 신은 다음, 다시 벽난로 구석으로 가 앉으며 가벼운 이야기로 말을 돌려보려 했다.

테레즈는 그가 뭘 하려는지 알아차리고는 그가 묻는 말에 대답하려 애썼다. 그들은 날씨 이야기를 했고, 시시한 대화라도 억지로 이어 나가보려 했다. 로랑이 방 안이 덥다고 말하면, 테레즈는 그래도 계단 쪽의 쪽문으로 바람이 들어온다고 대꾸했다. 그러고는 두 사람 모두 갑자기 몸을 떨며 그 쪽문을 돌아보았다. 젊은 남자는 장미꽃, 불, 뭐든 간에 눈앞에 보이는 것들로 황급히 화제를 돌렸다. 젊은 여자는 간단히 대꾸할 말을 찾으며 대화가 끊기지 않게 하려고 애썼다. 그들은 서로 멀찌감치 떨어져 무덤덤한 태도를 취했고, 자신들이 처한 상황을 잊으려 애쓰며 그저 우연히 마주친 낯선 사람처럼 서로를 대하려고 노력했다.

하지만 그들의 의지와는 달리, 그렇게 무의미한 말들을 내뱉는 동안 기이하게도 예사로운 말 속에 숨은 서로의 생각들을 조금씩 알아차렸다. 아무리 떨쳐내려 애를 써도 그들의 머릿속은 카미유로 가득 찼고, 그들의 눈은 계속 과거의 일을 이야기했다. 겉으로는 입에서 튀어나오는 말들로 대화를 이어가면서도 눈으로는 다른 이야기를 했다. 이것저것 내뱉는 말들은 아무런 의미도 없을 뿐만 아니라 앞뒤가 맞지도, 오래 이어지지도 않았다. 그들의 온 정신은 무서운 기억들을 말없이 주고받는 일에 온통 집중되어 있었다. 로랑이 장미나 불, 이런저런 것들을 이야기할 때, 테레즈는 그가 그날 배에서 벌어진 싸움과 카미유가 강물에 빠지는 장면을 상기시키는 것임을 알았다. 그리고 로랑은 자기가 던진 의미 없는 질문에 테레즈가 "응." 혹은 "아니."라고 대답할 때, 그 범죄의 어떤 세부를 '기억해.' 혹은 '기억 못 해.'라고 대답하는 것으로 이해했다. 그들은 그렇게 다른 이야기를 하면서 속으로는 말이 필요 없는 솔직한 대화를 했다. 자신들이 무슨 말을 하는지 의식하지도 못한 채 속에 감춘 은밀한 생각을 하나하나 따라갔다. 그렇게 서로의 생각을 읽으며 계속 대화를 하다가는 무심결에 덜컥 마음속 생각을 입 밖으로 내뱉을 수도 있을 것 같았다. 그런 식으로 상대방의 생각을 읽으며, 끊임없이 카미유를 눈앞에 나타나게 하는 그 집요한 기억을 떠올리면서 그들은 점점 더 미칠 지경이 되어갔다. 서로가 속마음을 짐작한다는 것은 분명히 알았다. 만약 입을 다물지 않는다면 그 말이 입 밖으로 튀어나와 익사자의 이름을 발설하고 살해 장면을 묘사하고 말 거라는 것도 분명히 알았다. 그래서 그들은 대화를 멈추고 입술을 꽉 다물었다.

    짓누르는 듯한 그 침묵 속에서 두 살인자는 자신들에게

죽임을 당한 남자에 관해 말했다. 각자의 시선이 서로의 살갗으로 파고들며 선명하고 날카로운 문장을 새겨 넣는 것 같았다. 때로는 입 밖으로 소리 내어 대화를 나누는 듯한 착각이 들기도 했다. 감각이 착란을 일으켜, 시각은 기이하고 섬세한 청각으로 변한 듯했다. 그들은 얼굴에서 서로의 생각을 아주 명확하게 읽어냈다. 그 생각은 몸의 모든 기관을 흔들어놓는 괴이하고도 또렷한 소리를 냈다. 날카로운 목소리로 외친다 해도 그것보다 더 잘 들릴 수는 없었을 것이다. '우리는 분명히 카미유를 죽였어. 그런데 지금 그의 시체가 우리 둘 사이에 누워 우리의 몸을 얼어붙게 해.' 그렇게 끔찍한 마음속 생각이 조용하게 가라앉은 방 안의 답답한 공기 속에서 더욱더 또렷하게 울렸다.

로랑과 테레즈는 자신들이 가게에서 처음 만났던 날에 관해 소리 없는 대화를 시작했다. 이어 기억이 하나하나 순서대로 떠올랐다. 그들은 관능적 쾌락의 시간들, 망설임과 분노의 순간들, 살인의 끔찍한 순간들을 이야기했다.

그러다가 얼떨결에 카미유라는 이름을 느닷없이 내뱉을까 두려워, 하던 이야기를 멈추고 입을 꾹 다물었다. 하지만 생각은 멈출 줄 몰랐다. 그들은 살인을 저지른 뒤 겪은 불안과 겁에 질린 기다림의 시간 속을 계속 떠돌았다.

마침내 그들은 시체공시소의 포석 위에 누워 있던 그 익사자의 시신을 떠올리게 되었다. 로랑은 자기가 느끼는 모든 공포를 테레즈에게 눈빛으로 전했다. 흥분한 테레즈는 더 이상 참을 수 없다는 듯 갑자기 입을 열어 대화를 이어 나갔다.

"당신, 시체공시소에서 그를 본 거야?" 테레즈는 카미유의 이름을 말하지 않고 로랑에게 물었다.

로랑은 그 질문을 예상한 듯했다. 좀 전부터 하얗게 질린 테레즈의 얼굴에서 그걸 읽은 터였다.

"그래." 그가 잠긴 목소리로 대답했다.

두 살인자는 한기를 느끼고 몸을 부르르 떨었다. 그들은 벽난로에 가까이 다가가, 마치 따뜻한 방 안에 느닷없이 차디찬 바람이 불어오기라도 한 것처럼 불 앞에 두 손을 펼쳤다. 그러고는 몸을 한껏 웅크린 채 한순간 침묵을 지켰다. 이윽고 테레즈가 나지막하게 말을 이었다.

"많이 고통스러워한 것처럼 보였어?"

로랑은 대답할 수 없었다. 징글징글한 환영을 떨쳐내려는 것처럼 진저리를 친 그는 일어나 침대 쪽으로 걸어갔다가, 갑자기 두 팔을 벌린 채 테레즈에게로 다가갔다.

"키스해줘." 그가 목을 내밀면서 말했다.

테레즈가 몸을 일으켰다. 첫날밤을 위해 화장을 한 테레즈의 얼굴은 평소보다 더 창백해 보였다. 그는 벽난로의 대리석 위에 팔꿈치를 짚고 반쯤 몸을 젖혀 로랑의 목을 쳐다보았다. 하얀 피부 위에 불그스름한 흉터가 보였다. 로랑의 심장 박동이 거세지면서 솟구치는 피 때문에 흉터가 점점 커지고 색도 더 짙어졌다.

"키스해줘, 키스해줘." 로랑은 목과 얼굴이 시뻘게져서 그 말을 되풀이했다.

젊은 여자는 그의 입술을 피하려고 고개를 더 젖히면서, 카미유가 물어뜯은 상처에 손가락 끝을 갖다 대고 물었다.

"이건 뭐야? 당신한테 이런 흉터가 있는 줄 몰랐는데."

로랑은 테레즈가 자신의 목에 구멍을 뚫고 손가락을 넣어 후벼 파는 듯한 느낌을 받았다. 그는 고통스런 비명을 낮게 내지르면서 황급히 뒤로 물러섰다.

"이거, 이거 말이야?" 그는 더듬거리며 대답했다.

그는 망설였다. 그러다가 적당히 둘러댈 말을 찾지 못하고 결국 진실을 털어놓았다.

"카미유가 날 물었어. 그때, 그러니까 배에서. 별거 아니야. 이제 다 나았어. 자, 어서 키스해줘, 키스해줘."

그 불쌍한 남자는 벌겋게 달아오른 목을 내밀고 테레즈가 그 상처에 입을 맞춰주기를 바랐다. 테레즈가 입을 맞춰주면 바늘 수십 개가 한꺼번에 찔러대는 것 같은 끔찍한 통증이 가라앉을 것 같았다. 그는 턱을 치켜들고 목을 빼 테레즈에게 들이밀었다. 테레즈는 로랑을 피해 벽난로의 대리석 위에 거의 눕다시피 하더니 몸서리칠 정도로 혐오스럽다는 몸짓을 해가면서 애원하는 목소리로 소리쳤다.

"아! 싫어, 거긴 싫어. 피가 나잖아."

테레즈는 부들부들 떨면서 이마를 두 손으로 감싼 채 의자에 털썩 주저앉았다. 로랑은 얼떨떨한 모습으로 그 자리에 서 있었다. 그는 턱을 내리고 야릇한 표정을 지으며 테레즈를 내려다보았다. 그러다가 갑자기, 야수처럼 테레즈의 머리를 커다란 두 손으로 꽉 움켜잡고는, 카미유가 만든 흉터에 억지로 그의 입술을 갖다 댔다. 그렇게 그 여자의 머리를 자기 살에 대고 잠시 짓눌렀다. 테레즈는 체념한 듯 몸을 내맡긴 채로, 숨 막히는 신음을 냈다.

로랑의 손아귀에서 빠져나온 테레즈는 입을 벅벅 문질러 닦고는 벽난로에 침을 뱉었다. 말은 한마디도 하지 않았다.

자신의 난폭한 행동에 수치심을 느낀 로랑은 창 쪽으로 천천히 걸어갔다. 그가 테레즈에게 입맞춤을 요구했던 건 단지 통증, 끔찍한 쓰라림 때문이었다. 하지만 테레즈의 차가운 입술이 그 뜨거운 상처에 닿았을 때 오히려 이전보다 더 고통스러웠다. 폭력으로 얻어낸 키스는 그를 발기발기 찢어놓았다. 무슨 일이 있더라도 그런 키스는 두 번 다시, 단 1초도 받고 싶지 않았다. 그만큼 부끄럽고 고통스러웠다. 그는 자기가 앞으로 함께 살아야 하는 여자, 자신에게서 등을 돌리고 난롯불 앞에 쪼그리고 앉아 몸을 떠는 그 여자를 바라보았다. 그리고 '나는 더 이상 저 여자를 사랑하지 않는다. 저 여자도 더 이상 나를 사랑하지 않는다'는 말을 되뇌었다.

거의 한 시간 동안 테레즈는 그대로 힘없이 주저앉아 있었다. 로랑은 조용히 방 안을 서성였다. 두 사람 모두 자신들의 정념이 사라지고 없다는 것, 카미유를 죽이면서 욕망까지 죽여버렸다는 것을 공포에 휩싸인 채 자인했다. 벽난로의 불이 천천히 사위어갔다. 커다란 장밋빛 불덩이 하나가 잿더미 위에서 반짝였다. 방 안의 열기에 차츰 숨 쉬기가 힘들어졌고, 꽃이 시들면서 짙게 풍기던 향기도 점점 옅어졌다.

문득, 로랑은 환영을 본 것 같았다. 창 쪽에 있다가 침대로 가려고 돌아선 순간, 그는 벽난로와 거울 문이 달린 장롱 사이 으슥한 구석에서 카미유를 보았다. 희생자의 얼굴은 시체공시소의 포석 위에서 발견했을 때처럼 푸르죽죽한 데다 경련을 일으킨 것 같았다. 한순간에 힘이 풀려버린 로랑은 옆에 있는 탁자에 몸을 기댄 채 카펫 위에서 꼼짝도 하지 않았다. 그가 헐떡거리자 테레즈가 고개를 들었다.

"저기, 저기." 로랑이 겁에 질린 목소리로 말했다. 그는 손을 뻗어 카미유의 음산한 얼굴이 보이는 어두운 구석을 가리켰다. 공포에 사로잡힌 테레즈는 그에게 바짝 달라붙었다.

"저건 그의 초상화잖아." 테레즈는 마치 전 남편의 초상화가 그 말을 들을 수 있기라도 한 것처럼 낮게 속삭였다.

"초상화?" 머리털이 곤두선 로랑이 그 말을 반복했다.

"그래, 알잖아. 당신이 그린 그림. 고모가 저 그림을 떼어 자기 방에 갖다 건다고 했는데 깜빡했나 봐."

"아, 그렇지. 그의 초상화……."

살인자는 그게 자기가 그린 그림이라는 것을 선뜻 알아보지 못했다. 두려움과 혼란의 시간을 보내면서 그는 공포를 불러일으키는 불쾌한 색깔과 조화를 이루지 못하는 거친 선으로 이루어진 조악한 그림을 자기가 그렸다는 사실을 잊었다. 공포에 사로잡힌 그의 눈에는 검은 바탕 위에 시체처럼 일그러진 얼굴이 드러난 그 그림이 역겹고 흉측하고 더러워 보였다. 자신의 그림이 그를 놀라게 하고 끔찍한 추함으로 그를 짓눌렀다. 무엇보다 물컹한 느낌을 주는 누르스름한 안구의 흰자위를 보는 순간, 시체공시소에서 보았던 카미유의 썩은 눈이 떠올랐다. 그는 한순간 테레즈가 자기를 안심시키려고 거짓말을 하는 거라고 생각했다. 그러다가 그림을 두른 액자의 틀이 눈에 들어오자 차츰 마음이 진정되었다.

"저걸 당장 떼어내버려." 그는 들릴 듯 말 듯한 목소리로 속삭였다.

"아! 안 돼. 무서워." 테레즈가 몸서리를 치며 말했다.

로랑은 몸을 떨기 시작했다. 때때로 액자의 틀이 어른어른 사라지면서 자신을 노려보는 두 개의 하얀 눈만 보였다.

"제발, 저걸 좀 떼어내줘." 그는 아내에게 애원하면서 다시 말했다.

"싫어, 싫어."

"그럼 벽 쪽으로 돌려놓자. 그러면 무섭지 않을 거야."

"싫어, 난 못하겠어."

비열하고 겁이 많은 살인자는 익사자의 시선을 피하려고 젊은 여자 뒤에 몸을 숨기면서 그림 쪽으로 여자를 떠밀었다. 테레즈는 빠져 달아났다. 그가 용기를 내어 혼자 계속 나아갔다. 그림 앞으로 다가선 그는 손을 들어 액자를 걸어놓은 못을 더듬어 찾았다. 하지만 초상화의 시선은 너무도 압도적이며 역겹고 추한 데다, 그를 꿰뚫어 보는 것 같았다. 로랑은 그 그림과 눈싸움을 해보았지만 얼마 버티지 못하고 기가 꺾인 채 이렇게 중얼거리며 물러섰다.

"그래, 당신 말이 맞아. 테레즈, 우린 할 수 없어. 당신 고모가 내일 떼어내겠지."

그는 초상화가 자기를 노려보며 눈으로 쫓아오는 것을 느끼면서 고개를 숙인 채 다시 이리저리 서성이기 시작했다. 하지만 이따금 그림 쪽을 힐끗 쳐다보지 않을 수 없었다. 그럴 때마다 어둠 속에서 여전히 익사자의 음울하고 생기 없는 눈이 보였다. 카미유가 방 한구석에서 결혼 첫날밤을 보내는 테레즈와 자기를 지켜본다고 생각하자, 로랑은 공포와 절망으로 미칠 지경이 되었다.

다른 사람이라면 웃어넘길 만한 일이 그의 혼을 완전히 빼놓았다. 벽난로 앞에 있던 그의 귀에 뭔가를 긁어대는 것 같은 소리가 들렸다. 새파랗게 질린 로랑은 그 소리가 초상화에서 나는 거라고 생각했다. 그러다 그게 계단으로 난 쪽문에서 들려오는 소리라는 것을 알아차렸다. 그는 다시 공포에 사로잡혀 테레즈를 바라보았다.

"계단에 누가 있어." 그가 속삭였다. "누가 온 걸까?"

젊은 여자는 아무 말도 하지 않았다. 순간 두 사람 모두 그 익사자를 떠올렸다. 식은땀이 그들의 관자놀이를 축축하게 적셨다. 쪽문이 갑자기 열리면서 카미유의 시체가 툭 떨어질 것 같았다. 그들은 방 안쪽으로 몸을 피했다. 소리가 점점 더 둔탁하고 불규칙하게 이어지자, 그들은 카미유가 안으로 들어오려고 손톱으로 문을 긁어대는 거라고 생각했다. 거의 5분 동안 그들은 손가락 하나 움직이지 못하고 굳어 있었다. 이윽고 야옹 하는 소리가 들려왔다.

라캥 부인이 기르는 얼룩 고양이 프랑수아였다. 어쩌다 방 안에 갇힌 녀석이 발톱으로 쪽문을 긁어대면서 나가려 애쓰는 거였다. 프랑수아는 로랑을 경계했다. 녀석은 의자 위로 펄쩍 뛰어올라 털을 곤두세우고 날카로운 발톱을 꺼냈다. 그리고 사나운 얼굴로 로랑을 노려보았다. 로랑은 고양이를 좋아하지 않았다. 프랑수아는 그를 거의 공포에 질리게 했다. 흥분과 공포에 휩싸인 그 순간, 로랑은 그 녀석이 카미유의 원수를 갚으려고 금방이라도 자기 얼굴로 달려들 것 같다고 생각했다. 그 짐승은 모든 것을 아는 듯했다. 눈동자가 기묘하게 팽창한 고양이의 둥근 눈에는 생각이 담겨 있었다. 로랑은 노려보는 짐승의 시선 앞에서 눈을 내리깔았다. 그가 발을 들어 프랑수아를 걷어차려 하자, 테레즈가 소리쳤다.

"고양이에게 해코지하지 마."

테레즈의 외침에 그는 이상한 기분이 들었다. 어떤 터무니없는 생각이 그의 머릿속을 가득 채웠다.

"카미유가 저 고양이 안에 들어갔어." 그는 생각했다. "저 녀석을 죽여야 해. 저놈은 꼭 사람 같아."

그는 프랑수아가 카미유의 목소리로 자기한테 말하는 소리를 듣게 될까 두려워서 발길질을 하지 못했다. 그리고 테레즈와 환락에 빠져 있을 때 고양이가 지켜보는 것을 알고 테레즈가 했던 농담이 떠올랐다. 그는 너무 많은 것을 아는 그 짐승을 창밖으로 내던져야겠다고 생각했지만 생각을 행동으로 옮길 용기가 없었다. 프랑수아는 계속 공격할 태세를 취했다. 숨겨뒀던 발톱을 꺼내고, 흥분해서 털을 바짝 세운 채 놀라우리만큼 침착하게 적의 일거수일투족을 살펴보았다. 로랑은 금속성 광택이 흐르는 고양이의 눈빛이 불편했다. 그가 재빨리 식당으로 가는 문을 열자, 고양이는 날카롭게 야옹 소리를 내지르며 사라졌다.

테레즈는 꺼진 벽난로 앞에 다시 앉았다. 로랑은 또 침대에서 창가로 왔다 갔다 하기 시작했다.

그렇게 그들은 날이 밝기를 기다렸다. 침대에 누울 생각은 아예 하지도 않았다. 그들의 몸과 마음은 완전히 죽은 듯했다. 단 하나의 욕망, 죽을 만큼 숨이 막히는 이 방에서 나가고 싶다는 욕망 하나로 그들은 그 밤을 견뎠다. 그들은 둘이 함께 한방에 갇혀 같은 공기를 마시는 것이 너무도 불편했다. 누군가가 와서 단둘이 갇혀 있는 이 상황을 바꿔주기를, 예전의 열정을 되살리기는커녕 한마디 말도 없이 서로를 마주하는 이 끔찍한 상황에서 자신들을 끌어내주기를 바랐다. 둘은 길고 긴 침묵이 고통스러웠다. 그 침묵에는 쓰디쓴 절망의 탄식과 말 없는 비난이 뒤섞여 있었다.

마침내 칙칙한 날이 희끄무레하게 밝아오면서 한기가 그들의 뼛속을 파고들었다.

창백한 빛이 방 안을 채우자, 벌벌 떨던 로랑은 마음이 조금 안정되는 것 같았다. 그는 카미유의 초상화를 똑바로 쳐다보았다. 한심할 정도로 진부하고 미숙한 그림이었다. 그는 어깨를 한 번 으쓱하고는 지난밤 바보처럼 굴었던 자신이 한심하다고 생각하면서 초상화를 벽에서 떼어냈다. 자리에서 일어난 테레즈는 행복한 밤을 보낸 것처럼 고모의 눈을 속이려고 침대를 흐트러뜨렸다.

"이것 봐." 로랑이 느닷없이 말했다. "오늘 밤엔 잠을 잘 수 있으면 좋겠는데⋯⋯. 이런 바보짓을 계속할 순 없어."

테레즈가 의미심장한 눈길로 그를 쳐다봤다.

"있지." 로랑이 말을 이었다. "난 뜬눈으로 밤을 지새우려고 결혼한 게 아니야. 이건 뭐, 어린애들이 결혼한 꼴이잖아. 당신은 딴 세상에 있는 것 같은 표정으로 날 혼란스럽게 만들었어. 오늘 밤에는 내가 불안하지 않게 명랑한 모습을 좀 보여줘."

그는 자기가 왜 웃는 건지 모르는 채 피식하고 웃었다.

"노력해볼게." 젊은 여자가 기어드는 목소리로 말했다.

테레즈와 로랑의 결혼 첫날밤은 그렇게 지나갔다.

22

뒤이은 밤들은 훨씬 더 가혹했다. 두 살인자는 익사자로부터 스스로를 보호하려고 밤에 함께 있기를 바랐다. 그런데 어떻게 된 일인지 두 사람이 함께하게 된 이후로 그들의 불안감은 더한층 심해졌다. 서로가 감정을 건드리면서 신경을 자극했고, 한마디 말이나 단순한 눈길을 주고받는 것만으로도 견디기 힘든 고통과 공포에 휩싸이곤 했다. 아주 간단한 대화를 하거나 단둘이 마주 앉기만 해도, 그들은 얼굴을 붉히며 흥분했다.

　테레즈의 쌀쌀맞고 신경질적인 기질은 로랑의 둔감하면서 다혈질적인 기질과 묘한 작용을 일으켰다. 정념에 사로잡혔던 시절에는 그들의 기질 차이가 둘 사이에 일종의 균형을 이루었다. 말하자면 서로를 보완함으로써 두 사람을 긴밀하게 결합된 한 쌍으로 만들었던 것이다. 남자는 피를, 여자는 신경을 서로에게 나눠주었다. 따지고 보면 그들은 각자의 메커니즘을 조절하려고 서로의 육체를 필요로 했던 셈이었다. 하지만 이제 그 균형에 이상이 생겼다. 테레즈의 과민한 신경이 로랑의 기질을 지배하게 된 것이다. 로랑은 단번에 신경과민증에 빠져버렸다. 테레즈의 엄청난 영향력 아래 그의 기질은 차츰 작은 일에도 민감하게 반응하는 신경질적인 기질로 변해갔다. 상황에 따라 신체에서 일어나는 변화를 살펴보는 건 흥미로운 일이다. 그 변화는 살갗에서 시작해 곧바로 뇌로 옮아간다.

테레즈를 알기 전에 로랑은 시골 농부의 아들답게 우직하고 신중하면서도 다혈질이었다. 그는 짐승처럼 먹고 자고 마셨다. 살이 좀 찐 데다 신경이 무뎠던 그는 그날그날 마음 편히 숨을 쉬고 자신의 삶에 만족하며 살았다. 그 둔한 몸으로 가끔 간지럼 같은 것을 느끼기도 했지만 그것도 아주 드문 일이었다. 그런데 테레즈가 바로 그 간지러운 느낌을 사납게 자극해 그의 신경을 발달시킨 것이었다. 테레즈는 그 기름지고 물렁거리는 커다란 몸에 놀라운 감수성을 지닌 신경계가 자라나게 했다. 이전의 로랑은 신경이 아니라 피로 인생을 즐겼지만, 이제는 감각들이 한결 섬세해졌다. 테레즈와의 첫 관계 이후로 갑자기 예민한 신경계를 갖춘 새로운 존재가 모습을 드러냈다. 그로 인해 그는 정욕이 엄청나

게 심해지고 육체적 쾌락에 더 집착하면서 거의 미칠 지경이
되었다. 그는 그의 피가 한 번도 준 적이 없는 도취 상태에 정
신없이 빠져들었다. 그리고 그에게 이상한 현상이 일어났다.
신경이 발달하면서 피를 눌러 이겼고, 그로 인해 기질이 완
전히 바뀌어버린 것이다. 그에게서 태평하고 우둔했던 면모
가 사라져버렸다. 그는 더 이상 잠에 취한 것 같은 게으른 인
생을 살지 않았다. 어느 한순간 신경과 피가 균형을 이룰 때
도 있었다. 그것은 완벽한 존재가 누리는 쾌락의 정점 같은
순간이었다. 그러다가 다시 신경이 지배하기 시작했고, 결국
에는 고장 난 몸과 정신을 뒤흔드는 불안에 빠져들었다.

　　그렇게 해서 로랑은 어두운 구석에서 겁먹은 어린아이
처럼 몸을 떨기 시작했다. 둔하고 멍청한 시골 농부에서 막
벗어난 새로운 인간이 되어, 신경질적인 기질의 소유자가 느
끼는 두려움과 불안에 사로잡혀 얼빠진 얼굴로 몸을 떨었다.
테레즈의 야수 같은 애무, 살인의 긴장과 흥분, 환락에 대한
공포 섞인 기대 같은 모든 상황이 그의 감각을 자극하고 신
경에 난폭한 타격을 거듭 가하면서 그를 미치게 만들었다.
매사에 심드렁하기만 했던 그 존재에게 불면증이 찾아왔고,
결국 환각 상태에 이르게 되었다. 이때부터 로랑은 견딜 수
없는 삶, 영원한 공포 속으로 굴러떨어져 버둥댔다.

　　그의 회한은 순전히 육체적인 것이었다. 그의 몸, 흥분

한 신경, 떨리는 살만이 그 익사자를 두려워했다. 의식은 그런 공포와 아무런 상관이 없었다. 그는 카미유를 죽인 것을 조금도 후회하지 않았다. 자기가 더 이상 유령에 시달리지 않고 편안해질 수만 있다면, 그는 자신의 이익을 위해 언제든 주저하지 않고 똑같이 살인을 저지를 수 있는 인간이었다. 그는 낮이 되면 공포에 사로잡혀 보낸 지난밤의 자신을 비웃으며 기운을 내자고 스스로를 추슬렀고, 자기를 불안하게 만들었다고 테레즈를 비난하며 거세게 몰아세우곤 했다. 그의 말에 따르면, 떨고 있는 건 테레즈였고, 밤마다 방에 무서운 광경을 이끌고 오는 것도 오직 테레즈였다. 그러다가 밤이 찾아오면, 아내와 한방에 틀어박히는 그 순간부터 살갗에서 식은땀이 솟아났다. 로랑은 어린아이처럼 공포에 사로잡혔다. 그는 그렇게 낮과 밤이 다른, 감정의 온도 차이를 겪었다. 매일 저녁 되풀이되는 신경 발작은 그의 감각을 망가뜨리면서 그에게 카미유의 푸르죽죽하고 불어터진 끔찍한 얼굴을 보여주었다. 그 살인자는 마치 무시무시한 병에 걸린 것 같았고, 일종의 히스테리에 사로잡힌 것 같기도 했다. 공포에 질려 감각이 혼란스러워지고 환각을 보는 로랑의 증상에 딱 들어맞는 병명은 바로 신경증이었다. 신경 발작이 일어날 때면 그의 얼굴은 경련을 일으켰고, 팔다리가 뻣뻣하게 굳었다. 신경이 서로 뒤엉킨 듯했다. 육체는 끔찍하게 고통받았지만, 영혼은 그 자리에 없었다. 후회를 모르는 그 불쌍한 인간은 테레즈의 정념이 자기에게 무시무시한 병을 옮겼다고 생각할 뿐이었다.

테레즈 역시 심하게 흔들렸다. 하지만 타고난 기질이 과도하게 발현된 것일 뿐, 근본적으로 변한 것은 아니었다. 그 여자는 열 살 때부터 계속 신경증으로 고통을 받아왔다. 그것은 어린 카미유가 괴롭게 헐떡이던 방의 구역질 나고 답답한 공기 속에서 성장한 탓이기도 했다. 그로 인해 테레즈의 내면에 강력한 기운이 차곡차곡 쌓이다가 어느 날 한꺼번에 팡 하고 엄청난 증상으로 폭발한 게 분명했다. 테레즈가 로랑에게 충격을 주었듯이 로랑도 그에게 충격을 주었다. 로랑과 처음 사랑을 나눌 때부터 거칠고 관능적인 그의 기질은 야성적으로 폭발했다. 그때부터 테레즈는 오직 정념을 위해서만 살았다.

자신을 불태우는 열기에 점점 더 몸을 내맡기면서 테레즈는 일종의 병적인 마비 상태에 빠지게 되었다. 그런 사실이 그 여자를 못 견디게 했고, 모든 것이 그 여자를 미치게 만들었다. 공포에 사로잡힐 때 테레즈는 로랑보다 더 약한 모습을 보였다. 마음속으로는 은근히 자기가 한 일을 후회하기도 했다. 카미유의 유령 앞에 무릎을 꿇고 애원하며 뉘우치고 싶을 때도 있었다. 그의 혼을 달래주겠다고 맹세하면서 용서를 구하고 싶을 때도 있었다. 로랑도 테레즈의 약해진 마음을 눈치챈 것 같았다. 두 사람이 똑같이 공포에 휩싸일 때면, 로랑은 테레즈를 비난하며 함부로 대했다.

처음 며칠 동안 그들은 잠자리에 들 수 없었다. 결혼식을 올린 날 밤처럼 한 사람은 벽난로 앞에 앉아서, 또 한 사람은 방 안을 이리저리 서성이며 날이 새기만을 기다렸다. 침대에 나란히 눕는다는 건 생각만 해도 혐오스럽고 두려웠다. 그들은 서로 약속이나 한 듯이 의례적인 볼 키스도 피했다. 로랑은 테레즈가 아침마다 흩트려놓는 침대 쪽은 거들떠보지도 않았다. 피곤해서 못 견딜 지경이 되면 한두 시간 소파에 앉은 채로 눈을 붙였다가, 음산한 악몽에 소스라치며 눈을 뜨곤 했다. 그렇게 잠을 깨면 온몸이 뻣뻣해 부서질 것 같았고, 얼굴 여기저기에 푸르스름한 얼룩이 생겨나 흉측한 몰골이 되었다. 그들은 한기를 느끼며 사시나무 떨듯 벌벌 떨었다. 자신들이 한방에 있다는 것에 놀라며 상대방에게 자신의 불쾌감과 공포심을 드러내 보인 것에 새삼 수치심을 느껴 멍하니 서로를 응시했다.

그뿐만 아니라 그들은 할 수 있는 한 잠들지 않으려고 애썼다. 두 사람은 벽난로 양쪽 귀퉁이에 떨어져 앉아 대화가 끊기지 않게 하려고 노력하며 이런저런 무의미한 이야기를 계속 늘어놓았다. 그들 사이에는 넓은 공간이 있었다. 고개를 돌리면 카미유가 의자를 끌어와 그곳에 앉아 음산하게 조소하는 표정으로 꽁꽁 언 발을 불에 녹이고 있을 것만 같았다. 결혼 첫날밤 본 그 환영은 매일 밤 그들을 찾아왔다. 그들이 대화를 나눌 때 말없이 앉아서 비웃는 그 시체, 언제나 그곳에 있는 끔찍하게 훼손된 그 시신 때문에 그들은 끊임없이 불안에 떨어야 했다. 공포에 짓눌려 감히 움직이지도 못하고, 타오르는 불꽃만 눈이 멀도록 바라볼 뿐이었다. 그러다가 어쩔 수 없이 겁에 질린 눈길로 곁눈질을 할 때면 불그레한 반사광이 비쳤고 불길에 자극받은 그들의 눈이 환영을 만들어냈다.

마침내 로랑은 더 이상 방에 앉아 있을 수 없는 지경에 이르렀다. 그렇지만 테레즈에게 그 이유를 밝히지는 않았다. 테레즈는 자기가 카미유를 보는 것처럼 로랑도 카미유를 본게 틀림없다고 생각했다. 이번에는 테레즈가 불기운이 너무 세서 괴롭다며 벽난로에서 좀 떨어져 있는 게 낫겠다고 말했다. 남편이 다시 방 안을 서성이는 동안 테레즈는 안락의자를 침대 발치로 밀어놓고 그곳에 기운 없이 앉아 있었다. 때때로 로랑은 창을 열어 차가운 1월의 밤공기가 방 안을 가득 채우게 했다. 그렇게 해서 그는 겨우 열을 가라앉히곤 했다.

일주일 내내 그 신혼부부는 그처럼 밤을 꼬박 새웠다. 낮에는 졸음에 겨워, 테레즈는 가게 계산대 너머에서, 로랑은 직장에서 틈틈이 쉬어야 했다. 밤이 찾아오면 두 사람은 다시 고통과 두려움에 시달렸다. 무엇보다 이상한 점은, 서로를 대하는 그들의 태도였다. 그들은 사랑의 말은 한마디도 입에 올리지 않았고, 과거를 완전히 잊어버린 것처럼 행동했다. 마치 같은 고통에 시달린다는 사실에 남몰래 연민을 느끼는 환자들처럼 그렇게 서로를 이해하고 받아들이는 것 같았다. 두 사람 모두 자신의 혐오감과 공포심을 감추고 싶어 했다. 둘 중 누구도 그렇게 이상야릇한 밤을 보내면서 점점 자신들의 실체가 드러난다는 생각은 하지 못하는 것 같았다. 대화도 거의 하지 않고, 아주 작은 소리에도 새파랗게 질린 채 아침이 올 때까지 자리에 누울 생각도 하지 않으면서, 결혼 초기에는 누구나 다 그런 거라고 믿는 척했다. 그것은 두 미치광이의 어설픈 위선이었다.

얼마 지나지 않아 그들은 피곤해서 도저히 견딜 수 없을 지경이 되었다. 마침내 어느 날 밤, 둘은 침대에 눕기로 했다. 하지만 옷은 벗지 않았다. 행여 살이 닿을까 두려워 옷을 다 입은 채로 침대 위에 그대로 쓰러졌다. 조금만 몸이 닿아도 고통스러워 못 견딜 것 같았다. 이틀 밤을 그렇게 불안한 선잠을 자고 난 뒤, 그들은 옷을 벗고 이불 속으로 들어가는 모험을 감행했다. 하지만 조금이라도 몸이 닿지 않으려고 서로 조심했다. 테레즈가 먼저 침대로 들어가 벽 안쪽에 자리를 잡았고, 로랑은 테레즈가 제대로 누울 때까지 기다린 다음, 위험을 무릅쓰고 최대한 반대쪽 가장자리로 가 몸을 뉘었다. 그들 사이에는 널찍한 공간이 남았다. 거기에 카미유의 시체가 누워 있었다.

같은 이불을 덮고 누워 눈을 감았을 때 두 살인자는 자신들 사이에 희생자가 누워 있다고 생각했다. 그의 축축한 몸이 느껴지는 것 같아 온몸이 얼어붙었다. 그것은 마치 둘을 떼어놓는 역겨운 장애물 같았다. 그들은 망상으로 혼미해져서 그 장애물이 실재한다고 믿었다. 그들의 살이 시신에 닿았고, 푸르죽죽하고 물크러진 살덩어리가 옆에 누워 있는 것도 보았다. 그뿐만 아니라 부패한 몸통에서 풍기는 끔찍한 냄새도 맡을 수 있었다. 그들의 모든 감각은 견디기 힘들 정도로 민감해지면서 환각을 일으켰다. 침대에 함께 누운 그 역겨운 존재 때문에 그들은 꼼짝달싹 못 한 채 침묵 속에서 불안해하며 제정신을 잃었다. 로랑은 때때로 테레즈를 힘껏 끌어안고 싶기도 했지만 감히 몸을 움직일 수 없었다. 테레즈에게 손을 뻗으면 카미유의 물컹거리는 살이 한 움큼 잡힐 것 같았다. 로랑은 익사체가 그들 사이에 누워 두 사람이 껴안는 것을 가로막는다고 생각했다. 마침내 죽은 자가 질투한다는 생각까지 들었다.

이따금 무슨 일이 일어날지 알아보려고 조심스럽게 키

스를 시도해보기도 했다. 로랑은 아내에게 키스해달라고 명령조로 다그쳤다. 하지만 그들의 입술은 너무 차가워서, 마치 두 사람의 입과 입 사이를 죽은 자가 가로막고 있는 것 같았다. 로랑은 헛구역질을 했고, 테레즈는 공포로 몸을 떨었다. 테레즈가 이를 딱딱 부딪치며 떨자 로랑은 화를 냈다.

"왜 그렇게 떠는 거야?" 그가 소리쳤다. "카미유가 무서워서? 그 녀석은 죽었잖아."

하지만 두 사람은 자신들이 떠는 이유를 털어놓지 않으려 했다. 둘 중 하나에게 익사자의 창백한 얼굴이 나타나면 그 사람은 눈을 감았다. 자기가 상대방보다 훨씬 더 끔찍한 신경 발작에 시달리는 것처럼 보일까 봐 눈앞에 보이는 것에 관해 말도 못 하고 공포에 사로잡혔다. 더할 수 없이 절망적인 고통이 한계에 도달할 때면 로랑은 테레즈에게 카미유 따위를 왜 겁내는 거냐고 호통을 쳤고, 그때마다 입 밖으로 터져 나온 그 이름이 불안을 배가시켰다. 결국 정신 착란이 일어났다.

"그래, 그래." 그가 더듬거리며 말했다. "당신은 카미유를 두려워하지. 난 다 알아. 제기랄! 당신은 바보야. 용기라곤 눈곱만큼도 없어. 하! 조용히 잠이나 자. 내가 당신하고 누워 있다고 당신 전남편이 찾아와 당신 다리를 잡아당기기라도 할 것 같아?"

그 생각, 죽은 자가 자신들의 발을 잡아당길지도 모른다는 그 상상을 하자 로랑은 머리칼이 곤두섰다. 그는 찢기는 듯한 고통을 느끼면서 더 거칠게 말을 이었다.

"언제 한번, 밤중에 당신을 묘지에 데려가야겠군. 카미유의 관을 열어보면 썩어 문드러져서 뼈만 남은 그를 보게 될걸! 그걸 보고 나면 더 이상 그렇게 겁내지 않겠지. 어쨌든, 그는 우리가 자기를 강물에 던졌다는 걸 몰라."

테레즈는 이불에 머리를 파묻고 둔탁한 신음을 내질렀다.

"우릴 방해하니까 강물에 던진 거야." 남편이 말을 이었다. "필요하다면 또 물에 던져버리면 되지, 안 그래? 그러니 어린애처럼 굴지 마. 강해져야 해. 우리의 행복을 무너뜨리는 건 어리석은 짓이야. 당신이나 나나 죽으면 그걸로 끝이야. 우린 죽어서 땅속에서도 행복하지 못할 거야. 그 멍청이를 센강에 던졌으니까. 하지만 우리의 사랑을 자유롭게 누리다가 죽을 수 있게 됐잖아. 그거면 됐지, 뭐. 자, 어서 내게 키스해줘."

차갑게 얼어붙은 테레즈는 정신이 나간 채 로랑에게 키스했다. 로랑도 테레즈만큼 떨고 있었다. 로랑은 어떻게 하면 카미유가 되살아나지 못하게 완전히 죽여버릴 수 있을지 보름 내내 궁리했다. 그는 분명히 카미유를 강물에 던졌다. 그런데 그자는 완전히 죽지 않고 매일 밤 테레즈의 침대로 와서 누웠다. 두 살인자가 살인을 끝내고 이제 자신들의 달콤한 사랑에 마음 편히 몸을 맡길 수 있다고 생각하자, 희생자는 되살아나 그들의 잠자리를 싸늘히 얼어붙게 했다. 테레즈는 더 이상 과부가 아니었고, 로랑은 익사자를 남편으로 둔 여자의 배우자가 되고 말았다.

23

로랑의 광기는 점점 더 심해졌다. 그는 침대에서 카미유를 몰아내기로 결심했다. 처음에는 옷을 다 입은 채로 침대에 누워 테레즈와 살이 닿지 않게 하려고 했다. 하지만 분노와 절망을 느끼던 그는 마침내 아내를 카미유의 유령에게 넘겨주느니 차라리 자기 가슴에 품고 으스러뜨리겠다고 생각했다. 그것은 너무도 난폭하고 잔인한 저항이었다.

결국 그가 테레즈의 방으로 들어가는 이유는 오직 하나, 그 여자의 입맞춤이 자신의 불면증을 치유해주리라는 희망 때문이었다. 하지만 그는 주인 행세를 하러 들어간 방에서 심한 발작과 살이 찢어질 듯한 고통을 겪었고, 불면증 따위는 안중에도 없게 되었다. 그는 자기가 테레즈를 소유하려고 온갖 짓을 다 했다는 사실은 떠올리지도 못했다. 테레즈를 갖게 되었지만, 그 여자를 건드릴수록 더욱더 심한 고통을 겪어야 하는 현실 속에서 3주일을 지옥처럼 보냈다.

　　로랑은 과도한 고통과 불안을 느끼며 무감각한 상태에서 깨어났다. 멍해진 그는 자기가 왜 그렇게 결혼하려고 했는지 그 이유마저 잊어버렸었다. 하지만 똑같은 악몽을 계속 겪으면서 신경이 점점 날카로워졌고, 마침내 그 이유를 기억해냈다. 아내를 껴안으면 악몽을 쫓아낼 수 있을 거란 기대 때문이었다. 그래서 그는 어느 날 밤, 익사자의 몸을 넘어가야 하는 위험을 무릅쓰고 돌연히 테레즈를 자기 쪽으로 끌어당겨 있는 힘껏 껴안았다.

　　테레즈 역시 한계에 다다른 상황이었다. 자신의 몸을 정화하고 괴로움에서 해방될 수만 있다면 불길 속에라도 뛰어들 작정이었다. 테레즈도 로랑의 애무로 불타버리거나 그 애무에서 위안을 찾겠다고 단단히 결심하며 그 남자의 포옹을 받아들였다.

　　그들은 무서울 정도로 거칠게 서로를 끌어안았다. 그들을 그렇게 만든 것은 욕망이 아니라 고통과 공포였다. 서로의 몸이 닿자 마치 불더미 위에 떨어진 것 같은 느낌이 들었다. 그들은 익사자가 끼어들 공간을 남겨두지 않으려고 소리를 내지르며 있는 힘을 다해 서로를 끌어안았다. 하지만 역시나 카미유의 물컹거리는 살이 느껴졌다. 그의 살이 둘 사이에서 너무도 역겹게 으스러지는 것 같았다. 카미유의 살은 둘의 몸이 뜨겁게 불타오르는 동안에도 그들의 살갗 여기저기를 싸늘히 얼어붙게 했다.

그들의 입맞춤은 끔찍할 정도로 잔인했다. 테레즈는 부풀어 오르고 뻣뻣해진 로랑의 목덜미에서 카미유가 물어뜯은 상처를 입술로 더듬어 찾았다. 그리고 흥분한 자신의 입술을 그곳에 갖다 댔다. 너무나 생생한 상처였다. 상처가 아물면 두 사람은 평화롭게 잠들 수 있을 터였다. 젊은 여자는 그것을 알았고, 그래서 자신의 불같은 애무로 상처를 태워버리려 했다. 하지만 타오르는 건 상처가 아니라 자신의 입술이었다. 로랑은 둔탁한 신음을 내지르며 거칠게 테레즈를 밀쳐냈다. 마치 벌겋게 불에 달군 쇠를 자기 목에 지지는 것 같았다. 테레즈는 미친 듯이 다시 상처에 달려들었다. 카미유의 이가 박혔던 그 살갗에 입을 대면서 짜릿한 쾌감을 느꼈다. 테레즈는 순간, 바로 그 부위를 다시 한번 물어뜯어 더 크고 깊은 상처로 이전의 상처를 덮어버릴 생각을 했다. 그러면 그 상처를 봐도 자신의 이빨 자국이니 더 이상 겁에 질리지 않을 것 같았다. 하지만 로랑은 테레즈의 키스를 받지 않으려고 피했다. 너무도 심한 고통을 느꼈기 때문에, 테레즈가 입술을 내밀고 덤벼들 때마다 번번이 그를 밀어냈다. 그들은 두려움에 휩싸인 애무를 나누면서 그렇게 숨을 헐떡이며 서로 싸웠다.

두 사람은 함께하면 고통만 더할 뿐이라는 것을 분명히 느꼈다. 아무리 으스러지도록 서로를 껴안아도 소용없었다. 고통으로 비명을 지르면서 서로를 불태우고 상처 입힐 뿐, 공포에 사로잡힌 신경을 진정시킬 수는 없었다. 포옹할 때마다 혐오감만 더욱더 심해질 뿐이었다. 그렇게 소름 끼치는 키스를 주고받는 동안 그들은 끔찍한 환각을 보았다. 익사자가 둘의 발을 끌어당기면서 침대를 세차게 흔드는 것이었다.

그들은 잠시 서로에게서 떨어졌다. 물리칠 수 없는 혐오감과 거부감을 느꼈기 때문이다. 하지만 그들은 굴복하고 싶지 않았다. 그래서 다시 서로를 껴안았지만 빨갛게 달구어진 송곳이 팔다리를 뚫고 들어오기라도 한 것처럼 고통스러워서 또다시 떨어질 수밖에 없었다. 그들은 그렇게 혐오감을 이겨내려 애쓰면서, 몸을 지치게 해서 신경을 무디게 하고 모든 것을 잊으려고 몇 번이나 다시 시도했다. 하지만 그럴 때마다 그들은 번번이 극도로 흥분하고 긴장했다. 그 상태로 계속 껴안고 있다가는 신경이 터져 죽을 것만 같았다. 두 사람은 스스로의 육체와 싸우며 미칠 듯이 흥분했다. 아무리 기를 쓰고 육체를 이겨내려 해도, 결국에는 더한층 심한 발작을 일으킬 뿐이었다. 그들은 상상을 초월하는 엄청난 타격을 입고 심한 고통으로 쓰러질 듯 기진맥진했다.

둘은 화상을 입고 멍이 든 채로 서로의 몸을 떼어내 단번에 침대 양쪽 가장자리로 멀찍이 떨어졌다. 그리고 흐느끼기 시작했다.

흐느끼는 동안, 그들을 조롱하며 다시 침대로 스며들어온 익사자가 내는 승리의 웃음소리가 들리는 것 같았다. 그들은 그를 침대에서 몰아내지 못했다. 그들은 패배했다. 카미유가 그들 사이에 조용히 눕는 동안, 로랑은 무력감에 빠져 울었고, 테레즈는 승리를 거둔 시체가 이제 자기가 주인이라고 내세우며 썩은 두 팔로 껴안기라도 할까 봐 바들바들 떨었다. 더 이상 방법이 없었다. 패배한 두 사람은 이제 아주 간단한 입맞춤조차 주고받지 못할 것임을 알았다. 공포를 몰아내려고 용기 내 시도한, 격한 사랑의 발작 때문에 오히려 더 극심한 공포 속에 잠기게 된 것이다. 그들은 자신들을 영원히 갈라놓을 시체의 서늘한 냉기를 느끼면서 피눈물을 흘렸다. 그리고 앞으로 어떻게 될 것인지 속으로 불안하게 되물었다.

24

테레즈와 로랑의 결혼을 주선했던 미쇼 영감의 바람대로, 목요일의 저녁 모임은 결혼식 다음 날부터 활기를 되찾았다. 카미유가 죽은 뒤 그 저녁 모임은 심각한 위기를 맞이했었다. 손님들은 그 집의 하나뿐인 아들이 죽었다는 사실 때문에 방문을 하더라도 이전처럼 마음이 편치 않았다. 그들은 혹시나 모임이 해체되는 건 아닐까 가슴 졸였다. 동물적인 본능으로 목요일 저녁 모임에 꼬박꼬박 참석해오던 미쇼와 그리베는 눈앞에서 그 가게의 문이 닫힐지도 모른다는 생각에 몹시 불안했다. 늙은 어머니와 젊은 과부가 카미유를 잃은 슬픔에 조만간 베르농이나 다른 어딘가로 사라져버린다면 자신들은 갈 곳을 잃고 뭘 해야 할지 몰라 거리를 떠돌게 될 거라고 생각했다. 목요일 저녁마다 도미노 게임을 하고 싶어 파사주 안을 이리저리 애처롭게 헤매는 자신들의 모습이 눈에 선하게 그려졌다. 그런 비참한 날이 닥칠까 두려워하며, 그들은 조마조마한 심정으로 마지막 행복을 소심하게 즐겼다. 어쩌면 오늘이 마지막이 될지도 모른다는 말을 매번 되뇌면서, 불안에 떨면서도 겉으로는 태연한 척 상냥한 표정을 애써 꾸미며 가게 안으로 들어섰다. 1년이 넘도록 그들은 그런 불안과 두려움을 안고 지냈을 뿐만 아니라, 라캥 부인의 눈물과 테레즈의 침묵 앞에서 마음 편히 게임을 즐길 수도 없었다. 그 집이 카미유가 살아 있을 때처럼 편하지 않았다. 그 집 식탁에 둘러앉아 저녁 시간을 보낼 때마다 자신들이 그 시간을 부당하게 빼앗는 것 같은 기분이 들었다. 그런 절망적인 상황에서, 미쇼 영감은 익사자의 부인을 재혼시켜 상황을 감쪽같이 역전시키겠다는 이기적인 생각을 밀어붙였다.

결혼식 이후 처음 맞이한 목요일 저녁 모임, 그리베와 미쇼 영감은 의기양양하게 가게 문을 열고 들어섰다. 그들은 승리했다. 이제 더 이상 쫓겨나지 않을까 두려워할 필요가 없었다. 그들은 행복한 모습으로 들어와서 마음 편히 자리를 잡고 앉아 이전에 하던 농담들을 줄줄이 늘어놓았다. 웃음 가득한 얼굴과 자신감 넘치는 태도를 보면 마치 그들이 자신들 손으로 혁명을 이뤄내기라도 한 것 같았다. 카미유에 대한 기억은 더 이상 그 자리에 없었다. 그들을 얼어붙게 만들었던 죽은 남편의 유령은 살아 있는 남편의 손에 쫓겨났다. 과거는 기쁨과 함께 되살아났다. 로랑이 카미유를 대신했다. 슬퍼할 모든 이유는 사라졌고, 손님들은 이제 눈치를 보지 않고 마음껏 웃을 수 있었다. 아니, 그들은 자신들을 극진하게 대접하는 그 고마운 가족을 즐겁게 해주기 위해서라도 웃어야 했다. 18개월 전부터 라캥 부인을 위로한다는 구실로 찾아오던 그리베와 미쇼는 이제 그따위 위선을 집어치우고 서로 얼굴을 마주한 채 딱딱거리는 도미노 소리를 들으며 마음 놓고 졸 수 있었다.

매주 어김없이 목요일 저녁이 돌아왔다. 이전에 테레즈를 짜증 나게 하던 그 생기 없고 기이한 얼굴들이 테이블에 둘러앉았다. 테레즈는 바보같이 낄낄대며 멍청한 소리를 지껄이는 그 사람들이 짜증 난다며 그들을 내쫓아야 한다고 말했다. 하지만 로랑은 손님들을 그렇게 내쫓는 건 좋은 생각이 아니라고 테레즈를 설득했다. 가능한 한 모든 게 이전과 비슷해야 했다. 무엇보다 경찰 가족과의 돈독한 우정이 필요했다. 그들과의 우정이 지속되는 한 아무도 두 사람을 의심하지 않을 테니까. 결국 테레즈는 자신의 생각을 꺾었다. 손님들은 극진한 대접을 받으며 자신들의 저녁 모임이 앞으로도 아무 문제없이 계속될 거라는 생각에 행복해했다.

그런데 바로 그 무렵부터 그 집 부부의 삶이 분열되기

시작했다.

　　아침이 되어 밝은 해가 지난밤의 공포를 몰아내면, 로랑은 황급히 옷을 입었다. 그는 그때까지도 마음이 가라앉지 않았다. 식당에서 테레즈가 그를 위해 커다란 대접에 준비해 놓은 카페오레 앞에 앉았을 때야 비로소 이기적인 안정감을 되찾을 수 있었다. 팔다리를 마음대로 쓰지 못해 가게까지도 간신히 내려갈 수 있게 된 라캥 부인은 엄마 같은 미소를 띤 채 그가 먹고 마시는 모습을 바라보았다. 그는 갓 구운 빵을 게걸스럽게 삼키고 배를 채우면서 차츰 간밤의 두려움에서 벗어났다. 카페오레를 다 마신 뒤 그는 작은 잔으로 코냑 한 잔을 더 마셨다. 술이 들어가자 그의 상태는 완전히 회복되었다. 그는 라캥 부인과 테레즈에게 볼 키스도 하지 않고 "저녁에 봅시다."라고 건성으로 인사하고는 어슬렁거리며 사무실로 출근했다. 봄이 오고 있었다. 강둑의 나무들은 연초록색 레이스 같은 잎들로 무성하게 뒤덮였고 강둑 아래로는 강물이 부드러운 소리를 내며 흘러갔다. 아침 첫 햇살은 기분 좋게 포근한 빛줄기를 내리비췄다. 로랑은 상쾌한 공기 속에서 새롭게 태어나는 기분을 느꼈다. 그는 봄 하늘에서 내려오는 생명의 숨결을 한껏 들이마셨다. 그리고 햇빛이 잘 드는 곳을 찾아 걸음을 멈추고는 은빛으로 반짝이는 센강을 바라보면서 강변의 소리를 들었다. 아침의 알싸한 냄새들이 몸속으로 스머들게 내버려둔 채로, 밝고 행복한 아침나절을 온 감각으로 즐겼다. 물론 카미유 생각은 전혀 하지 않았다. 간혹 자신도 모르게 강 건너편의 시체공시소를 떠올릴 때도 있었다. 하지만 그럴 때마다 용감한 사내처럼 자신의 어리석은 두려움을 스스로 비웃었다. 적당히 배도 부르고 아침 바람에 얼굴의 열도 식힌 그는 느긋한 마음으로 사무실에 도착해 온종일 하품을 해대면서 퇴근 시간만 기다렸다. 그곳에서 로랑은 다른 이들처럼 머리를 텅 비운 채 멍하니 앉아 지겨운 직장 생활을 견디는 한 명의 직원에 지나지 않았다. 사무실에 앉아서 그가 유일하게 하는 생각은 사표를 던지고 아틀리에를 빌리겠다는 것뿐이었다. 그는 막연히 하는 일 없이 빈둥거리는 새로운 삶을 꿈꾸며 퇴근 시간까지 그 생각에만 푹 빠져 있었다. 중간에 파사주의 가게가 생각나 마음이 뒤숭숭해지는 일은 결코 없었다. 아침부터 내내 퇴근만을 바라다가 저녁이 되면 은밀하게 밀려오는 혼란과 불안을 느끼며 다시 강둑길을 걸어갔다. 아무리 천천히 걸어도 결국 그 가게로 돌아가야만 했다. 그곳에서는 극심한 공포가 그를 기다렸다.

테레즈도 같은 감정들을 느꼈다. 로랑이 곁에 없는 동안에는 마음이 편했다. 테레즈는 가게도 집도 어느 것 하나 제대로 치우지 않는다며 하인마저 내보냈다. 자기가 직접 집 안팎을 깨끗이 치울 생각이었다. 하지만 사실을 말하자면, 뭐든 닥치는 대로 쉴 새 없이 일을 해 몸을 기진맥진하게 만들려는 심사였다. 테레즈는 오전 내내 온 집 안을 헤집고 돌아다니며, 쓸고 닦고 털고 설거지를 하는 등 전에는 끔찍이도 싫어했던 온갖 궂은일을 찾아서 했다. 점심시간 전까지 천장에 매달린 거미줄이나 접시에 들러붙은 더러운 기름때 외에는 다른 잡생각이 끼어들 틈이 없도록 바지런을 떨면서 집안일에 매달리며 열심히 몸을 혹사했다. 그러다가 정오가 되면 부엌으로 가서 점심을 준비했다. 식탁에 앉은 라캥 부인은 테레즈를 보고 마음 아파했다. 부인은 그처럼 힘들게 집안일을 하는 며느리가 대견스러우면서도 한편으로는 마음이 불편하고 신경 쓰였다. 그래서 왜 하인을 내보내고 사서 고생이냐고 며느리를 나무라면, 테레즈는 한 푼이라도 아껴야 한다고 대답했다. 점심 식사가 끝나면 테레즈는 그제야 옷을 갈아입고 계산대로 가서 고모 옆에 앉았다. 지난밤을 뜬눈으로 지새우고 오전 내내 일을 하느라 녹초가 된 테레즈는 자리에 앉자마자 꾸벅꾸벅 졸기 시작했다. 그렇게 그는 달콤한 마비 상태에 빠져들었다. 아주 가벼운 선잠이었지만, 잠깐 졸고 나면 날 선 신경이 훨씬 가라앉았다. 카미유 생각은 사라지고, 통증이 단번에 사라진 환자들처럼 깊은 휴식을 맛보았다. 몸이 나른해지고 머릿속이 홀가분해지며 감미로운 가사 상태에 빠져들어 조금씩 기력을 되찾았다. 그렇게 잠시라도 안정을 취하지 못했더라면 테레즈의 신경은 팽팽해진 긴장을 이겨내지 못하고 한순간에 터져버렸을 것이다. 그런 식으로 그는 다가올 밤의 공포를 견뎌낼 힘을 얻었다.

하지만 테레즈는 결코 잠을 자는 게 아니었다. 평화로운 꿈의 밑바닥을 헤매면서 눈만 감고 있을 뿐이었다. 그러다가 손님이 들어오면 곧바로 눈을 뜨고, 손님이 원하는 몇 푼짜리 물건을 내준 다음 다시 떠도는 몽상에 잠겨들곤 했다. 그렇게 테레즈는 가끔 고모에게 짧게 대답하기도 하면서, 머릿속 생각들이 가물가물 사라지는 노곤한 그 상태로 기분 좋게 빠져들어갔다. 그는 그 상태로 완벽한 행복을 느끼면서 서너 시간을 보내곤 했다. 날씨가 흐린 날에는 마음 편히 어둠 속에 권태를 숨긴 채 이따금 파사주 쪽을 힐끗거렸다. 비에 젖은 가난한 사람들이 물을 뚝뚝 떨어뜨리며 지나가는 축축하고 더러운 파사주는 테레즈의 눈에 마치 악의 소굴로 들어서는 입구, 찾아와 귀찮게 굴 사람이 없는 더럽고 음산한 통로처럼 보였다. 때때로 주변에 어른거리는 칙칙한 빛을 보고 지독한 습기 냄새를 맡으면서, 자기가 산 채로 땅속에 묻힌 것 같다고 생각하기도 했다. 자신이 마치 땅속에, 죽은 자들이 우글거리는 공동묘지 안에 앉아 있는 것 같았다. 그런 생각을 하면 위로가 되면서 마음이 가라앉았다. 이제 자신은 안전하며, 이대로 조용히 죽어간다면 더 이상 고통을 느끼지 않을 수 있을 것 같았다. 하지만 어떤 때는 눈을 계속 뜨고 있어야 했다. 쉬잔이 찾아와 오후 내내 계산대 옆에서 수를 놓았다. 쉬잔은 생기 없는 얼굴로 느릿느릿 움직이며 테레즈의 기분을 맞춰주었다. 테레즈는 기력이 완전히 쇠해버린 듯한 그 가련한 여자를 볼 때면 이상하게 마음이 편안해졌다. 테레즈는 그 여자와 친구가 되었다. 창백한 미소를 띤 채 거의 죽은 거나 다름없는 모습으로 앉아 가게에 희미한 무덤 냄새를 퍼뜨리는 쉬잔을 보는 게 좋았다. 유리처럼 투명한 쉬잔의 푸른 눈이 테레즈의 눈을 마주 볼 때면, 뼛속 깊이 스며드는 기분 좋은 한기가 느껴졌다. 테레즈는 그렇게 오후 4시를 기다렸다. 그 시간이 되면 다시 부엌으로 올라가 몸을 노곤하게 만들려고 애쓰면서 열에 들뜬 듯이 서두르며 로랑의 저녁 식사를 준비했다. 그러다 남편이 문턱에 나타나면, 목이 조여들면서 고통이 또다시 테레즈의 온몸을 비틀었다.

그 부부가 하루 동안 느끼는 감정선은 거의 똑같았다. 서로 보지 않고 지내는 낮 동안에는 둘 다 달콤한 휴식을 취할 수 있었지만, 저녁이 되어 다시 만나는 그 순간부터 가슴을 찌르는 듯한 불편함에 사로잡혔다.

초저녁에는 그나마 괜찮았다. 하지만 자러 갈 시간이 다가오면, 테레즈와 로랑은 다시 침실에 들어가야 한다는 생각에 부들부들 떨기 시작했고, 어떻게든 침실로 들어가지 않으려고 최대한 시간을 끌었다. 커다란 안락의자에 반쯤 드러누운 라캉 부인이 그들 사이에 자리한 채 나긋한 목소리로 수다를 떨었다. 부인은 항상 아들을 생각했지만 그들을 배려하는 마음에 아들 이야기를 교묘히 피해가며 베르농 시절 이야기를 했다. 새로 얻은 사랑하는 자식들에게 미소를 지으며 그들의 미래에 관해 이야기하기도 했다. 램프가 라캉 부인의 하얀 얼굴에 창백한 빛을 드리웠다. 그의 말소리는 죽은 듯이 고요한 분위기 속에서 기이할 정도로 부드럽게 울려 퍼졌다. 두 살인자는 양옆에서 한마디 말도 없이 꼼짝하지 않고 있었다. 마음속에서 폭발하는 생각들을 밀어내는 그 나긋나긋한 말소리를 다행스러운 마음으로 들을 뿐이었다. 그들은 감히 서로를 보지 못하고 라캉 부인만 바라보며 태연한 척했다. 자러 간다는 말은 절대로 먼저 꺼내지 않았다. 라캉 부인이 이제 그만 자러 가야겠다는 뜻을 내비치지만 않는다면, 그들은 지루하게 되풀이되는 늙은 잡화상의 다정한 헛소리를 들으면서 동이 틀 때까지 그렇게 앉아 있고 싶었다. 라캉 부인이 침실로 들어간 후에야 비로소 그들은 식당을 떠나 마치 깊은 구렁텅이 속으로 뛰어내리는 것처럼 절망감에 가득 차서 자신들의 방으로 들어갔다.

얼마 지나지 않아 그들은 집안 식구들끼리 보내는 저녁보다 목요일의 저녁 모임을 훨씬 더 좋아하게 되었다. 라캉 부인과 셋이서만 있을 때, 그들은 온전히 자신들을 잊을 수 없었다. 라캥 부인의 들릴락 말락 하는 가느다란 목소리, 보기에 애처로운 밝은 표정은 그들을 괴롭히는 비명을 제대로 억누르지 못했다. 자러 갈 시간이 다가오는 것을 느끼면서 무심결에 침실 문을 바라볼 때면, 그들은 몸을 떨었다. 밤이 깊어질수록 단둘이 있게 될 순간이 다가온다는 생각에 점점 더 고통스러워졌다. 하지만 목요일 저녁에는 오히려 사람들의 바보짓에 취해 서로의 존재를 잊을 수 있어서 훨씬 덜 괴로웠다. 마침내 테레즈는 손님들이 오는 날을 애타게 기다리게 되었다. 혹시라도 미쇼 영감과 그리베가 오지 않는다면 그들을 데리러 갈 수도 있을 정도였다. 로랑과 자신 사이에 외부 사람들이 끼어 있으면 테레즈는 마음이 한결 편안했다. 테레즈는 손님들, 떠들썩한 소리, 그를 정신없게 만들고 로랑으로부터 떼어놓아줄 무언가가 항상 그곳에 있기를 바랐다. 사람들 앞에서 테레즈는 신경질적으로 쾌활한 태도를 보였다. 로랑도 시골 농부 특유의 투박한 농담과 걸걸한 웃음소리, 떠돌이 화가 지망생 시절에 내뱉던 익살스러운 농담 같은 것들을 다시 구사하기 시작했다. 저녁 모임은 전에 없이 유쾌하고 시끌벅적해졌다.

그렇게 해서 일주일에 한 번, 로랑과 테레즈는 두려움에 떨지 않고 서로를 마주 볼 수 있었다.

하지만 얼마 지나지 않아 그들에게 다른 걱정거리가 생겼다. 라캥 부인이 점차 마비 증세를 보이기 시작한 것이다. 그들은 조만간 부인이 반신불수가 되어 얼빠진 모습으로 안락의자에 주저앉아 꼼짝도 하지 못하게 될 날이 올 거라고 예상했다. 그 가엾은 노파는 무슨 소린지 알아듣기 힘든 말들을 웅얼거리기 시작했다. 목소리가 점점 약해졌고, 팔다리는 하나하나 죽어갔다. 라캥 부인은 점점 하나의 사물이 되어갔다. 테레즈와 로랑은 자신들을 떼어놓아주는 그 존재, 목소리로 그들을 악몽으로부터 끌어내주는 그 존재가 사라져가는 것을 공포에 질린 채 지켜봤다. 라캥 부인이 산송장이 되어 한마디 말도 하지 못하고 뻣뻣한 몸으로 안락의자에 파묻히게 된다면, 그들은 어쩔 수 없이 둘만 남게 될 것이다. 그렇게 되면 저녁 시간을 단둘이 보내야 하는 그 가공할 상황을 더 이상 피할 수 없을 것이고, 그들의 극심한 공포는 자정이 아니라 저녁 6시부터 시작될 터였다. 그런 날들이 계속되면 둘은 끝내 미쳐버리고 말 것이었다.

라캥 부인이 건강하게 살아 있는 것이 너무도 중요했기에 그들은 부인의 건강이 더 악화되지 않도록 온갖 노력을 기울였다. 의사를 부르고, 곁에서 한시도 눈을 떼지 않으며 세심하게 돌보았다. 어찌나 병간호를 열심히 했던지 잡념이 사라지고 마음에 평화가 찾아오기까지 했다. 그들은 더 열심히, 지극정성으로 라캥 부인을 간호했다. 둘은 저녁 시간을 견딜 수 있게 해주는 제삼자를 잃고 싶지 않았고, 식당뿐만 아니라 집 전체가 자신들의 침실처럼 끔찍하고 음산한 장소로 변하는 걸 원치 않았다. 라캥 부인은 몸을 아끼지 않고 헌신적으로 자기를 돌봐주는 그들에게 진심으로 감동했다. 그는 두 사람을 결혼시키고 4만 몇천 프랑을 준 건 정말 잘한 일이라고 생각하며 기쁨의 눈물을 흘렸다. 아들이 죽은 후로 라캥 부인은 말년에 이처럼 따뜻한 보살핌을 받으리라고는 전혀 기대하지 않았다. 그런데 새로 얻은 자식들의 정성스러운 보살핌 덕분에 부인의 노년은 너무도 포근했다. 중풍으로 몸이 하루가 다르게 굳어갔지만, 두 사람 덕분에 가혹한 마비 증세도 그럭저럭 견딜 수 있었다.

그런 가운데 테레즈와 로랑은 여전히 이중생활을 이어나갔다. 그들 내면에는 확연히 구분되는 두 개의 존재가 있었다. 그중 하나는 해가 떨어지는 순간부터 벌벌 떨기 시작하는, 공포에 사로잡힌 신경증적인 존재였고, 다른 하나는 해가 뜨는 순간부터 안도의 한숨을 내쉬며 모든 것을 잊어버리고 멍한 상태에 빠지는 마비된 존재였다. 그들은 두 개의 삶을 살아갔다. 단둘이 있을 때면 불안에 울부짖었고, 사람들과 함께 있을 때는 평온하게 미소를 지었다. 사람들 앞에 있을 때 그들의 얼굴에서는 방금 전까지 그들을 괴롭히던 고통은 흔적조차 찾아볼 수 없었다. 자신들의 고통을 본능적으로 감춘 그들은 더없이 평온하고 행복해 보였다.

낮 동안에는 그토록 평온했기 때문에 그들이 밤마다 환각에 시달리며 고통스럽게 지내리라고는 그 누구도 짐작하지 못했다. 사람들은 두 사람을 하늘의 축복을 받은 완벽하게 행복한 부부라고 생각했다. 그리베는 그들을 고상하게 '한 쌍의 멧비둘기'라고 불렀다. 밤늦도록 잠을 자지 못해 그늘진 눈가를 보고 그리베는 그렇게 애를 쓰는데 애는 언제 나오냐며 짓궂은 농담을 하곤 했다. 그러면 사람들은 깔깔대며 웃었다. 로랑과 테레즈는 얼굴색 하나 변하지 않고 따라 웃기까지 했다. 그들은 늙은 철도국 직원의 음탕한 농지거리에 점점 익숙해졌다. 그렇게 식당에 있는 한, 테레즈와 로랑은 공포를 잠재울 수 있었다. 침실에 단둘이 갇혔을 때 그들에게 일어나는 무시무시한 변화는 보통 사람이 짐작조차 할 수 없는 것이었다. 특히 목요일 저녁이면 그 변화는 너무도 엄청나서 마치 초자연적인 세계에서 일어나는 변화 같았다. 원시적인 흥분에 휩싸인 채 벌어지는 기묘한 밤의 드라마는 누구도 예상할 수 없는 것이었고, 두 사람은 그로 인한 괴로움을 존재 밑바닥에 깊숙이 숨겨두었다. 다른 사람에게 이야기한다면, 틀림없이 미쳤다고 할 만한 일이었다.

"이 부부는 정말 행복해 보이는군요!" 미쇼 영감은 종종 말했다. "우리와 있는 자리에서는 내외하는 것처럼 말도 제대로 섞지 않지만, 속으로는 서로를 엄청나게 생각하고 있을 겁니다. 아마 우리가 가고 나면 서로 잡아먹을 것처럼 좋아서 난리가 아닐 거예요."

누구나 그렇게 생각했다. 테레즈와 로랑은 모두가 본받을 만한 대단히 모범적인 부부로 여겨졌다. 퐁뇌프 파사주의 모든 사람이, 애정을 요란하게 드러내지 않으면서 조용하고 화목한 가정을 꾸려나가는 그들을 칭송했고, 부부가 영원히 행복하기를 바라며, 둘의 삶의 축복했다. 오직 그들 두 사람만이 카미유의 시체가 자신들 사이에 누워 있다는 것을 알았다. 오직 그들만이 평온해 보이는 낯가죽 아래 팽팽해진 신경을 느낄 수 있었다. 긴장한 신경은 밤마다 그들의 눈, 코, 입을 사정없이 잡아당겨, 겉으로 보기에 평온했던 그들의 얼굴을 역겹고 고통스러운 낯짝으로 바꾸어놓았다.

25

그렇게 다시 네 달이 흘렀다. 로랑은 자신이 결혼을 통해 얻으려 했던 것들을 이제 받아낼 때가 되었다고 생각했다. 그는 순전히 그것 때문에 파사주의 잡화점에 눌러앉아 있었다. 그게 아니었더라면 결혼 후 사흘 만에 아내를 버리고 카미유의 유령 앞에서 걸음아 날 살려라 도망쳤을 것이다. 그는 자신이 저지른 범죄로부터 얻을 이익 때문에 공포의 밤들을 견뎌왔고, 숨이 막힐 것 같은 불안에 시달리면서도 그 집에 붙어 있었다. 테레즈와 헤어지면 그는 다시 비참한 생활로 굴러떨어질 것이고, 어쩔 수 없이 직장에 계속 다녀야 할 터였다. 하지만 테레즈 곁에 머물면 자신의 게으른 욕망을 충족시키면서, 힘들게 일하지 않고도 라캥 부인이 아내 명의로 물려준 재산으로 여유롭게 살 수 있었다. 그는 할 수만 있었다면 4만 프랑을 재빨리 챙겨 멀리 달아났을 것이다. 하지만 잡화상 노파는 미쇼 영감의 충고대로 만일의 경우를 대비해 조카 테레즈의 동의 없이는 재산을 한 푼도 인출할 수 없도록 계약서에 조건을 명시해놓았다.

그래서 로랑은 테레즈와 질긴 끈으로 묶이게 되었다. 그는 적어도 잘 먹고 잘 입으며 견딜 수 없는 잔인한 밤에 대한 보상을 받고 싶었다. 이런저런 변덕스러운 욕구를 충족할 만한 돈을 받으면서 아무 일도 하지 않고 행복하게 빌붙어 살고 싶었다. 그런 대가를 생각했기 때문에 로랑은 익사체와 한 침대에 눕는 것을 받아들일 수 있었다.

어느 날 저녁, 그는 라캥 부인과 아내에게 사무실에 사표를 냈으며 보름 안으로 직장을 그만두게 될 거라고 통보하듯 말했다. 테레즈가 불안해하자 로랑은 작은 아틀리에를 빌려 다시 그림을 그릴 거라고 급히 덧붙였다. 그리고 직장에서 하는 일이 얼마나 따분한지, 예술이 자신에게 얼마나 밝은 미래를 열어줄 것인지 장황하게 늘어놓았다. 게다가 지금은 여윳돈도 얼마간 있으니까 자기가 예술가로서 얼마나 크게 성공할 수 있을지 한번 도전해보고 싶다는 말도 했다. 하지만 거창하게 떠들어대는 그 장광설 이면에는 단순히 예전의 아틀리에 생활로 돌아가고 싶다는 강렬한 욕망이 숨어 있었다. 테레즈는 입술을 깨물면서 아무 말도 하지 않았다. 그는 자신의 미래가 달린 넉넉지 않은 재산을 축내려는 로랑의 생각에 동의할 마음이 조금도 없었다. 남편이 동의를 얻어내려고 계속 치근덕거리자, 그는 쌀쌀맞게 몇 마디 대꾸를 했다. 만약 당신이 직장을 그만두면 수입이 한 푼도 없을 텐데, 그렇다면 앞으로 나한테 빌붙어 살겠다는 거냐는 요지의 말이었다. 테레즈를 바라보는 로랑의 표정이 점점 더 험악하게 일그러졌다. 겁이 난 테레즈는 목구멍까지 올라온 거절의 말을 차마 입 밖으로 내뱉지 못했다. 테레즈는 공범의 눈에서 이렇게 위협하는 속마음을 읽었다.

'내 뜻에 따르지 않으면 모든 걸 다 불어버릴 거야.'

테레즈는 뭔가를 웅얼거리기 시작했다. 그때 라캥 부인이 나서면서, 로랑은 아주 당연한 걸 요구하는 것이니 그가 재능을 마음껏 펼칠 수 있도록 뒷받침해줘야 한다고 말했다. 그 마음 좋은 부인은 카미유의 응석을 받아주듯이 로랑의 편을 들어주었다. 부인은 그 젊은이가 그동안 자신에게 베풀어준 헌신적인 사랑에 감동했기에 모든 것을 다 줘도 아깝지 않을 것 같았다. 완전히 넘어간 라캥 부인은 로랑이 말하면 무조건 그의 편을 들었다.

결국 그 화가는 아틀리에를 빌리고 그 외에 들어가는 비용으로 한 달에 100프랑을 받기로 합의했다. 가계 예산은 다음과 같이 조정되었다. 집세와 살림살이에 드는 비용은 잡화점에서 버는 돈으로 충당하고, 로랑은 투자로 얻는 수익금

2천 몇백 프랑 중 일부를 아틀리에 임대료로 내고 그 외 부대 비로 매달 100프랑씩 가져간다. 그리고 투자 수익금에서 남은 돈은 공동으로 쓴다. 그렇게 하면 투자 원금에 손을 대지 않아도 될 것이다. 테레즈는 약간 안심했다. 그는 남편에게 합의한 금액 외에는 한 푼도 더 달라고 하지 않겠다는 다짐을 받아냈다. 테레즈는 자신의 서명 없이는 로랑이 4만 프랑에 손끝 하나 댈 수 없으니 어떤 서류에도 절대로 서명하지 않겠다고 단단히 마음먹었다.

바로 다음 날, 로랑은 한 달 전부터 눈여겨보았던 마자린가 아래쪽의 작은 아틀리에를 빌렸다. 테레즈에게서 멀리 떨어져서 평온하게 낮 시간을 보낼 피신처 하나 없이 직장을 그만두고 싶지는 않았던 것이다. 보름 뒤 그는 직장 동료들에게 작별을 고했다. 그리베는 그가 직장을 그만둔다는 소식에 어안이 벙벙했다. 그는 로랑을 '너무도 전도유망한 젊은이', '그리베 자신은 20년이 걸려서야 겨우 받을 수 있었던 봉급을 불과 4년 만에 받은 유능한 젊은이'라고 부르곤 했기에 그가 직장을 그만둔다는 사실에 안타까워했다. 로랑이 이제부터 그림에 전념할 거라고 말하자, 그는 더한층 놀랐다.

마침내 그 화가는 자신만의 아틀리에에 자리를 잡았다. 그 아틀리에는 가로세로 길이가 대략 5~6미터쯤 되는, 정사각형에 가까운 지붕 밑 다락방이었다. 가파르게 경사진 천장에 뚫린 큼지막한 천창이 바닥과 벽에 밝은 직사광을 던지는 곳이었다. 거리의 소음은 그 높은 곳까지 올라오지 않았다. 하늘 높이 입을 벌린 조용하고 휑한 방은 마치 동굴, 잿빛 진흙 속에 파놓은 지하 묘소 같았다. 로랑은 그 지하 묘소에 필요한 가구를 대충 들여놓았다. 짚이 다 떨어져 나간 낡은 의자 두 개를 갖다놓고, 테이블은 바닥에 미끄러지지 않도록 한쪽 벽에 붙여놓았다. 그리고 낡은 찬장과 물감 상자, 오래된 이젤도 가져다놓았다. 그 공간에서 그나마 사치스러운 물건이라고는 그가 골동품상에서 30프랑을 주고 산 커다란 침대 겸용 소파뿐이었다.

보름이 지나도록 그는 붓을 잡을 생각조차 하지 않았다. 8시에서 9시 사이에 도착해서 담배를 피우고 소파에 드러누워, 저녁까지 아직 남은 시간이 많다는 사실에 행복해하면서 정오가 되기를 기다렸다. 낮 12시가 되면 집으로 가서 점심을 먹은 뒤, 테레즈의 창백한 얼굴도 보기 싫고 한시바삐 혼자 있고 싶어서 서둘러 아틀리에로 돌아왔다. 그러고는 먹은 음식을 소화시키고 잠도 자면서 저녁까지 빈둥거렸다. 아틀리에는 그가 두려움에 떨지 않을 수 있는 평화의 장소였다. 어느 날 아내가 그의 소중한 피신처에 가봐도 되겠냐고 물었다. 그는 거절했다. 기어코 테레즈가 찾아와 아틀리에 문을 두드렸을 때도 그는 문을 열어주지 않았다. 저녁에 집에 돌아가서는 낮에 루브르 박물관에 갔었다고 둘러댔다. 그는 테레즈가 아틀리에로 카미유의 유령을 데리고 들어올까 봐 겁이 났다.

하지만 그렇게 빈둥거리며 지내는 생활도 점점 부담스러워졌다. 마침내 그는 캔버스와 물감을 구입해 그림을 그리기 시작했다. 모델을 고용할 만한 돈이 없어서 상상화를 그리기로 마음먹고, 사람 얼굴을 그렸다.

그뿐만 아니라 이제 그는 이전처럼 빈둥거리며 아틀리에에 처박혀 있지만은 않았다. 매일 아침 두세 시간 동안 그림을 그리고, 오후에는 파리 시내와 외곽 이곳저곳을 한가로이 거닐었다. 어느 날 그는 긴 산책을 하고 돌아오던 길에 학사원 앞에서 예전에 학교를 같이 다니던 친구를 만났다. 그 친구는 지난번 살롱전에서 꽤 호평을 받은 화가였다. 그가 로랑에게 반갑게 외쳤다.

"이런 세상에, 로랑 아닌가! 정말 몰라볼 뻔했어. 왜 이렇게 말랐어?"

"나 결혼했어." 로랑은 당황하며 대꾸했다.

"결혼했다고? 자네가! 그래서 이렇게 몰라보게 홀쭉해졌군. 그래, 요즘은 어떻게 지내?"

"작은 아틀리에를 빌렸어. 매일 아침나절에 그림을 조금씩 그려."

로랑은 결혼생활에 관해 몇 마디 하고 나서 들뜬 목소리로 앞으로의 계획을 늘어놓았다. 그 친구가 계속 놀란 표정으로 자기를 바라보자, 로랑은 내심 혼란스럽고 불안했다. 사실 그 화가 친구는 테레즈의 남편이 된 로랑이 자기가 예전에 알던 뚱뚱하고 평범한 사내와 너무 다르다는 생각을 하고 있었다. 그는 로랑이 멋있게 변했다고 생각했다. 야위고 창백한 얼굴은 고상한 분위기를 풍겼고, 몸매는 유연하고 기품 있어 보였다.

　　"그런데 자넨 정말 근사해졌군." 화가 친구는 감탄하지 않을 수 없었다. "옷도 요즘 유행하는 외교관 복장으로 쫙 빼입고 말이야. 그건 그렇고, 자넨 어떤 유파에 속하나?"

　　로랑은 친구가 엄청나게 부담스러웠지만, 그렇다고 갑자기 그를 따돌려버릴 수도 없었다.

　　"잠시 내 아틀리에에 가보겠나?" 그는 헤어질 생각을 하지 않는 친구에게 결국 그렇게 묻고 말았다.

　　"좋지." 친구가 대답했다.

　　로랑의 변신이 의아했던 화가는 그의 아틀리에를 구경해보고 싶었다. 물론 로랑이 새로 그리는 중이라는 그림이 궁금해서 5층까지 힘들게 올라가려는 건 아니었다. 로랑의 작품들은 보지 않아도 구역질이 날 게 뻔했으니까. 그는 단지 자기 호기심을 충족시키고 싶을 뿐이었다.

하지만 다락방으로 올라가 벽에 걸린 그림들을 본 순간, 그는 한층 더 놀라고 말았다. 거기에는 다섯 점의 그림이 걸려 있었는데, 힘찬 터치로 채색한 여인 초상화 두 점과 남자 초상화 세 점이었다. 그림들은 전체적으로 선이 굵고 견고했으며, 각각의 화폭은 회백색 바탕에 점묘법으로 화려하게 채색되어 있었다. 화가는 재빨리 그림 앞으로 다가섰다. 그리고 얼이 빠진 채, 자신의 놀라움을 감추려 하지도 않고 로랑에게 물었다.

"이걸 모두 자네가 그렸다고?"

"응." 로랑이 대답했다. "큰 화폭에 그리기 전에 인물들을 미리 습작해본 거야."

"설마! 농담하는 거 아냐? 이걸 정말로 자네가 그렸단 말이야?"

"그렇다니까! 왜 내가 그린 게 아니라고 생각하는 거지?"

화가는 감히 이런 속마음을 드러내지 못했다.

'이 그림들은 진정한 예술가의 작품이야. 저속한 칠장이에 불과하던 녀석이 어떻게 이런 대단한 그림을 그릴 수 있단 말인가.'

그는 한참 동안 그림들 앞에 말없이 서 있었다. 물론, 그것들은 서툰 습작이었다. 하지만 거기에는 누구도 흉내 내지 못할 독창성과 강력한 힘이 있었다. 작가의 예술적 감성이 엄청나게 발전할 가능성을 예고하는 작품이었다. 로랑의 친구는 완성작이 얼마나 훌륭할지 눈앞에 훤하게 그려지는 이런 습작은 여태껏 한 번도 본 적이 없었다. 이미 완성작을 본 것 같았다. 그림들을 주의 깊게 살펴본 뒤, 그는 로랑을 돌아보며 말했다.

"솔직히 말해서, 난 자네가 이런 그림을 그릴 수 있으리라고는 생각도 해본 적이 없어. 도대체 어디서 뭘 배운 거야? 하긴 이런 재능은 배워서 얻을 수 있는 것도 아니지만."

그리고 그는 로랑을 찬찬히 살폈다. 로랑의 목소리는 더 부드러워진 것 같았고, 몸짓 하나하나에 우아함 같은 것이 배어났다. 어떤 무시무시하고 끔찍한 충격과 고통이 이 사내의 감성을 예리하고 섬세하게 발달시켰다는 것을 그는 짐작조차 하지 못했다. 자세히 설명하긴 어렵지만, 카미유를 살해하며 일종의 기이한 현상이 일어난 게 분명했다. 로랑은 아마도 온몸과 정신을 뒤흔들어놓은 엄청난 충격에, 겁쟁이가 된 동시에 예술가가 된 것인지도 모른다.

이전에 그는 피의 무게에 짓눌려 숨을 헐떡였고, 짙은 안개처럼 그를 둘러싼 건강한 혈기 때문에 감성과 사고가 무디고 맹목적이었다. 하지만 지금 여윈 몸을 떠는 그는 불안한 열기와 신경증적인 기질을 가진 날카롭고 민감한 감수성의 소유자가 되었다. 공포에 짓눌린 삶을 살면서 일어난 정신 착란이 천재의 경지에까지 이르게 했다. 말하자면 몸과 정신을 송두리째 뒤흔들어놓는 그 신경증, 어떤 의미로는 '정신병'을 앓으면서 신기하게도 예술적 감각이 발달된 것이다. 살인을 저지른 이후로 그의 몸은 가벼워진 것 같았고, 산만하던 두뇌는 비범할 정도의 집중력을 얻게 된 듯했다. 그리고 사고가 갑자기 확장되면서 머릿속에는 미묘한 창조력과 시인의 몽상이 스치기 시작했다. 그렇게 해서 거동이 별안간 우아해지고 단번에 독창성과 생동감이 넘치는 작품을 그릴 수 있게 된 것이다.

그의 친구는 그가 어떻게 예술가로 다시 태어났는지 그 연유를 더는 알려고 하지 않았다. 그는 놀라움만 간직한 채 그곳을 떠났다. 방을 나서기 전에 그는 다시 한번 그림들을 바라보고 로랑에게 말했다.

"그런데 한 가지 지적할 게 있네. 자네 작품의 인물들이 모두 동일 인물처럼 보인다는 점이야. 여자들까지도 여장한 남자처럼 어딘지 모르게 거칠어 보여. 있지, 이 습작들로 대형 작품을 그리려면, 얼굴 모양이 서로 달라 보이도록 몇 군데 고쳐야 할 거야. 자네가 그린 인물들이 모두 쌍둥이일 리는 없잖아? 이대로 출품했다가는 웃음거리가 될 걸세."

아틀리에에서 나온 친구는 문 앞에서 웃으며 덧붙였다.

"이봐, 자네를 만나서 정말 기뻐. 오늘부터 난 기적을 믿기로 했네. 세상에! 자네가 이렇게 훌륭하게 변하다니, 정말 기적이 일어났어!"

그는 아래층으로 내려갔다. 로랑은 심한 당혹감을 느끼며 아틀리에로 돌아왔다. 친구가 습작의 인물들이 모두 닮아 보인다고 지적했을 때, 그는 얼굴에 핏기가 가시는 것을 감추려고 황급히 몸을 돌렸다. 그 친구가 그걸 지적하기 전에 이미 그 치명적인 유사성에 충격을 받은 적이 있기 때문이었다. 그는 천천히 그림 앞으로 가서 섰다. 그림들을 하나하나 차례로 바라보는 동안, 얼음처럼 차가운 땀이 그의 등줄기를 타고 흘러내렸다.

"그 친구 말이 맞아." 그는 중얼거렸다. "모두 서로 닮았어. 전부 카미유 같아⋯⋯."

그는 자기가 그린 얼굴들에서 눈을 떼지 못한 채 뒷걸음질 쳐 소파에 털썩 주저앉았다. 첫 번째 그림은 흰 수염을 길게 기른 노인의 얼굴이었다. 그 흰 수염 밑에서 그는 카미유의 여윈 턱을 보았다. 두 번째 그림은 금발의 소녀를 그린 것이었는데, 그 소녀도 카미유의 푸른 눈으로 그를 바라보았다. 다른 세 개의 얼굴도 각각 그 익사자의 특징을 지니고 있었다. 마치 노인 분장을 한 카미유, 소녀로 분장한 카미유 같았다. 화가의 마음에 들게 변장했지만 여전히 그의 특징을 지닌 얼굴들. 그 얼굴들에는 또 하나의 무시무시한 유사점이 있었다. 하나같이 고통에 시달리며 공포에 질린 것처럼 보이고, 똑같은 두려움에 짓눌린 것 같다는 점이었다. 모두 왼쪽 입가에 옅은 주름이 하나씩 있었는데, 그 주름살이 입술을 당겨 얼굴을 찡그린 것처럼 보이게 했다. 그것은 로랑이 익사자의 뒤틀린 얼굴에서 보았던 바로 그 주름이었다. 로랑은 자기가 그린 얼굴에 그 주름이 나타난 것을 알아차리고 놀랐다.

로랑은 시체공시소에서 자기가 카미유를 지나칠 정도로 유심히, 너무 오래 들여다보았다는 것을 깨달았다. 그 시체의 이미지가 너무도 깊이 머릿속에 새겨져서, 그의 손이 자기도 모르게 기억 속에 집요하게 맴도는 그 끔찍한 얼굴의 선을 그려낸 거였다.

소파에 기대어 몸을 뒤로 젖히고 있던 로랑은 그림 속의 인물들이 살아 움직이는 것을 언뜻 본 것 같았다. 눈앞에는 카미유가 다섯 명 있었다. 자신의 손이 열정적으로 창조해낸 다섯 명의 카미유. 무섭도록 기이하게 다양한 연령과 성별로 표현된 카미유들. 그는 벌떡 일어나 그림들을 박박 찢어 밖으로 내던졌다. 카미유의 초상화로 이 아틀리에를 가득 채우다가는 그 속에서 공포에 질려 죽을 것만 같았다.

그는 새로운 두려움에 사로잡혔다. 익사자의 얼굴 외에는 다른 어떤 얼굴도 그릴 수 없을 것 같다는 두려움이었다.

그는 자기 의지대로 손을 움직일 수 있는지 당장 확인해보고 싶어서 이젤 위에 흰 캔버스를 올려놓았다. 그런 다음 목탄으로 선을 몇 번 그어 얼굴을 그렸다. 역시 카미유와 흡사한 얼굴이었다. 로랑은 황급히 그림을 지워버리고 또 다른 얼굴을 그려보았다. 한 시간 동안 그는 자신의 손가락을 조종하는 숙명적인 힘과 맞서 싸웠다. 하지만 새로 시도할 때마다 익사자의 얼굴로 되돌아갔다. 아무리 애를 써서 손에 익은 선을 피하려 해도 헛일이었다. 그의 손은 이미 근육과 신경의 지배를 받아 의도와는 다르게 같은 선들을 화폭 위에 긋고 있었다. 그리는 순서를 바꿔, 재빨리 윤곽을 잡은 뒤 목탄으로 천천히 집중해서 그려보기도 했다. 하지만 결과는 똑같았다. 인상을 쓰면서 고통스러워하는 카미유가 끊임없이 모습을 드러냈다. 화가는 계속 다양한 얼굴을 그렸다. 천사의 얼굴, 후광을 두른 성모의 얼굴, 투구를 쓴 로마 병사의 얼굴, 발그레한 금발 아이의 얼굴, 흉터가 있는 늙은 도적의 얼굴. 하지만 언제나, 언제나 익사자가 다시 나타났다. 그 익사자는 차례차례로 천사, 성모 마리아, 병사, 아이, 도적이 되었다. 그래서 이번에는 캐리커처처럼 그려보려 했다. 인물의 특징을 과장될 정도로 강조해 그로테스크한 얼굴들을 만들어냈다. 그래도 결국에는 더욱더 끔찍한 카미유의 초상화가 되고 말 뿐이었다. 마침내 그는 동물들, 개와 고양이를 그려보았지만 개와 고양이마저 어딘지 모르게 카미유를 닮은 모습이었다.

로랑은 억누를 수 없는 분노에 사로잡혔다. 그는 계획했던 대형 작품은 결코 그릴 수 없을 거라고 절망하면서 주먹으로 캔버스에 구멍을 뚫어버렸다. 더 이상 생각할 필요도 없었다. 그는 이제 카미유의 얼굴밖에는 그리지 못할 것이고, 그의 친구가 말한 것처럼 쌍둥이처럼 닮은 얼굴만 그려서 웃음거리가 될 게 분명했다. 그는 자신의 작품이 어떻게 될지 상상했다. 자기가 그릴 남자들과 여자들의 어깨 너머로 그 익사자의 창백하고 끔찍한 얼굴이 보였다. 자신의 그림이 사람들의 조롱거리로 전락한, 이상하고도 불쾌한 광경이 머릿속에 떠오르자 그는 화를 참을 수 없었다.

더 이상 그림을 그릴 엄두가 나지 않았다. 붓을 들기만 하면 희생자가 되살아날까 두려웠다. 아틀리에에서 평화롭게 지내려면, 절대로 그림을 그려서는 안 될 것 같았다. 자신의 손가락이, 저절로 카미유의 초상화를 끊임없이 재생산해내는 불가항력적 능력을 갖고 있다는 생각이 들었다. 그는 공포에 떨며 자신의 손을 들여다보았다. 손이 더는 그의 것이 아닌 것 같았다.

26

라캉 부인의 병세가 급격히 악화되었다. 몇 달 전부터 팔다리에서 시작된 마비 증세가 느닷없이 목 밑까지 올라오면서 온몸을 움직일 수 없게 되었다. 어느 날 세 식구가 조용히 저녁 시간을 보내고 있을 때였다. 라캉 부인은 무슨 말을 하다가 갑자기 입을 벌린 채 그대로 굳어버렸다. 마치 누군가가 부인의 목을 조르는 것 같았다. 소리를 질러 도움을 청하고 싶었지만, 켁켁거리는 소리만 띄엄띄엄 내뱉을 수 있을 뿐이었다. 혀가 돌처럼 굳고 손과 발도 뻣뻣해졌다. 라캉 부인은 느닷없이 말 한마디 못 하고 몸도 꼼짝달싹할 수 없게 되었다.

테레즈와 로랑은 잡화상 노파를 삽시간에 비틀어놓은 뜻밖의 날벼락에 놀라서 벌떡 일어났다. 전신이 뻣뻣하게 굳은 노파가 애원하는 눈길로 그들을 뚫어지게 바라봤다. 그들

은 라캉 부인에게 갑자기 왜 그러느냐고 연거푸 물으며 고통
의 원인을 알아내려 했다. 하지만 부인은 한마디도 하지 못
한 채 더없는 공포를 느끼며 그들을 계속 쳐다보기만 했다.
그들은 눈앞에 있는 존재가 시체와 다를 바 없다는 사실을
깨달았다. 그들을 쳐다보고 그들의 말을 듣기는 하지만 말을
하지는 못하는 산송장이나 다름없는 존재. 그 갑작스러운 증
상 악화에 두 사람은 절망했다. 사실 그들은 마비 환자의 고
통에는 별로 개의치 않았다. 그들이 걱정하는 건 이제부터
영원히 단둘이 마주 보며 살아야 하는 처지가 되었다는 사실
이었다.

　　그날부터 부부의 삶은 더욱더 견딜 수 없는 것이 되었
다. 그들은 더 이상 나긋나긋한 장광설로 그들의 공포를 잠
재워주지 못하는 늙은 마비 환자를 앞에 두고 끔찍한 저녁
시간을 보내야 했다. 늙은 여자는 마치 봇짐이나 물건 꾸러
미처럼 안락의자에 누워 있었고, 그들은 불안해하면서 식탁
양쪽 끝에 앉았다. 시체나 다름없는 그 사람은 이제 그들을
떼어놓지 못했다. 때때로 그들은 산송장이 그곳에 있다는 사
실을 잊어버리기도 하고, 간혹 가구와 혼동하기도 했다. 그
렇게 극심한 밤의 공포가 그들을 완전히 사로잡았다. 이제
식당도 그들의 방처럼 카미유의 유령이 출몰하는 무시무시
한 장소가 되어버렸다. 그래서 그들은 하루에 네다섯 시간을

더 고통받아야 했다. 그들은 해가 지는 순간부터 부들부들 떨면서 서로의 얼굴을 보지 않으려고 램프 갓을 최대한 내렸다. 그리고 라캥 부인이 이제 곧 입을 열고 자기가 그곳에 있다는 사실을 환기시켜줄 거라고 애써 믿으려 했다. 그들이 라캥 부인을 버리지 않고 보살피는 이유는, 부인의 눈만큼은 아직도 살아 있기 때문이었다. 그 눈이 때때로 움직이고 반짝이는 것을 보면서 얼마간 안도감을 느낄 수 있었다.

그들은 사지가 마비된 노파를 항상 램프 바로 아래에 앉혀놓았다. 램프 불빛이 부인의 얼굴을 밝게 비추게 해서 그가 여전히 그들 곁에 있다는 것을 확인하려 했다. 다른 이들에게는 늘어지고 핏기 없는 얼굴이 견디기 힘든 추한 모습이었겠지만, 그들은 부인이 있어서 진정으로 다행스러워했다. 눈길을 둘 수 있는 그 존재가 반드시 곁에 있어야 한다고 생각했다. 라캥 부인의 얼굴은 마치 죽은 여자의 뭉그러진 얼굴에 살아 있는 사람의 두 눈을 박아 넣은 것 같았다. 두 눈만이 빠르게 구르면서 움직였고, 두 뺨과 입은 소름 끼칠 정도로 돌처럼 완전히 굳은 상태였다. 잠에 빠져들면서 눈을 감을 때면, 소리 하나 내지 않는 라캥 부인의 새하얀 얼굴은 말 그대로 시체의 그것이었다. 이제 자신들 옆에 아무도 없다는 생각에 겁이 난 테레즈와 로랑은 그 마비 환자가 눈꺼풀을 들어 올리고 자신들을 쳐다볼 때까지 시끄럽게 소리를 냈다.

그렇게 그들은 라캥 부인이 계속 깨어 있게 했다.

그들은 라캥 부인을 자신들을 끔찍한 악몽에서 끌어내 주는 일종의 기분 전환용 도구로 여겼다. 부인이 말도 못 하고 팔다리도 못 쓰게 되자 그들은 부인을 갓난아이 다루듯 돌봤다. 정성을 다해 보살피면서 머릿속 잡념을 떨쳐낼 수 있었다. 아침마다 로랑이 라캥 부인을 침대에서 들어 올려 안락의자에 앉혔고, 저녁이면 다시 침대에 뉘었다. 라캥 부인은 꽤 무거워서, 두 팔로 안아 조심스럽게 옮기려면 굉장히 힘이 들었다. 부인의 안락의자를 이리저리 옮기는 것도 로랑의 몫이었다. 그 밖의 일들은 테레즈가 맡아 했다. 테레즈는 옷을 입혀주고, 음식을 먹여주며, 늙은 불구자가 원하는 이런저런 것들을 어떻게든 알아듣고 챙겨주려 애썼다. 처음 며칠 동안은 부인도 손을 쓸 수 있었기 때문에, 석판에다 글을 써서 자기가 원하는 것을 요구했다. 하지만 그 후로 두 손마저 못 쓰게 되어 백묵조차 쥘 수 없었다. 그때부터 부인은 눈으로 말했고, 조카는 그가 원하는 것을 짐작해내야 했다. 젊은 여자는 간병인이라는 고된 역할에 혼신을 기울였다. 그 일은 그의 육체와 정신에 큰 도움이 되었다.

부부는 어떻게든 둘만 있는 자리를 피하려고 날이 밝자마자 제일 먼저 가련한 노부인을 식당으로 데려와 안락의자에 앉혔다. 그들은 마치 그 노파가 삶에 꼭 필요한 존재라는 듯이 자신들 사이에 데려다 놓았다. 그리고 반드시 그가 보는 앞에서 식사를 하고 얼굴을 마주했다. 라캥 부인이 자기 방으로 가고 싶다는 뜻을 내비칠 때에도 그들은 알아듣지 못한 척했다. 부인은 오직 그들이 단둘이 마주하지 않도록 하는 데에만 쓸모가 있었다. 늙은 불구자에게는 그들과 따로 떨어져 살 권리가 없었다.

8시가 되면 로랑은 아틀리에로 갔고, 테레즈는 가게로 내려갔다. 전신 마비 환자는 정오까지 식당에 혼자 남아 있었다. 그리고 점심 식사가 끝난 다음, 다시 오후 6시까지 혼자 있었다. 낮 동안 자주 테레즈가 올라와 주위를 돌아보면서 부족한 게 없는지 확인했다. 저녁 모임의 손님들은 테레즈와 로랑의 효심을 입이 닳도록 칭찬했다.

목요일의 저녁 모임은 계속되었고, 전신이 마비된 늙은 여자도 이전처럼 그 자리에 참석했다. 그가 앉은 안락의자는 테이블에 바짝 당겨져 있었다. 저녁 8시부터 11시까지 라캥 부인은 꿰뚫어 보는 듯한 눈빛으로 손님들을 하나하나 바라보았다. 처음 얼마 동안 미쇼 영감과 그리베는 송장이나 다름없는 그를 보고 적잖이 당황했다. 그들은 어떤 태도를 취해야 할지 몰라 어정쩡하게 슬픔을 표시할 뿐이었다. 그러면서 속으로 얼마큼 슬퍼해야 좋을지 생각했다. 죽은 거나 다름없어 보이는 그 얼굴에 말을 걸어야 할까? 아니면 완전히 모르는 척해야 할까? 그들은 차츰 라캥 부인에게 아무 일도 일어나지 않은 것처럼 대하는 편을 택했다. 그러다가 마침내 부인의 상태를 완전히 모르는 척하기에 이르렀다. 그들은 라캥 부인의 굳은 표정에 당황하는 기색을 전혀 내비치지 않으면서 그에게 묻고 답하고 이야기를 나누고 웃고 떠들었다. 참으로 기이한 광경이었다. 마치 여자아이들이 인형에게 말하거나 돌로 만든 조각상과 조곤조곤 대화를 나누는 것 같았다. 마비 환자는 그들 앞에서 줄곧 뻣뻣하게 굳은 채 말이 없었지만, 그들은 수다를 떨고 이런저런 몸짓을 해가면서 그와 아주 흥겹게 대화를 나누는 척했다. 미쇼 영감과 그리베는 자신들의 태도가 훌륭하다고 자화자찬했다. 그들은 그렇게 처신하는 것이 예의 있는 행동이라고 생각했다. 그뿐만 아니라 그들은 의례적인 병문안 인사 같은 것으로 분위기를 망치는 짓도 하지 않았다. 라캥 부인은 사람들이 자기를 멀쩡한 사람처럼 대하는 걸 더 좋아할 거라고 그들은 확신했다. 그래서 그들은 이제 부인 앞에서도 조금도 아랑곳하지 않고 마음껏 즐거워할 수 있었다.

그런데 그리베가 얼토당토않은 아집을 부렸다. 자기는 라캥 부인과 자유자재로 의사소통을 할 수 있으며, 눈빛만 봐도 뭘 원하는지 단박에 알아차릴 수 있다는 거였다. 그는 세심하게 관심을 기울이기만 하면 얼마든지 알 수 있는 일이라며 큰소리를 쳤다. 하지만 문제는 그리베의 추측이 번번이 빗나간다는 사실이었다. 그는 툭하면 도미노 게임을 중단시키고, 눈으로 게임을 조용히 따라오던 마비 환자를 살펴보고는 부인이 이런저런 것을 원한다고 말하곤 했다. 하지만 확인해보면 라캥 부인은 아무것도 원하지 않거나 그리베가 말한 것과는 전혀 다른 뭔가를 원한다는 사실이 드러났다. 그런데도 그리베는 기가 죽기는커녕 오히려 의기양양하게 "거봐요, 내 말이 맞잖아요!"라고 외치곤 했다. 그래놓고 5분쯤 지나면 또 그런 짓을 되풀이했다. 불구자가 공공연하게 뭔가를 원한다는 뜻을 드러낼 때는 상황이 완전히 달라졌다. 테레즈, 로랑, 손님들은 그가 원할 만한 것들을 차례로 나열했다. 그럴 때도 다른 사람들은 한두 번씩 맞추곤 하는 데 비해 그리베는 내놓는 의견마다 거짓말처럼 틀렸다. 그는 머릿속에 떠오르는 것을 무턱대고 내뱉었는데, 항상 라캥 부인이 원하는 것과는 완전히 다른 것이었다. 하지만 그는 꿋꿋하게 이런 말을 되풀이했다.

"난 말이죠, 책을 읽는 것처럼 부인의 눈을 읽는답니다. 자, 보세요. 부인이 내 말이 맞다고 하잖아요. 그렇죠, 부인? 그래요, 그래."

하기야 그 가엾은 노파가 뭘 원하는지 간파하기란 쉬운 일이 아니었다. 그런 능력을 가진 건 테레즈뿐이었다. 라캥 부인은 죽어버린 살 깊숙이 매몰되었지만 정신은 아직 지나치게 또렷했다. 삶에 참여하지 못하면서 딱 삶을 지켜볼 수 있을 정도로만 살아 있는 그 비참한 여자의 내면에서 무슨 일이 일어났을까? 라캉 부인은 사람들이 하는 행동이나 말을 보고 들을 수 있었고, 아마 생각도 멀쩡하게 할 수 있었지만, 더 이상 자신의 생각을 말이나 몸짓으로 표현할 수 없었다. 그래서 몹시 답답한 것 같았다. 설령 운명이 그의 몸짓이나 한마디 말로 결정된다 하더라도, 그는 손을 들어 올릴 수도, 입을 열 수도 없었다. 라캉 부인의 정신은 마치 실수로 매장되었다가 땅속 2~3미터의 캄캄한 어둠 속에서 깨어난 그런 사람의 정신과 같았다. 소리를 지르며 버둥거리지만 사람들은 그의 끔찍한 비명을 듣지 못한 채 그 위를 지나갈 것이다. 입을 꼭 다물고 두 손을 무릎 위에 늘어뜨린 채, 유일하게 살아 움직이는 민첩한 눈에 모든 생명력을 담은 라캉 부인을 로랑은 틈틈이 바라보면서 이렇게 생각하곤 했다.

"저 늙은이가 혼자서 무슨 생각을 하는지 누가 알겠어. 분명히 저 산송장의 마음속에서는 어떤 잔인한 비극이 벌어지겠지."

하지만 로랑의 생각은 틀렸다. 라캉 부인은 행복했다. 사랑하는 조카 내외의 극진한 보살핌과 사랑에 행복을 느꼈다. 라캉 부인은 이처럼 헌신과 사랑을 받으며 천천히 생을

298

마감하기를 항상 꿈꿔왔다. 물론, 할 수만 있다면 자기가 평온하게 죽어갈 수 있도록 도와주는 사람들에게 고맙다는 말을 하고 싶었을 것이다. 하지만 그는 자신의 상태를 담담하게 받아들였다. 지금까지 계속 평온하고 호젓한 삶을 살아왔고 성격 또한 온화했기 때문에, 온몸이 마비되고 말도 할 수 없는 상태가 되어도 그 고통을 그리 힘들지 않게 받아들일 수 있었다. 라캥 부인은 어린아이로 되돌아가 눈앞에서 일어나는 일들을 바라보고 지난날을 회상하며 지루하지 않게 하루하루를 보냈다. 심지어 어린아이처럼 안락의자에 다소곳이 앉아 세상을 바라보는 것에서 마침내 즐거움을 맛보기까지 했다.

부인의 눈은 언제나 온화하고 상대방의 마음을 읽는 듯 투명한 빛을 띠었다. 그리고 뭔가를 부탁하거나 고마움을 표시할 때는 눈을 손이나 입처럼 사용할 수 있게 되었다. 그는 특이하고 매혹적인 방식으로, 기능을 상실한 자신의 신체 기관을 보완해나갔다. 탄력을 잃고 쭈글쭈글하게 주름이 진 얼굴이지만 두 눈만큼은 이 세상의 것이 아닌 것처럼 아름다웠다. 뒤틀려 움직이지 않는 입술이 더 이상 미소를 지을 수 없게 된 이후로, 그는 사랑이 듬뿍 담긴 자애로운 눈으로 미소를 지었다. 그 눈에서 촉촉한 빛이 비치기도 했고, 새벽빛 같은 빛줄기들이 쏟아져 나오기도 했다. 그 마비된 얼굴에서 입처럼 웃는 눈보다 더 기이한 건 없었다. 그 얼굴의 아래쪽은 활력을 잃고 창백했지만, 위쪽은 더없이 환하게 빛났다. 그가 그렇게 단 하나 남은 의사 표현 수단인 눈길에 자신의 진심 어린 애정과 고마움을 한껏 담아 바라보는 대상은 다른 누구도 아닌, 사랑하는 자식들이었다. 아침저녁으로 로랑이 그를 옮기려고 두 팔로 안아 들 때, 부인은 사랑이 듬뿍 담긴 자애롭고 다정한 시선으로 그에게 고마움을 표했다.

라캥 부인은 이제 자기 삶에 더 이상의 불행은 없으리라 생각하고 조용히 죽음을 기다리면서 몇 주일을 보냈다. 그는 자기 몫의 고통은 이미 다 치렀다고 생각했다. 하지만 그것은 오산이었다. 어느 날 저녁, 몸서리쳐지는 충격이 그를 완전히 으스러뜨리고 말았다.

테레즈와 로랑이 아무리 환한 불빛 아래 부인을 앉혀둔다 해도, 부인은 이제 그들을 불안하지 않게 해줄 만큼 생생한 존재가 아니었다. 결국 그들은 부인이 거기에 앉아 자신들을 바라보고 이야기를 듣는다는 사실을 잊어버리게 되었고, 광기에 사로잡혀 눈앞에 나타난 카미유를 쫓아내려 안간힘을 썼다. 그러다가 입속으로만 중얼거리던, 범행을 자백하는 말들이 무의식 중에 밖으로 새어 나오고 말았다. 뜻하지 않게 라캥 부인에게 모든 것을 폭로해버린 셈이었다. 로랑은 일종의 발작을 일으키면서 환각에 사로잡힌 사람처럼 말을 쏟아냈다. 마비 환자는 느닷없이 모든 것을 알아차리게 되었다.

라캥 부인의 얼굴에 소름 끼치는 경련이 일었다. 엄청난 충격에 몸이 부르르 떨렸다. 테레즈는 부인이 금방이라도 벌떡 일어나 고함을 내지를 거라 생각했다. 하지만 라캥 부인은 다시 납처럼 굳어버렸다. 그 충격은 시신에 전기 충격을 가하는 것보다 훨씬 더 끔찍한 것이었다. 한순간 되살아났던 감각은 순식간에 사라져버렸다. 라캥 부인은 더욱더 생기를 잃고 창백해졌다. 그토록 온화했던 눈이 순식간에 검어지면서 금속 조각처럼 딱딱해졌다.

절망이 한 존재에게 이보다 더 우악스럽게 휘몰아친 적은 결코 없었다. 흉악한 진실이 번개처럼 전신 마비 환자의 눈을 불태우고 그의 가슴에 벼락을 내리꽂았다. 만약 그가 일어나서 목구멍까지 차오른 공포의 비명을 내지르고 아들을 죽인 살인자들을 저주할 수 있었더라면, 그의 고통은 덜했을 것이다. 하지만 모든 걸 듣고 다 알게 되었어도 그는 터질 것 같은 고통을 안은 채 한마디 말도 할 수 없었다. 손가락 하나 움직이지 못하고 그대로 있어야 했다. 라캥 부인은 테레즈와 로랑이 자기가 덤벼들지 못하도록 안락의자에 꽁꽁 묶어놓고 흐느낌마저 새어 나오지 못하게 입에 재갈을 물린 뒤 "우리가 카미유를 죽였어."라는 말을 되풀이하며 잔인하게 즐기는 것 같다고 생각했다. 격심한 공포, 말할 수 없는 불안이 출구를 찾지 못한 채 부인의 몸속에서 사납게 요동쳤다. 그는 자신을 짓누르는 고통과 불안의 돌덩어리를 들어올리고 목구멍을 비워 절망의 물결이 터져 나올 통로를 만들려고 안간힘을 썼다. 그렇게 마지막 남은 힘을 끌어모았지만 차디찬 혀는 입천장에 붙어 있을 뿐, 아무런 소용이 없었다. 그는 마비 상태에서 빠져나올 수 없었다. 무력한 시체처럼 뻣뻣하게 굳어 있을 따름이었다. 부인의 감각은 마비 상태에서 온몸이 결박당하고 입이 틀어 막힌 채 흙구덩이에 파묻혀 머리 위로 흙을 퍼붓는 둔탁한 삽질 소리를 듣는 사람의 그것과도 같았다.

　라캥 부인의 마음에 가해진 타격은 더욱더 끔찍했다. 그는 가슴속에서 뭔가가 와르르 무너지면서 자신이 산산조각 나는 것을 느꼈다. 인생 전체가 한순간에 황폐해져버렸다. 자신의 모든 애정, 선의, 헌신이 난폭하게 뒤집히고 짓이겨졌다. 라캥 부인은 평생 다정하고 온화하며 애정이 가득한 삶을 살아왔다. 그런 그가 삶의 막바지에 이르러 조용하고 행복한 삶에 관한 믿음을 무덤까지 가져가려 할 때, 어떤 목소리가 그 모든 것이 거짓이고 죄악이라고 그에게 외쳐댔다. 베일이 찢어지면서, 그가 믿어왔던 사랑과 우정 너머로 피와 치욕으로 얼룩진 끔찍한 광경이 드러났다. 소리 내어 말할 수만 있었더라면, 그는 신에게 저주를 퍼부었을 것이다. 신은 그를 온순하고 착한 여자아이 취급하며, 거짓 그림들로 즐겁게 해주면서 60년이 넘도록 속여왔다. 그래서 그는 온갖 터무니없는 것들을 바보같이 믿으면서 실제로는 삶이 피로 물든 진창 속으로 위태롭게 끌려간다는 것도 전혀 알아차리지 못한 채, 아무것도 모르는 어린아이처럼 살아온 것이다. 신은 잔인했다. 그에게 좀 더 일찍 진실을 알려주거나, 아니면 그가 끝까지 아무것도 모르고 순진한 그대로 이 세상에서 사라지게 내버려뒀어야 했다. 이제 라캥 부인은 사랑과 우정을 부인하고 헌신을 부정하면서 죽음을 기다릴 수밖에 없었다. 남은 것은 살인과 색욕뿐이었다.

세상에! 카미유는 테레즈와 로랑의 손에 죽었다. 더욱이 그 두 사람은 음탕하게 간통을 저지르다가 그 범죄를 생각해 냈다. 라캥 부인으로서는 생각조차 할 수 없고 제대로 그려볼 수도, 이해할 수도 없는 그런 심연과도 같은 일이었다. 그는 끝없이 추락하는 듯한 무시무시한 감각만을 느낄 뿐이었다. 시커멓고 차가운 구렁텅이로 떨어지는 것 같았다.

'나는 이제 곧 저 밑바닥으로 떨어져 산산조각이 날 거야.' 그는 생각했다.

최초의 충격이 지나간 뒤에도 그 끔찍한 범죄가 도무지 믿어지지 않았다. 하지만 이해할 수 없었던 두 사람의 사소한 행동들을 되짚어본 끝에 간통과 살인이 확실하다는 결론에 도달하자, 그는 자신이 미쳐버리지 않을까 겁이 났다. 자신이 키운 테레즈가, 자신이 친아들처럼 아끼고 믿었던 로랑이, 카미유를 죽인 살인자들이었다. 그런 생각이 라캥 부인의 머릿속에서 굉음을 일으키며 거대한 수레바퀴처럼 돌아갔다. 그는 너무도 끔찍하고 구역질 나는 정황을 세세하게 추측했고, 테레즈와 로랑의 엄청난 위선을 깊이 파고들면서 잔인하고 아이러니한 이중적인 광경을 머릿속으로 목격했다. 더는 생각하고 싶지 않아 차라리 이대로 죽어버리고 싶었다. 단 한 가지 생각, 기계처럼 무자비하게 맴도는 한 가지 생각이 맷돌처럼 묵직하고 끈질기게 그의 뇌를 짓이겼다. 라캥 부인은 같은 생각을 되풀이했다.

'내가 사랑으로 키운 아이들이 내 아들을 죽였다.'

자신의 절망을 표현할 말을 그것 말고는 달리 찾을 수 없었다.

급격한 혼란을 겪으면서도 어떻게든 정신을 차려보려 했지만 더 이상 어찌할 도리가 없었다. 그는 난폭하고도 갑작스럽게 들이닥친 복수심에 계속 짓눌려 지냈고, 그 생각이 이제까지 유지해온 선량한 마음씨를 완전히 몰아내버렸다. 그렇게 그의 내면은 암흑처럼 캄캄해졌다. 라캥 부인은 죽어가는 자신의 몸 안에서 새로운 존재가 태어나는 것을, 아들을 살해한 자들을 발기발기 물어뜯고 싶어 하는 냉혹하고 잔인한 존재가 태어나는 것을 느꼈다.

테레즈와 로랑의 목을 조르고 싶은 갈망에 애가 탔지만 그들의 목덜미에 덤벼들 수 없다는 것을 깨달으면서, 그는 온몸을 무겁게 짓누르는 마비 증세에 굴복하고 침묵을 지킬 수밖에 없었다. 굵은 눈물방울이 부인의 눈에서 천천히 굴러 떨어졌다. 그 말 없는 부동의 절망만큼 가슴 아픈 것은 아무것도 없을 것이다. 주름살 하나 움직이지 못하는 죽은 얼굴 위로 뚝뚝 흘러내리는 눈물과 온 얼굴로 울 수조차 없어 그저 눈으로만 오열하는 무력하고 파리한 얼굴은 가슴을 에는 비통한 광경을 만들어냈다.

테레즈는 겁이 나면서도 측은한 마음이 들었다.

"침대에 눕혀야겠어." 그가 고모를 가리키며 말했다.

로랑은 황급히 안락의자를 끌며 늙은 마비 환자를 침실로 데려갔다. 그가 자신을 들어 올리려고 몸을 숙인 순간, 라캥 부인은 강력한 용수철 같은 힘이 자기 발에 실리기를 간절히 바라며 안간힘을 다했다. 로랑이 자신을 끌어안는 건 신도 용납할 수 없는 일이라고 생각했다. 로랑이 그런 파렴치한 행동을 한다면 하늘에서 벼락을 내리칠 것이라 그렇게 생각했지만, 그 어떤 힘도 그에게 실리지 않았고, 하늘은 벼락을 보류했다. 여전히 부인은 빨래 더미처럼 꼼짝달싹 못한 채 무력하기만 했다. 부인은 살인자의 팔에 들려 옮겨질 수밖에 없었다. 아무런 저항도 못하고 카미유를 살해한 자의 팔에 몸을 맡긴 자신의 처지가 너무도 괴로웠다. 그의 머리가 로랑의 어깨 위에서 힘없이 흔들렸다. 그는 공포에 휩싸인 눈으로 로랑을 바라보았다.

"그래, 노려보고 싶으면 실컷 노려봐." 그가 속삭였다. "그런다고 눈으로 날 잡아먹지는 못할걸."

그러고는 로랑은 부인을 거칠게 침대 위에 내동댕이쳤다. 마비 환자는 그대로 실신했다. 부인이 마지막으로 한 생각은 공포와 혐오였다. 이후로도 매일 아침저녁으로 추잡한 로랑의 포옹을 감내해야만 할 터였다.

27

그들 부부가 라캥 부인 앞에서 큰 소리로 떠들며 진실을 털어놓게 된 것은 순전히 공포에 질려 제정신을 잃었기 때문이었다. 그들 중 어느 쪽도 천성적으로 그렇게까지 잔인하지는 않았다. 만약 말을 하지 않고도 그 발작을 견뎌낼 수 있었더라면, 그들은 라캥 부인 앞에서 그처럼 잔인하게 진실을 털어놓지는 않았을 것이다.

다음 목요일, 두 사람은 평소와 달리 무척 불안했다. 그날 아침 테레즈는 로랑에게 저녁 모임 동안 라캥 부인을 식당에 두어도 괜찮을지 물었다. 테레즈는 모든 것을 알게 된 그가 사람들에게 뭔가 신호를 보낼지도 모른다고 생각했다.

"설마!" 로랑이 대답했다. "당신 고모는 새끼손가락 하나도 움직일 수 없는걸. 그런 사람이 무슨 수로 떠들어댈 수 있겠어?"

"무슨 수를 찾아낼지도 몰라." 테레즈가 대답했다. "그날 이후로 고모 눈에서 뭔가 냉혹한 생각을 읽었어."

"아니야. 의사가 당신 고모는 이제 다 틀렸다고 했어. 행여 다시 소리를 낼 수 있게 된다 하더라도, 그건 아마 죽기 직전에 마지막 숨이 넘어가는 소리일 거야. 이제 얼마 남지 않았어. 오늘 저녁 모임에 저 노인네를 참석하지 못하게 하려고 또다시 가슴 졸이는 상황을 만드는 건 어리석은 짓이야."

테레즈는 몸을 떨었다.

"내 말을 이해하지 못하는군." 테레즈가 소리를 질렀다. "아, 그래! 당신 말이 맞아. 나도 더 이상 피 묻히는 짓은 하고 싶지 않아. 내 말은, 고모를 방에 가둬두고 사람들한테는 상태가 더 나빠져서 잠들었다고 둘러댈 수도 있다는 거였어."

"아주 멋진 생각이군." 로랑이 비꼬며 말했다. "그러면 그 멍청한 미쇼 영감이 자기 친구의 상태를 봐야겠다고 바득바득 우기며 그 방으로 들어가겠지. 그래, 우리를 파멸시킬 아주 탁월한 방법이겠어."

그는 잠시 머뭇거렸다. 그리고 애써 침착한 척하며 더듬거리는 말투로 말을 이었다.

"그냥 평소처럼 내버려두는 게 더 나아. 그들은 하나같이 멍청이들이야. 분명히 말 못하는 노파의 절망을 전혀 알아차리지 못할 거야. 절대로 의심하지 않을 거라고. 그런 일은 꿈에도 생각해본 적이 없을 테니까. 우리의 경솔한 행동 때문에 마음을 졸이게 됐지만, 오늘 하루만 잘 넘기면 다음부턴 마음 편히 지낼 수 있을 거야. 두고 봐. 다 잘될 테니까."

저녁에 손님들이 왔을 때, 라캥 부인은 평소대로 난로와 식탁 사이에 앉아 있었다. 로랑과 테레즈는 언젠가는 일어날 수밖에 없는 일을 초조히 기다리면서 떨림을 감추고 기분이 아주 좋은 척했다. 그들은 램프의 갓을 아주 낮게 낮추어 놓았다. 기름 먹인 식탁보만 불빛을 받아 번들거렸다.

손님들은 도미노 게임을 시작하기 전에 늘 시시한 잡담을 떠들썩하게 나눴다. 그리베와 미쇼 영감은 관례처럼 잊지 않고 마비 환자의 건강 상태를 물었고, 또 늘 그래왔듯이 상태가 많이 좋아졌다며 스스로 대답을 내놓았다. 그러고 나서 그 가엾은 노파를 더 이상 거들떠보지 않고 즐겁게 게임에 빠져들었다.

끔찍한 비밀을 알게 된 이후로 라캥 부인은 그날 저녁 모임을 애타게 기다려왔다. 그는 죄인들을 고발하려고 마지막 남은 힘을 끌어모았다. 그는 저녁 모임에 참석하지 못하게 될까 봐 두려워했었다. 로랑이 자기를 어딘가로 보내버리거나 어쩌면 죽일 수도 있다고, 아니면 적어도 방에 가둬둘 거라고 생각했다. 그런데 뜻밖에도 로랑은 라캥 부인을 제자리에 그대로 앉혀두었다. 모임 사람들 앞에 있게 되자, 부인은 이제 곧 아들의 복수를 할 수 있다는 생각에 뜨거운 기쁨을 느꼈다. 혀가 완전히 굳어버렸기에, 새로운 방법으로 소통을 시도했다. 그는 놀라운 의지력으로 순간적인 힘을 실어, 맥없이 놓여 있던 오른손을 무릎에서 아주 약간 들어 올리는 데 성공했다. 그런 다음 그 손을 자기 앞에 있는 테이블 다리를 따라 조금씩 기어 오르게 해서, 마침내 테이블보 위에 올려놓았다. 거기서 그는 관심을 끌려는 듯 손가락을 아주 약하게 움직였다.

게임에 정신이 팔린 사람들은 뒤늦게 테이블 위에서 마비된 흰 손을 발견하고 소스라치게 놀랐다. 신이 나서 더블식스를 내놓으려 하던 그리베는 두 팔을 허공에 둔 채로 동작을 딱 멈췄다. 중풍에 걸린 이후로 라캉 부인이 손을 움직이지 못한다는 건 모두가 아는 사실이었다.

"어! 이것 보세요, 테레즈!" 미쇼 영감이 소리쳤다. "라캉 부인 좀 봐요. 손가락을 움직여……. 분명히 원하는 게 있는 거야."

테레즈는 뭐라고 대답하지 못했다. 로랑과 마찬가지로 그도 마비 환자의 뼈를 깎는 듯한 노력을 아까부터 줄곧 지켜보고 있었다. 무언가를 말하려는 듯 복수심에 가득 찬 희끄무레한 손은 램프의 강렬한 불빛을 받아 더욱 창백해 보였다. 두 살인자는 숨을 헐떡이면서 기다렸다.

"맞아요, 맞아!" 그리베가 말했다. "뭔가를 원하는 거야. 오! 부인과 나는 뜻이 잘 통해요. 도미노 게임을 하고 싶은 거야. 그렇죠, 부인?"

라캥 부인은 맹렬하게 아니라는 표시를 했다. 그는 있는 힘을 다해 손가락 하나를 펴고 나머지 손가락들은 접었다. 그리고 테이블 위에 가까스로 획을 그어 글자를 쓰기 시작했다. 하지만 글자가 제대로 써지지 않았다. 그때 그리베가 또다시 무슨 뜻인지 알겠다는 듯 큰 소리로 외쳤다.

"아, 알았어요. 나보고 더블식스를 내라는 거야."

마비 환자는 늙은 철도국 직원에게 무시무시한 눈길을 던지고는, 자기가 쓰려던 낱말을 다시 쓰기 시작했다. 하지만 그리베는 번번이 그럴 필요 없다고, 자기가 벌써 다 알아차렸다고 말하면서 계속 엉터리 추측을 내놓았다. 미쇼 영감이 마침내 그의 입을 다물게 했다.

"이런 젠장! 라캥 부인이 말하도록 그냥 놔둬. 말해보세요, 부인."

그리고 미쇼 영감은 마치 귀를 기울이는 것처럼 몸을 굽혀 테이블보 위를 들여다보았다. 하지만 마비 환자의 손가락은 지칠 대로 지친 상태였다. 열 번도 넘게 한 단어를 다시 쓰다가 더 이상 움직이지 못하고 떨면서 이리저리 헤맸다. 미쇼 영감과 올리비에는 궁금한 듯 몸을 더 숙이고는, 처음 썼던 글자를 다시 써보라고 마비 환자를 다그쳤다.

"아! 그래요." 올리비에가 갑자기 소리쳤다. "이번엔 뭔지 알 것 같아. 지금 막 당신 이름을 썼어요, 테레즈. 보세요. '테레즈와……' 마저 써보세요, 부인."

테레즈는 너무도 불안해서 하마터면 비명을 지를 뻔했다. 그는 고모의 손가락이 기름 먹인 테이블보 위에서 미끄러지는 것을 보고 있었다. 손가락이 그의 이름과 그가 저지른 범죄를 불로 새길 것 같았다. 로랑은 마비 환자에게 달려들어 그의 팔을 부러뜨려버릴까 생각하면서 자리에서 벌떡 일어났다. 이제 모든 게 다 끝났다고 생각했다. 카미유가 살해당했다는 것을 폭로하려고 다시 살아난 그 손을 보면서 그는 자신을 짓누르는 징벌의 무게를 느끼며 두려움에 떨었다.

부인은 점점 느려지는 속도로 천천히 글씨를 써나갔다.

"완벽해. 난 완벽하게 이해했어요." 잠시 뒤 올리비에가 테레즈와 로랑을 쳐다보면서 말을 이었다. "부인은 두 분 이름을 쓰셨어요. '테레즈와 로랑……'"

노부인은 살인자들을 향해 으스러뜨릴 듯한 눈길을 던지면서 그렇다는 뜻을 거듭 표시했다. 그러고 나서 마저 쓰려 했지만 손가락은 이미 뻣뻣하게 굳어버렸다. 손가락을 움직이게 했던 필사적인 의지는 빠져 달아나고 없었다. 라캥 부인은 마비 증세가 팔을 따라 다시 천천히 올라와 손목을 덮치는 것을 느꼈다. 부인은 급히 또 다른 낱말을 썼다. 미쇼 영감이 큰 소리로 읽었다.

"테레즈와 로랑이…….'"

그러자 올리비에가 물었다.

"그들이, 당신의 사랑하는 아이들이, 뭐죠? 뭘 어쨌는데요?"

미칠 듯한 공포에 휩싸인 두 살인자는 하마터면 자기들 입으로 그다음 말을 발설할 뻔했다. 그들은 죄를 응징하려는 그 손을 혼란스러운 눈길로 뚫어져라 쳐다봤다. 그때 갑자기, 그 손이 테이블 위에서 경련을 일으키다 축 늘어지면서 마치 생명 없는 고깃덩어리처럼 마비 환자의 무릎 위로 떨어졌다가 아래로 미끄러져 내렸다. 라캥 부인의 마비 증세가 되돌아왔고, 징벌은 거기서 멈추었다. 실망한 미쇼 영감과 올리비에는 다시 자리에 앉았다. 테레즈와 로랑은 가슴 속에서 피가 펄떡펄떡 뛰는 것을 느끼면서 금방이라도 실신할 듯한 상태로 얼얼한 기쁨을 맛보았다.

그리베는 자기 말을 아무도 믿어주지 않아 기분이 상한 듯했다. 사람들이 중단된 문장의 의미를 계속 궁금해하자, 그리베는 지금이야말로 라캥 부인이 끝을 맺지 못한 문장을 완성해서 자기 말이 맞았다는 것을 증명해 보일 순간이라고 생각했다.

"그건 뻔해요." 그가 말했다. "난 부인의 눈을 보면 무슨 말을 하려는지 알 수 있어요. 부인이 식탁 위에 쓰지 않아도 나는 다 압니다. 부인의 눈만 보면 돼요. 부인은 '테레즈와 로랑은 날 아주 잘 돌봐줘요.'라고 말하려던 겁니다."

다른 사람들도 그와 같은 생각이었기 때문에, 그리베는 자신의 상상력을 자랑스러워하지 않을 수 없었다. 손님들은 그 가엾은 부인을 위해 그토록 헌신적인 태도를 보여주는 부부를 칭찬하기 시작했다.

"맞아요." 미쇼 영감이 진지하게 말했다. "라캉 부인은 지극정성으로 자신을 보살펴주는 두 내외를 칭찬하고 싶어 한 게 분명해요. 그건 온 집안이 자랑스러워할 일이죠."

그리고 도미노를 다시 잡으면서 덧붙였다.

"자, 자. 하던 걸 계속합시다. 어디까지 했더라? 그리베가 더블식스를 내놓으려 했지, 아마."

그리베가 더블식스를 내놓았다. 지루하고 단조로운 도미노 게임이 계속되었다. 끔찍한 절망에 빠져들던 마비 환자는 자신의 손을 내려다봤다. 손은 그를 배신했다. 그는 자신의 손이 납덩어리처럼 무겁게 느껴졌다. 이제 다시는 손을 들어 올릴 수 없으리라. 하늘은 카미유의 복수를 원하지 않았다. 하늘은 아들이 살해되었다는 사실을 사람들에게 알릴 수 있는 유일한 수단을 그 어머니에게서 거둬갔다. 가엾은 여자는 이제 죽은 자식을 만나러 가는 것 말고는 아무짝에도 쓸모없는 존재가 된 것 같았다. 그는 더 이상 살아갈 의미가 없다고 생각했다. 라캥 부인은 자신이 이미 캄캄한 무덤 속에 들어와 있다고 여기며 눈을 감았다.

28

두 달 전부터 테레즈와 로랑은 자신들의 결혼으로 생겨난 불안과 괴로움 속에서 버둥거렸다. 그들은 서로의 존재로 인해 고통받았다. 서로에 대한 증오심이 서서히 차올랐고, 마침내 서로를 은근히 위협하는 분노의 시선을 던지게 되었다.

두 사람 사이에서 증오심은 필연적으로 생겨날 수밖에 없었다. 그들은 뜨거운 욕정과 피로 얼룩진 채 짐승처럼 사랑했었다. 그러다가 범죄로 인해 그들의 사랑은 두려움으로 변해버렸고, 입맞춤에서 일종의 육체적인 공포를 느끼게 되었다. 결혼 후에는 함께 살아가며 불가피하게 겪게 된 고통 속에서, 그들은 서로에게 반발하며 분노를 터뜨렸다.

그것은 무시무시한 폭발력을 지닌 지독한 증오심이었다. 그들은 서로를 불편해한다는 것을 분명히 느꼈다. 그래서 영원히 얼굴을 마주하지 않을 수만 있다면 마음 편히 살아갈 수 있으리라 생각했다. 함께 있을 때면 거대한 돌덩어리가 숨통을 짓누르는 것 같았다. 할 수만 있다면 그 돌덩어리를 치워버리고 싶었다. 그들의 입술은 굳게 다물어져 있었지만, 샛말간 눈에는 난폭한 생각이 스쳐 갔다. 상대방을 파괴하고 싶은 욕망이 그들을 사로잡았다.

사실, 그들을 갉아먹는 생각은 단 한 가지였다. 그들은 스스로 저지른 범죄에 분개하며, 자신들의 삶이 영원히 망가졌다는 사실에 절망했다. 둘의 모든 분노와 증오심은 거기서 비롯되었다. 불행은 끝날 기미가 보이지 않았고, 카미유를 살해한 것으로 죽을 때까지 고통받을 것 같았다. 영영 이런 고통을 겪어야만 한다는 생각 때문에 화가 치밀었다. 두 사람은 누구를 탓해야 할지 몰라 자신들을 탓하고 서로를 증오했다.

하지만 자신들의 결혼이 살인에 대한 숙명적인 징벌이라는 것을 드러내놓고 인정하고 싶지는 않았다. 그들은 자신들의 행적을 펼쳐 보이면서 진실을 외치는 내면의 목소리를 듣지 않으려 했다. 그렇지만 살인을 저지르도록 부추긴 건 다름아닌 자신들의 걷잡을 수 없는 욕망과 이기심이었다는 것, 그리고 바로 그 살인으로 인해 견딜 수 없는 고통에 시달리며 비참한 삶을 살아가게 되었다는 것을 잘 알고 있었다. 그들은 과거를 기억했고, 색욕과 행복에 눈이 멀어 헛된 희망을 품은 결과, 평생을 죄의식에 사로잡혀 살아가게 되었다는 것을 알았다. 만일 마음 편히 서로를 포옹하고 즐겁게 살아갈 수 있었다면 그들은 결코 카미유의 죽음을 슬퍼하지 않으며 행복하게 잘 살았을 것이다. 하지만 그들의 육체는 결합을 거부하면서 저항했다. 두 사람은 공포와 혐오가 자신들을 어디로 데려갈 것인지 자문하곤 했다. 그들의 눈에는 고통에 허덕이는 끔찍한 미래와 음산하고 난폭한 결말만이 보였다. 그들은 마치 함께 묶인 두 적대자처럼 서로에게서 빠져나가려고 발버둥을 쳐보았지만, 속박에서 벗어날 길 없이 뻣뻣하게 굳어갈 뿐이었다. 강제로 결박된 상태에서 영원히 벗어날 수 없다는 것을 깨닫게 된 그들은, 살을 파고들어 벨 정도로 단단히 자신들을 묶은 오랏줄에 화를 내며 서로의 살이 닿는 것에 역겨움을 느꼈다. 시간이 갈수록 괴로움이 점점 더 커졌다. 그러다가 둘을 결박한 것이 자신들이라는 사실을 잊어버리고는, 고함을 질러대고 정신없이 서로를 원망하고 욕하면서, 조금이라도 고통을 덜고 서로에게서 입은 상처를 치유하려 애썼다.

매일 저녁 싸움이 벌어졌다. 두 살인자는 길길이 화를 내면서 경직된 신경을 느슨하게 풀 기회를 찾는 것 같았다. 그들은 상대방을 눈으로 탐색하고, 몰래 엿보고, 서로의 상처를 헤집고 쑤셔대 고통으로 비명을 지르게 만들면서 짜릿한 관능적 쾌감을 느꼈다. 계속되는 분노 속에서 서로에게 지친 채, 한마디 말이나 단순한 몸짓, 우연한 시선에도 참을 수 없는 고통을 느끼고 흥분하면서 살아갔다. 그들은 언제라도 폭력성을 드러낼 준비가 되어 있었다. 아주 사소한 초조함이나 가벼운 불만 같은 것도 그들의 고장 난 몸 안에서 이상하게 부풀려지면서 엄청나게 난폭한 행동으로 표출되곤 했다. 아무것도 아닌 일이 다음 날까지 계속되는 폭풍우를 불러일으켰다. 음식이 너무 뜨겁다거나 창문이 열려 있다거나 하는 별것 아닌 일에도 그들은 미친 것처럼 발작을 일으켰고, 한마디 말대꾸나 우연한 눈길 한 번에도 험악하게 덤벼들곤 했다. 싸울 때면 언제나 대놓고 익사자 얘기를 꺼냈다. 한 마디 두 마디 오가다 결국 그들은 생투앙에서 카미유를 물에 빠뜨려 죽인 일을 두고 서로를 탓하며 비난하기에 이르렀다. 그럴 때면 둘 다 얼굴이 시뻘게지면서 미친 듯이 흥분했다. 숨을 몰아쉬며 주먹을 휘두르고, 입에 담지 못할 욕설을 퍼부어대고, 울부짖고 끔찍한 비명을 내지르는, 창피스러울 정도로 난폭한 장면이 이어졌다. 테레즈와 로랑이 그렇게 발광하는 건 대체로 저녁 식사가 끝난 뒤였다. 그들은 자신들이 내지르는 절망의 소리가 밖으로 새어 나가지 않도록 식당에만 틀어박혀 싸웠다. 그 눅눅한 방 안에서, 램프가 누르스름한 빛을 비추는 그 지하 무덤 같은 곳에서, 그들은 마음껏 서로를 물어뜯을 수 있었다. 고요하고 평온한 분위기 속에서 그들의 목소리는 찢어질 듯 날카롭게 울려 퍼졌고, 두 사람 모두 지쳐 나가떨어질 정도가 되어야 비로소 싸움이 멈췄다. 그제야 그들은 몇 시간 정도 휴식을 맛볼 수 있었다. 그들에게 싸움은 신경을 무디게 만들어 잠시라도 잠을 이룰 수 있게 해주는 안정제와도 같았다.

　라캉 부인은 그들이 싸우는 소리를 모두 들었다. 부인은 두 손을 무릎 위에 늘어뜨리고 고개를 오른쪽으로 기울인 채 무표정한 얼굴로 변함없이 안락의자에 앉아 있었다. 모든 걸 다 들었지만, 마비된 몸은 한 번도 전율을 일으키지 않았다. 하지만 날카로운 시선만은 살인자들에게서 떨어질 줄 몰랐다. 그가 겪는 고통스러운 상황은 너무도 잔혹한 것이었다. 그들의 싸움을 통해 카미유가 살해된 전말을 자세하게 알게 되었기 때문이다. 그는 자기가 '나의 소중한 아이들'이라 불렀던 그 인간들의 추잡한 내면과 그들이 저지른 범죄 속으로 조금씩, 조금씩 들어갔다.

　부부의 싸움을 통해 라캉 부인은 아주 세세한 내용까지 훤히 알게 되었다. 그들은 싸우면서 그 끔찍한 일들을 공포에 질린 부인 앞에서 하나하나 펼쳐놓았다. 피비린내 나는 진창 속으로 점점 더 깊숙이 빨려들어가면서 그는 신에게 용서를 빌었다. 매번 파렴치함의 밑바닥에 닿았다고 생각했지만, 끝없이 더 내려가야 했다. 매일 밤마다 새로운 사실을 알게 되었다. 언제나 끔찍한 이야기가 그 앞에 늘어서 있었다. 마치 끝나지 않는 공포스러운 꿈속을 헤매는 것 같았다. 최초의 고백만으로도 이루 말할 수 없이 고통스러웠지만 두 부부가 격렬하게 분노를 터뜨릴 때 자신들도 모르게 조금씩 털어놓는 세세한 내용을 듣는 것은 더한층 고통스러웠다. 하루에 한 번씩 그 어머니는 아들의 살해에 관한 이야기를 들어야 했고, 날마다 그 이야기는 더욱더 끔찍하고 상세해지면서, 그의 귀에 잔인하게 쏟아졌다.

이따금 테레즈는 말없이 굵은 눈물을 흘리는 그 창백한 얼굴 앞에서 죄책감에 사로잡히기도 했다. 그럴 때면 로랑에게 고모를 가리키며 제발 입 좀 다물라고 눈으로 간청했다.

"흥! 내버려둬!" 그는 거칠게 소리를 질렀다. "어차피 우릴 고발하지도 못할 텐데, 뭐. 어쨌든 내가 당신 고모보다는 행복하잖아? 돈도 이미 우리 손에 들어왔고. 그러니까 신경 쓸 거 없어."

그렇게 싸움은 몇 번이고 카미유를 죽이고 또 죽이면서 사납고 맹렬하게 계속되었다. 가끔 마비 환자가 측은하다는 생각이 들기도 했지만, 테레즈도 로랑도 그를 방에 가둬두고 범죄에 관한 이야기를 듣지 못하게 할 생각은 감히 하지 못했다. 이제는 송장이나 다를 바 없었지만, 그를 사이에 앉혀두지 않는다면 싸우다가 서로를 죽여버리게 될까 봐 겁이 났기 때문이다. 그 비겁한 마음이 연민의 감정을 눌러 이겼다. 환영으로부터 스스로를 지키려면 반드시 라캥 부인이 옆에 있어야 했다. 그래서 그들은 말로 표현할 수 없는 고통을 부인에게 짊어지웠다.

그들이 다투는 내용은 늘 엇비슷했고, 다투다 보면 항상 똑같은 비난을 되풀이했다. 카미유라는 이름이 튀어나오고 그를 죽인 건 내가 아니라 바로 너라고 책임을 전가하며 비난을 퍼붓는 순간, 무시무시한 소란이 한바탕 벌어지곤 했다.

어느 날 저녁 식사 중에, 화를 낼 구실을 찾던 로랑은 주전자의 물이 미지근한 것을 발견했다. 그는 미지근한 물을 마시면 구역질이 난다며 시원한 물을 달라고 했다.

"얼음이 다 떨어졌어." 테레즈가 무뚝뚝하게 대답했다.

"됐어. 마시지 않겠어." 로랑이 대꾸했다.

"이 물도 맛있어."

"아니. 미적지근하고 흙탕물 냄새가 나. 마치 강물을 마시는 것 같아."

테레즈가 그 말을 따라 했다.

"강물……."

그러다가 테레즈는 갑자기 흐느끼기 시작했다. 머릿속

에서 연상 작용이 일어난 거였다.

"왜 울어?" 로랑은 얼떨결에 물었다가, 스스로 대답을 알아차리고 얼굴이 하얗게 질렸다.

"왜 우냐고?" 젊은 여자는 흐느끼며 말했다. "난…… 당신도 잘 알잖아. 오! 하느님 맙소사! 오, 맙소사! 당신이 그를 죽였잖아."

"거짓말하지 마!" 살인자는 거칠게 고함을 질렀다. "거짓말이라고 솔직히 말해. 내가 그를 센강에 던진 건 당신이 부추겼기 때문이잖아."

"내가? 내가 그랬다고?"

"그래, 당신이! 시치미 떼지 마. 강제로 진실을 털어놓게 만들어야겠어? 난 당신이 스스로 당신 죄를 털어놓고 살인의 공범자라는 걸 인정하면 좋겠어. 그래야 나도 분이 좀 풀리고 마음의 짐도 덜 수 있을 테니까."

"하지만 카미유를 빠뜨린 건 당신이지 내가 아니야."

"천만에. 그건 당신이야! 오! 몰랐던 척, 잊어버린 척하는군. 기다려, 어제 일처럼 또렷이 기억나게 해줄 테니까."

그는 식탁에서 일어나 젊은 여자 쪽으로 몸을 기울였다. 그리고 불같이 달아오른 얼굴을 그 여자의 얼굴에 바짝 갖다 대고 소리쳤다.

"그날 당신은 물가에 있었어. 내가 당신에게 '곧 그를 강물에 던질 거야.'라고 속삭였을 때, 당신은 내 말에 동의하고 보트에 올랐어. 당신이 나와 함께 그를 살해했다는 걸 이 세상 누구보다 당신 자신이 잘 알잖아."

"그렇지 않아. 그때 난 제정신이 아니었어. 내가 무슨 짓을 했는지도 모르겠어. 하지만 그 사람을 죽일 생각은 전혀 없었어. 당신 혼자 저지른 짓이야."

그렇게 발뺌하는 말을 듣자 로랑은 괴로움에 숨통이 막히고 화가 머리끝까지 치밀었다. 스스로 밝혔듯 그는 정말로 공범이 있다고 생각하면 그나마 마음이 가벼웠다. 그에게 그럴 용기가 있었다면, 그 끔찍한 살인은 모두 테레즈가 사주한 거라고 주장했을 것이다. 그는 두들겨 패서라도 테레즈가 자기보다 더 큰 죄를 지었다고 털어놓게 만들고 싶었다.

로랑은 미친 듯이 고함을 지르고 헛소리를 해대면서 이리저리 서성였다. 라캥 부인은 그런 그를 매서운 눈으로 계속 따라갔다.

"아! 저 빌어먹을 할망구!" 그는 잠긴 목소리로 더듬더듬 말했다. "저 노친네가 날 미치게 만드는군. 이봐, 테레즈. 어느 날 저녁 매춘부처럼 내 방으로 몰래 찾아와 문을 두드린 게 누구였지? 키스로 취하게 만들어서 내가 당신 남편을 없애버릴 생각을 하게 만든 게 누구였냐는 말이야. 내가 이곳으로 당신을 만나러 왔을 때 당신이 한 말 기억 안 나? 카미유 때문에 짜증이 난다고, 그에게선 병든 어린아이 냄새가 난다고 말했잖아. 3년 전에 내가 그런 것들을 감히 상상이나 할 수 있었겠어? 내가? 내가 그렇게 막돼먹은 인간 말종이었어? 난 누구에게도 해를 끼치지 않고 착실하고 정직하게 살았어. 파리 한 마리도 못 죽이는 사람이었다고."

"카미유를 죽인 건 당신이야." 테레즈는 같은 말을 악착같이 되풀이했다. 그 말에 로랑은 정신이 나간 듯했다.

"아니, 그건 바로 너야. 네가 죽인 거라고." 그는 폭발하듯 길길이 날뛰며 되풀이했다. "이봐, 날 화나게 하지 마. 그러다간 크게 당하는 수가 있어. 뭐라고? 이 재수 없는 년이 뭐라는 거야? 아무것도 기억나지 않는다고? 네가 네 남편과 자는 부부 침실로 날 끌어들여 창녀처럼 몸을 내맡겼잖아. 그리고 주체하지 못하는 욕정으로 날 미치게 했지. 그 모든 건 네가 용의주도하게 미리 계획했던 짓이잖아. 이제 털어놔. 넌 카미유를 증오했고, 그래서 오래전부터 그를 죽이고 싶어 했다는 걸 고백하라고. 네가 나를 정부로 삼았던 건 남편을 죽이려는 계략이었다고 모두 털어놓으란 말이야!"

"그렇지 않아. 무슨 그런 말도 안 되는 소리를……. 넌 그딴 식으로 날 비난할 자격이 없어. 나야말로 너란 인간을 알기 전까지는 아무것도 모르는 정숙한 여자였어. 내가 욕정에 눈이 멀어 널 미치게 했다지만, 너는 나를 훨씬 더 미치게 했어. 이런 말다툼은 이제 그만하고 싶어. 알겠어? 로랑…… 당신을 비난하자면 한도 끝도 없을 거야."

"어디 실컷 비난해봐. 내가 뭘 잘못했는데?"

"그래, 잘못한 게 하나도 없으시겠지. 당신은 날 구해준 게 아니라, 불행하게 내팽개쳐진 채 살아가던 나를 이용했어. 내 인생을 짓밟고 망가뜨리면서 그걸 즐겼어. 난 그 모든 걸 용서할 수 있어. 하지만 제발, 당신 손으로 카미유를 죽여놓고 그걸 내 탓으로 돌리지는 마. 당신이 지은 죄는 당신이 짊어져. 나를 더 화나게 하지 말고."

로랑이 테레즈를 때리려는 듯 손을 들었다.

"그래, 때려. 맞는 게 차라리 나아." 테레즈가 덧붙였다. "그러면 덜 고통스러울 테니까."

그러면서 얼굴을 내밀었다. 로랑은 충동을 억누르고 테레즈에게서 멀찍이 떨어진 곳에 앉았다.

"잘 들어." 그는 침착하려고 애쓰면서 말했다. "그 살인 사건에 당신이 아무 관련이 없다고 말하는 건 너무 비겁한 짓이야. 당신은 우리가 함께 그 짓을 저질렀다는 걸 분명히 알아. 당신도 나와 똑같이 죄를 지었다는 걸 누구보다 잘 알잖아. 그런데 왜 죄가 없다고 주장하면서 모든 걸 나에게 뒤집어씌우려는 거야? 만약 당신에게 죄가 없었다면 당신은 절대로 나랑 결혼하지 않았을 거야. 그 일이 있고 2년 동안 우리가 어떻게 살아왔는지 다 잊은 거야? 어디 한번 시험해볼까? 내가 지금이라도 당장 경시청으로 달려가 모든 걸 털어놔봐? 그러면 당신도 나도 벌을 받을지 어떨지 알게 되겠지."

두 사람은 몸을 떨었다. 테레즈가 말했다.

"아마 나도 벌을 받긴 하겠지. 하지만 카미유는 그 모든 게 당신 혼자 벌인 일이라는 걸 분명히 알아. 그러니까 매일 밤 당신을 괴롭히는 것만큼 날 괴롭히지는 않는 거야."

"아니야." 로랑이 창백해진 얼굴로 떨면서 말했다. "그가 나오는 악몽을 꾸는 건 내가 아니라 바로 당신이야. 난 당신이 자면서 비명을 질러대는 걸 들었어."

"거짓말하지 마." 젊은 여자는 화를 내며 소리쳤다. "난 소리 지르지 않았어. 난 유령이 나타나는 게 싫을 뿐이야. 아! 알겠어. 그의 관심을 내게로 돌리려고 그런 소릴 하는가 본데…… 하지만 난 결백해!"

그들은 익사자의 시신을 떠올리고 공포에 질린 눈으로 서로를 바라보았다. 싸움은 항상 그런 식으로 끝났다. 그들은 각자 결백을 주장하며 스스로를 속여 악몽을 몰아내려고 애썼다. 마치 법정에 선 것처럼 자신을 변호하면서 상대방에게 더 무거운 책임을 지우려고 부단히 노력했다. 그런데 무엇보다 이상한 점은, 두 사람 모두 스스로를 기만하려 하면서도 살인의 모든 정황을 완벽하게 기억한다는 사실이었다. 그들은 입으로는 부정하면서도 눈으로는 모든 걸 실토했다. 그것은 미숙한 거짓말이며 멍청한 시인이었고, 거짓말을 한다는 것을 감추지 못한 채 거짓말을 위한 거짓말을 하는 어리석은 두 인간의 말다툼이었다. 그들은 번갈아 가며 고발자의 역할을 맡았고, 그들이 하는 소송이 어떠한 결과를 끌어내지 못하는 데도, 매일 밤 잔인한 증오심에 불타 싸움을 다시 시작했다. 아무것도 입증하지 못하리라는 것, 과거를 지우지 못하리라는 것을 알고 있었지만, 그래도 그들은 싸움을 되풀이했다. 두 사람은 고통과 공포에 떠밀리고 견딜 수 없는 현실에 수없이 패배하면서도 매번 다시 시도했다. 그들이 싸움을 통해 얻는 가장 확실한 소득은, 폭풍우처럼 비난을 쏟아내고 고함을 내지르면서 잠시나마 자신들이 처한 현실을 잊을 수 있다는 것이었다.

둘이 흥분해서 서로를 비난하고 고발하는 동안, 마비 환자는 그들에게서 눈을 떼지 않았다. 로랑이 그 커다란 손을 테레즈의 얼굴 위로 치켜들 때면 그의 눈은 기쁨으로 활활 불타올랐다.

29

새로운 국면이 전개되었다. 공포가 극에 달한 테레즈는 어디서 위안을 찾아야 할지 몰라 로랑 앞에서 소리 높여 익사자를 애도하기 시작했다.

테레즈는 갑자기 무너져 내렸다. 과도하게 긴장했던 신경이 툭 하고 끊어져버렸고, 메마르고 난폭한 본성도 힘없이 꺾여버렸다. 결혼 초기에도 지금과 비슷한 연민을 느낀 적이 있었다. 그리고 지금, 그런 연민의 감정이 불가피하고 숙명적인 반응처럼 되돌아왔다. 몇 달 내내 테레즈는 모든 에너지를 끌어모아 카미유의 유령과 맞서 싸우고, 처절하리만큼 고통받으면서 화가 치밀어 올라 오로지 거기서 벗어나려 몸부림쳤다. 그러다가 갑자기 모든 게 넌더리가 난다는 듯 전의를 상실하고 백기를 들어버린 것이다. 테레즈는 다시 연약한 여자로, 심지어 어린 소녀로 되돌아간 듯했다. 그는 극심한 공포 앞에 더는 버티고 서 있을 힘이 없다고 느끼고는, 일말의 위안을 찾아 돌연 눈물과 참회의 행위에 뛰어들었다. 몸도 마음도 허약해진 자신의 상태를 이용하려 했다. 익사자가 분노에는 굴복하지 않았지만, 눈물 앞에서는 굴복할지도 모를 일이었다. 테레즈는 그것이 카미유의 혼을 달래어 사라지게 할 최상의 방법이리라 생각하면서 타산적으로 참회의 눈물을 흘리기 시작했다. 마치 입으로만 기도하고 회개하는 척하면서 신의 용서를 바라는 가짜 신자들처럼, 테레즈 역시 가슴 깊은 곳에는 두려움과 비겁함밖에 없으면서 자신을 낮추고 가슴을 내리치며 참회의 말들을 찾아냈다. 그뿐만 아니라 그는 나약한 자신을 느끼고 순순히 고통에 몸을 맡기면서 일종의 즐거움을 느꼈다. 그는 눈물을 흘리며 절망하는 모습을 보이며 라캥 부인을 괴롭혔다. 테레즈에게 그 마비 환자는 일상의 의식이 되었다. 어떤 의미에서는 일종의 기도대였다. 라캥 부인은 두려움 없이 자신의 잘못을 고백하고 용서를 구할 수 있는 그런 도구로 이용되었다. 눈물을 흘리면서 기분을 풀어야겠다는 생각이 들 때마다, 곧바로 테레즈는 석상처럼 굳은 마비 환자 앞에 무릎을 꿇고, 처절하게 울부짖으면서 금방이라도 숨이 넘어갈 것처럼 참회하는 장면을 연출하곤 했다. 한바탕 그런 난리를 치르고 나면 한결 마음이 가벼워졌다.

"저는 죄 많은 인간이에요." 테레즈는 더듬거리며 말했다. "저는 용서받을 자격이 없어요. 저는 고모를 속이고 카미유를 죽음으로 내몰았어요. 고모는 영원히 저를 용서하지 못할 거예요! 그렇지만 제가 얼마나 뼈아프게 뉘우치는지 안다면, 제가 얼마나 고통받는지 안다면, 아마도 저를 측은히 여기실 거예요……. 아니, 저를 가여워하지 마세요. 저는 고모 발밑에서 이렇게 수치심과 고통에 짓눌려 죽고 싶어요."

테레즈는 그렇게 절망과 희망을 오가고, 자신에게 유죄 선고를 내렸다가 스스로를 용서했다가 하면서 몇 시간이고 계속 말을 이어 나갔다. 그는 병든 여자아이 같은 목소리로 때로는 간결하게, 때로는 애처롭게 탄식하듯 말했다. 그리고 바닥에 납작 엎드렸다가 다시 몸을 일으키고는, 공손하게 굴었다가 거만하게 굴었다가, 뉘우쳤다가 반발하면서 그때그때 머릿속에 떠오르는 대로 연극을 해나갔다. 때로는 라캥 부인 앞에 무릎을 꿇고 있다는 사실을 잊어버리고 몽상 속에서 독백을 이어 가기도 했다. 그러다가 자기가 하는 말에 완전히 심취해서 얼이 빠진 얼굴로 비틀거리며 몸을 일으키고는, 손님들 앞에서 흐느끼지 않으려고 마음을 차분히 가라앉히고 가게로 내려갔다. 그러다가 또다시 참회해야겠다는 생각이 들면 급히 위층으로 올라가 마비 환자의 발아래 무릎을 꿇었다. 그런 광경이 하루에도 열 번이나 되풀이되었다.

테레즈는 자기가 눈물을 흘리며 뉘우치는 것을 보고 고모가 말로 다 할 수 없는 불안과 고통을 느끼리라는 것은 꿈에도 생각해보지 않았다. 만일 누군가가 라캥 부인을 괴롭히려고 가장 끔찍한 형벌을 궁리한다고 해도, 결단코 조카가 보여주는 그 참회의 연극보다 더 끔찍한 건 찾아내지 못할 것이다. 마비 환자는 테레즈의 행동 이면에 숨겨진 이기심을 간파했다. 부인은 번번이 카미유의 살해를 연상시키는 그 긴 독백을 어떤 저항도 하지 못한 채 듣는 잔혹한 고통의 형벌을 받아야 했다. 그는 테레즈를 결코 용서할 수 없었다. 하지만 갈수록 불타오르는 복수심을 느끼면서도 하루 종일 용서를 구하는 말과 겸허한 척하는 장황한 기도를 들어야만 했다. 그는 대답해주고 싶었을 것이다. 그러나 조카가 내뱉는 말들에 참을 수 없는 거부의 말이 목구멍까지 차올라도 테레즈가 늘어놓는 변명을 중단시키지도 못한 채 아무 말도 못하고 그대로 듣고 있어야만 했다. 소리도 지르지 못하고 귀를 막을 수도 없는 현실 앞에서 그는 이루 말할 수 없는 고통을 느꼈다. 젊은 여자가 내뱉는 말들은 마치 신경에 거슬리는 노래처럼 느리고 구슬프게 한 마디 한 마디 라캥 부인의 머릿속으로 들어왔다. 한순간 부인은 살인자들이 아주 악랄하고 잔혹한 의도를 가지고 자신을 고문하는 거라고 생각하기도 했다. 유일한 방어 수단은 조카가 자기 앞에 무릎을 꿇는 그 순간 눈을 감는 것이었다. 그러면 조카가 하는 말은 어쩔 수 없이 들렸지만, 최소한 보지 않을 수는 있었다.

테레즈는 마침내 고모에게 입을 맞출 정도로 대담해졌다. 어느 날, 참회의 시간을 갖는 동안 그는 라캥 부인의 눈빛을 용서의 뜻으로 멋대로 해석하고는 깜짝 놀라는 시늉을 했다. 그는 무릎을 꿇은 채로 상체를 일으켜 세우고는 '오, 용서해주시는군요! 날 용서하시는군요!' 하며 미친 듯이 울부짖었다. 그러고는 고개를 돌려 피하지도 못하는 가련한 노파의 이마와 뺨에 키스했다. 노파의 차디찬 살이 자신의 입술에 닿자 심한 혐오감을 느꼈지만, 그 혐오감 역시 눈물과 참회 못지않게 마음을 진정시키는 데 뛰어난 효과가 있는 것 같아 그날부터 테레즈는 속죄의 뜻으로, 그리고 마음의 고통을 덜려고 마비 환자에게 날마다 입을 맞췄다.

"오! 고모는 정말 좋은 분이에요!" 테레즈는 때때로 그렇게 소리쳤다. "제 눈물에 감동하신 걸 알아요. 고모의 눈길에는 연민이 가득해요. 전 구원받았어요……."

그리고 테레즈는 고모에게 질리도록 키스를 퍼부었다. 그는 고모의 무릎에 자신의 머리를 올려놓고, 고모의 두 손에 입을 맞추고, 행복한 미소를 지어 보이고, 열정적인 애정 표현을 하면서 마비 환자를 보살폈다. 얼마 지나지 않아 테레즈는 자신의 연극이 실제라고 믿게 되었다. 그는 라캥 부인의 용서를 받았다고 생각하고, 용서받았다는 사실에만 집착하면서 행복해했다.

마비 환자에게 그건 너무도 가혹한 일이었다. 그는 죽을 만큼 괴로웠다. 조카의 입맞춤을 받을 때면 로랑이 아침저녁으로 자신을 침대에 눕히려고 안아 들 때 느끼는 그 지독한 혐오와 분노의 감정을 똑같이 느꼈다. 그는 아들을 배신하고 살해한 파렴치한 여자의 구역질 나는 입맞춤을 견뎌야만 했다. 심지어 그 여자가 자기 뺨에 남긴 입맞춤의 흔적을 손으로 닦아낼 수도 없었다. 오랜 시간 동안 그는 살인자가 입을 맞춘 흔적을 느끼며 불타오르는 분노에 휩싸여 있었다. 그렇게 해서 라캥 부인은 카미유를 살해한 자들의 인형, 그들이 옷을 입히고 이리저리 움직이는 인형이 되었다. 그들은 필요와 변덕에 따라 그 인형을 마음대로 주무르며 갖고 놀았다. 라캥 부인은 마치 톱밥으로 속이 채워진 인형처럼 그들의 손아귀에서 무력하게 있을 수밖에 없었다. 하지만 그의 정신은 여전히 살아 있었다. 그래서 테레즈나 로랑의 살이 조금만 닿아도 걷잡을 수 없이 분노하고 찢어질 듯 고통스러워했다.

무엇보다 그를 못 견디게 했던 것은, 벼락이라도 내리치기를 바라는 심정으로 노려보는 눈빛을 테레즈가 오해하고 용서의 뜻으로 받아들이면서 자신을 조롱한다는 사실이었다. 라캥 부인은 때때로 고함을 질러보려고 안간힘을 썼다.

그리고 증오와 저주를 담은 눈길로 테레즈를 바라보기도 했다. 하지만 테레즈는 자기가 용서를 받았다고 하루에도 스무 번씩 같은 말을 되풀이하며 아무것도 알려 하지 않고 더 키스를 퍼부어댔다. 마비 환자는 전혀 원치 않은 감사와 애정 표현들을 받아들여만 했다. 고모의 '거룩한 선의'에 보답하겠다며 끝없이 애정을 표현하는 테레즈 앞에서, 라캥 부인은 쓰라리지만 어찌할 수 없는 분노를 느끼며 하루하루를 견뎌야 했다.

라캥 부인 앞에서 무릎을 꿇은 테레즈를 볼 때면 로랑은 난폭하게 아내를 일으켜 세우며 말했다.

"그딴 연극 집어치워. 나도 울까? 나도 당신처럼 무릎 꿇고 엎드려 빌까? 날 괴롭히려고 이런 짓을 하는 거지?"

참회하는 테레즈를 보며 그는 이상한 불안을 느꼈다. 공범이 눈시울을 붉히고 애원하면서 기어다니게 된 이후로, 그는 전보다 훨씬 더 괴로웠다. 생생한 참회의 장면 앞에 그의 공포와 불편함은 배가되었다. 마치 자신을 향한 영원한 비난이 온 집 안을 걸어다니는 것 같았다. 그는 아내가 그런 식으로 참회하다가 언젠가는 모든 걸 털어놓을지도 모른다는 두려움을 느꼈다. 차라리 그가 퍼붓는 비난에 거칠게 맞서며 위협적인 태도를 보이던 때가 더 나았다는 생각이 들었다. 하지만 테레즈는 전략을 바꾸었다. 자기가 범죄에 가담했다는 사실을 기꺼이 인정하면서 자책하고, 연약한 척, 두려워하는 척하면서 겸허한 태도로 간절히 속죄를 간구하기 시작했다. 그런 태도는 로랑을 더욱더 화나게 했다. 그들의 싸움은 매일 저녁 점점 더 가혹하고 험악해졌다.

"잘 들어." 테레즈가 남편에게 말했다. "우린 용서받기 힘든 죄를 지었어. 조금이라도 마음의 평화를 얻으려면 참회해야 해. 봐, 난 눈물로 회개하기 시작한 이후로 훨씬 마음이 편해졌어. 나처럼 해봐. 끔찍한 범죄를 저질렀으니 우리가 벌을 받는 건 당연해."

"젠장!" 로랑이 거칠게 대답했다. "마음대로 지껄여봐. 난 당신이 끔찍하게 교활하고 위선적이라는 걸 알아. 울어. 그걸로 기분이 조금이라도 풀린다면 실컷 울라고. 하지만 내가 보는 앞에서는 울지 마. 짜증 나니까."

"아! 당신은 구제 불능이야. 뉘우치려 하지 않으니까. 당신은 비겁해. 카미유를 비겁하게 공격했어."

"나 혼자 죄를 지었다고 말하고 싶은 거야?"

"아니, 난 그렇게 말하지 않았어. 나도 죄인이야. 당신보다 더한 죄를 지었어. 난 당신 손에서 내 남편을 구했어야 했어. 오! 난 내가 얼마나 끔찍한 잘못을 저질렀는지 잘 알아. 하지만 나는 용서를 구하려 노력하는 중이야. 그리고 꼭 용서받게 될 거야, 로랑. 하지만 당신은 계속 화만 내며 황폐하

336

게 살아가지. 당신은 고모 앞에서도 여전히 추악하고 상스러운 말들을 거리낌 없이 내뱉잖아. 분노를 터뜨리고, 뉘우치는 말 한마디 건넨 적이 없어."

그리고 테레즈는 라캥 부인에게 입을 맞추었다. 노파는 눈을 감았다. 테레즈는 라캥 부인 주위를 돌면서 부인의 머리를 받친 베개를 고쳐 괴어주고, 다정한 말과 행동을 아낌없이 퍼부었다. 로랑은 분노에 차서 씩씩거리기만 했다.

"그냥 내버려둬!" 그가 소리를 질렀다. "당신이 그런 눈으로 쳐다보고 보살펴주는 게 저 노인네한테는 가증스럽게 느껴질 뿐이라는 걸 정말 모르는 거야? 손을 들어 올릴 수만 있었다면 당신 따귀를 휘갈겼을 거야."

체념하고 수긍하는 듯한 아내의 태도에 로랑은 점점 더 맹목적인 분노에 휩싸여갔다. 그는 테레즈의 전략이 어떤 것인지 아주 잘 알았다. 테레즈는 더 이상 로랑과 한통속이 되려 하지 않았다. 테레즈는 익사자가 주는 중압감에서 벗어나려고 참회하며 혼자서만 용서를 받으려 했다. 때때로 로랑은 테레즈가 택한 방법이 옳을지도 모른다고 생각하기도 했다. 정말로 눈물이 공포를 없앨 수도 있을 것 같았다. 그는 고통에 시달리며 두려움에 떠는 건 이제 자기 혼자뿐이라는 생각에 몸을 떨었다. 그도 참회하고 싶었다. 적어도 시험 삼아 참회하는 척 연극이라도 해보고 싶었다. 하지만 눈물은 나지

337

않았고 적당한 말도 떠오르지 않았다. 그래서 결국 다시 난폭한 말과 행동으로 테레즈를 자극했다. 테레즈를 자기처럼 미친 듯 분노하게 하려고 뒤흔들곤 했다. 테레즈는 전혀 저항하지 않으면서 로랑이 내지르는 분노의 고함에 눈물을 흘리며 순종적인 태도를 보였고, 로랑이 사납게 굴면 굴수록 더욱더 겸손하고 뉘우치는 모습을 보이려 했다. 결국 로랑의 분노는 극에 달했다. 테레즈는 계속 카미유를 찬양하고 그의 장점을 줄줄이 늘어놓으면서 로랑의 분노가 머리끝까지 치밀어 오르게 했다.

"그는 착했어." 테레즈가 말했다. "나쁜 생각이라고는 한 번도 해본 적이 없는 고귀한 심성을 가진 사람인데, 그런 사람을 죽이다니……. 우린 정말 천인공노할 인간들이야."

"그래, 그는 착했어. 나도 알아." 로랑은 냉소를 지으며 말했다. "바꾸어 말하면 그가 바보 멍청이였다는 거잖아, 안 그래? 그런데 그새 잊었나 봐? 당신은 그의 입에서 나오는 말이면 뭐든 짜증이 난다고, 입만 벌렸다 하면 바보 같은 소리만 한다고 했잖아."

"그렇게 비아냥거리지 마. 자기가 살해한 남자를 모욕하다니, 해도 너무하는 거 아냐? 당신은 여자 마음을 전혀 몰라, 로랑. 카미유는 날 사랑했고 나도 그를 사랑했어."

"당신이 그를 사랑했다고? 아! 정말 놀라 자빠질 소릴

하는군. 그래서 나랑 불륜을 저질렀던 거야? 남편을 사랑했기 때문에? 나는 또렷이 기억해. 점토같이 물컹한 카미유의 살에 손가락이 쑥 들어갈 때면 구역질이 난다고 말하면서 당신이 내 몸 위로 기어오르던 그날을……. 오! 나는 당신이 왜 나랑 불륜을 저질렀는지 알아. 당신은 그 불쌍한 녀석의 힘없는 팔이 아닌 억세고 강한 남자의 팔이 필요했던 거야.”

"난 그를 언니나 여동생처럼 생각하며 사랑했어. 그는 나를 키워준 은인의 아들이니까. 그는 천성적으로 몸이 약한 만큼 아주 섬세했어. 고결하고 관대하고 친절하고 상냥했지. 그런데 우리가 그런 그를 죽인 거야, 하느님 맙소사!"

테레즈는 머리가 멍해질 정도로 눈물을 흘리며 울었다. 라캥 부인은 그 더러운 입으로 카미유를 칭찬하는 테레즈에게 분노로 가득 찬 싸늘한 눈길을 던졌다. 로랑은 눈물을 펑펑 쏟아내는 테레즈를 어떻게 해야 할지 몰라 열불이 난 걸음걸이로 서성이면서 테레즈의 참회를 틀어막을 묘책을 찾았다. 자기 손에 죽은 희생자의 장점을 주워들을수록 그의 불안은 점점 더 심해졌다. 때로는 아내의 비통한 어조에 넘어가 카미유에게 정말로 그런 장점들이 있었다는 생각이 들었고, 그로 인해 더욱더 심한 공포에 휩싸였다. 하지만 무엇보다 그를 화나게 하는 것은, 테레즈가 자신의 첫 번째 남편과 두 번째 남편을 비교하면서 전적으로 죽은 남편을 칭찬하는 것이었다.

"그래." 테레즈는 소리쳤다. "그가 당신보다 나았어. 난 그가 아직 살아 있고 당신이 그 사람 대신 땅속에 누워 있으면 좋겠어."

로랑도 처음엔 어이가 없다는 듯 어깨를 으쓱하고 말았다.

"당신이 뭐래도 상관없어." 테레즈는 기세등등해서 말을 이었다. "그가 살아 있을 때는 그를 사랑하지 않았는지도 몰라. 하지만 지금 난 분명히 그를 사랑해. 난 그를 사랑하고 당신을 증오해, 알겠어? 당신은 살인자야."

"입 닥쳐!" 로랑이 으르렁거렸다.

"그는 아무 이유 없이 희생되었어. 피도 눈물도 없는 불한당의 손에 죽은 정직한 남자였지. 아! 당신 따윈 두렵지 않아. 당신이 파렴치하고 잔인한 짐승 같은 데다 냉혹하고 무자비한 인간이라는 건 당신도 잘 알 거야. 어떻게 그런 당신을 사랑해주길 바랄 수 있지? 카미유의 피로 뒤덮인 당신을 말이야. 카미유는 나를 정말로 다정하게 대해줬어. 카미유를 살려내서 그의 사랑을 되돌릴 수만 있다면 난 당신을 죽일 거야, 알겠어?"

"입 좀 닥치지 못해? 이 가증스러운 년!"

"왜 내가 입을 닥쳐? 난 진실을 말하는 건데. 난 당신 피를 바쳐서라도 용서를 구할 거야. 아! 내가 얼마나 눈물을 흘리며 고통받는지! 남편이 살해당한 건 다 내 잘못이야. 언젠가 밤중에 남편이 잠든 곳으로 가서 흙에 입을 맞출 거야. 그게 내 마지막 기쁨이 되겠지."

테레즈의 잔인한 말들에 정신이 나간 로랑은 당장 달려들어 테레즈를 바닥에 쓰러뜨렸다. 그리고 양 무릎으로 테레즈의 몸을 짓누르고는 주먹을 높이 치켜들었다.

"그래, 그래." 테레즈가 소리 질렀다. "날 때려. 날 죽여. 카미유는 내 얼굴에 손가락 하나 댄 적이 없어. 하지만 너, 너는 괴물이야!"

그 말에 정신이 나가버린 로랑은 미친 듯이 테레즈를 잡고 흔들어대며 커다란 주먹으로 멍이 들도록 마구 때렸다. 하마터면 두 번이나 테레즈를 목 졸라 죽일 뻔했다. 그렇게 얻어맞으면서 테레즈는 온몸의 기운이 빠져나갔지만 얼얼한 쾌감을 느꼈다. 그는 그대로 몸을 내맡기고는, 남편이 자기를 더 때리도록 부추겼다. 그것은 테레즈가 삶의 고통을 치유하는 구제책이었다. 그렇게 실컷 두들겨 맞은 날 밤에는 잠을 푹 잘 수 있었다. 그리고 로랑이 테레즈를 바닥에 질질 끌고 다니며 발길질을 하고 몸에 상처를 입힐 때면 라캥 부인은 말할 수 없는 희열을 느꼈다.

테레즈가 소리 내어 죄를 뉘우치고 카미유의 죽음을 슬

퍼하며 우는 끔찍한 광경을 연출하기 시작한 이후로, 로랑의 삶은 더없이 비참해졌다. 그때부터 그 파렴치한은 자신의 손에 죽은 희생자와 영원히 함께 살아야 했다. 아내가 전남편을 칭찬하고 그리워하는 소리가 시도 때도 없이 들려왔다. 지극히 사소한 일도 칭찬의 구실이 되었다. 카미유는 이랬다, 카미유는 저랬다, 카미유에게는 이런 장점이 있었다, 카미유는 이런 식으로 사랑했다……. 언제나 카미유와 그의 죽음을 애도하는 침통한 문장들이 줄을 이었다. 테레즈는 마음의 고통을 덜려고 온갖 악랄한 말들을 동원해 로랑에게 더욱더 잔인한 고문을 가했다. 그리고 점점 더 내밀한 이야기들을 꺼내기 시작했다. 회한 어린 한숨을 내쉬고 시시껄렁한 어린 시절 이야기를 끝없이 늘어놓으면서 일상의 행동 하나하나를 익사자에 관한 기억과 뒤섞었다. 식당까지 침범하던 그 시체는 이제 온 집 안을 자유로이 드나들었다. 의자에 앉고, 식탁 앞에 자리를 잡고, 침대에 눕고, 가구와 집 안에 널린 물건들을 사용했다. 포크나 솔, 그게 뭐든 로랑이 물건을 만질 때면 테레즈는 그것이 카미유가 만졌던 거라고 느끼게 했다. 자기가 죽인 남자와 끊임없이 부딪히게 된 그 살인자는 곧 미쳐버릴 지경이었다. 카미유와 비교당하고 카미유가 쓰던 물건들을 사용하면서 그는 자기가 카미유라고 생각했고, 자신을 자신의 희생자와 동일시하게 되었다. 머리가 폭발하기 직전이었다. 그는 자기를 미칠 듯이 몰아대는 그 말들을 더 이상 듣지 않으려고 아내에게 덤벼들었다.

그들의 싸움은 언제나 구타로 끝났다.

30

라캥 부인은 고통에서 벗어나려고 굶어 죽을 생각을 하기
에 이르렀다. 더 이상 버틸 힘이 없었다. 눈앞에서 살인자들
을 지켜보는 고통을 더는 참고 견딜 수 없어 죽음에서 마지
막 안식을 찾고자 했다. 테레즈가 그에게 입을 맞출 때, 로랑
이 그를 두 팔로 안아 들고 어린아이처럼 옮길 때, 날이 갈수
록 라캥 부인의 고통은 커져만 갔다. 그는 끔찍한 혐오감을
불러일으키는 그 입맞춤과 포옹에서 벗어나기로 결심했다.
죽은 것도 산 것도 아닌 상태로 살면서 아들의 원수도 갚지
못할 바에야, 차라리 완전히 죽어서 아무것도 느끼지 못하는
시신만을 살인자들의 손에 맡겨 그들이 하고 싶은 대로 하게
내버려두는 게 나을 것 같았다.

이틀 동안 라캥 부인은 마지막 힘을 다해 이를 악물고,
입으로 들어오는 음식을 거부하면서 곡기를 완전히 끊었다.

테레즈는 절망했다. 고모가 더 이상 세상에 없다면 이제 어떤 석상 앞에 무릎을 꿇고 눈물을 흘리며 속죄해야 할까, 하는 생각이 들었다. 테레즈는 노파에게 살아야 하는 이유를 끝없이 늘어놓았다. 그러면서 눈물을 흘리고, 심지어 화를 내기까지 했다. 그리고 다시 이전처럼 분노를 터뜨리며 마치 저항하는 동물의 아가리를 벌리듯 마비 환자의 턱을 억지로 벌렸다. 라캥 부인은 저항했다. 가증스러운 싸움이었다.

로랑은 완전히 남의 일 보듯 하며 모른 척했다. 그는 테레즈가 기를 쓰고 마비 환자의 자살을 막으려는 것을 보고 놀랐다. 노파가 옆에 있다 해도 이제 아무런 도움도 되지 않기 때문에, 그는 노파의 죽음을 은근히 바랐다. 제 손으로 노파를 죽이지는 않겠지만 알아서 죽겠다는데 굳이 말릴 필요는 없다고 생각했다.

"이봐! 그냥 내버려둬." 그가 아내에게 소리쳤다. "죽으면 오히려 속이 시원할 것 같은데……. 이 노인네가 없어지면 우리가 행복해질지도 모르잖아."

면전에서 그런 말을 몇 번이나 듣자, 라캥 부인은 묘한 기분이 들었다. 그는 로랑의 희망이 실현될까 봐, 그의 말대로 자기가 죽은 뒤 두 사람이 정말로 행복하게 살아가게 될까 봐 덜컥 겁이 났다. 지금 죽는 건 비겁한 짓이며, 사악한 음모의 결말을 자기 눈으로 확인하기 전에는 절대로 죽을 수

345

없다는 생각이 들었다. 지금 죽는다면 카미유에게 '네 원수를 갚았다'고 말할 수 없을 것이다. 결말을 모른 채 무덤 속으로 들어갈 생각을 하자, 갑자기 자살하려던 생각이 어리석게 느껴졌다. 지금 이렇게 죽어버리면 차갑고 적막한 땅속에서 가해자들이 어떤 벌을 받았는지 모르고 영원히 괴로워하게 될 것이다. 편히 잠들려면 통렬하게 복수를 했다는 기쁨을 만끽할 필요가 있었다. 라캥 부인은 증오심이 충족된 꿈, 영원히 꿀 꿈을 땅속으로 가져갈 필요가 있었다. 그는 조카가 내미는 음식을 받아먹었다. 더 살기로 한 것이다.

더욱이 그는 결말이 멀지 않았음을 알았다. 날이 갈수록 두 사람 사이의 갈등은 점점 더 심해져 더는 견딜 수 없는 지경에 이르렀다. 모든 게 폭발해 산산조각이 날 순간이 분명 임박한 듯했다. 테레즈와 로랑은 시간이 갈수록 서로에게 위협적으로 행동했다. 이제 그들은 밤에만 고통받는 것이 아니었다. 하루 종일 불안과 공포에 시달렸다. 모든 것이 그들에게 고통을 불러일으켰다. 그들은 서로에게 상처를 입히고, 더없이 잔인하고 매정하게 행동했다. 발밑에서 느껴지는 심연의 밑바닥으로 서로를 밀어 넣으려는 동시에 함께 떨어져 내리면서 지옥의 나날을 보냈다.

헤어질 생각을 해보지 않은 건 아니었다. 그들은 자신들의 인생을 황폐하게 만드는 그 눅눅하고 음산한 퐁뇌프 파사주에서 멀리 달아나 얼마간이라도 휴식을 맛보기를 갈망했다. 하지만 감히 그렇게 하지 못했다. 서로의 마음을 찢어놓으며 싸우고 고통을 주고받지 않고서는 더 이상 살아갈 수없을 것 같았기 때문이다. 그들은 증오와 잔인함에 집착했다. 일종의 적대감과 동질감이 그들을 떼어놓는 동시에 붙잡아두었다. 그들은 싸운 뒤 헤어지고 싶어 하면서도 서로에게 다시 욕을 퍼붓기 위해 끝없이 재결합하는 그런 연인 같았다. 더욱이 현실적인 문제를 내팽개치고 달아날 수도 없었다. 그들은 마비 환자를 어떻게 해야 할지, 목요일의 손님들에게는 또 뭐라고 말해야 할지 알 수 없었다. 만일 그들이 달아난다면, 아마도 사람들은 뭔가 의심할 것이다. 그러면 그들은 추적당할 것이고, 결국에는 체포되어 단두대에 서게 될터였다. 그들은 비겁했기 때문에 그대로 주저앉아 공포로 가득 찬 비참한 삶을 근근이 이어 나갔다.

로랑이 집에 없으면 테레즈는 커져가는 공허감을 어떻게 메워야 할지 몰라 불안해하면서 가게로 내려갔다. 라캥 부인의 발밑에 엎드려 눈물을 흘리거나 남편에게 구타당하며 욕을 얻어먹지 않으면 허전한 느낌까지 들었다. 가게에 혼자 있는 순간부터 테레즈는 의기소침해져서, 더럽고 시커먼 파사주를 지나가는 사람들을 멍한 표정으로 바라보았다. 시체 썩는 냄새를 풍기는 그 어두운 지하 묘소 에서 그는 죽고 싶을 정도로 슬펐다. 그래서 쉬잔에게 낮 시간 동안 함께 가게에 있어달라고 부탁했다. 언제나 주눅 든 것 같고 병자처럼 안색이 창백한 그 여자와 있으면 왠지 위안이 될 것 같았기 때문이었다.

쉬잔은 테레즈의 제안을 흔쾌히 받아들였다. 쉬잔은 테레즈를 친구처럼 좋아했지만 한편으로는 존경심을 느끼며 우러러보기도 했다. 그러지 않아도 그는 남편 올리비에가 출근한 동안 잡화점에서 테레즈와 함께 일하고 싶다는 생각을 하던 터였다. 쉬잔은 바느질감을 가져와 계산대 너머 라캥 부인의 자리에 앉았다.

쉬잔이 오고부터 테레즈는 고모에게 덜 집착하게 되었다. 고모의 무릎 위에 엎드려 울면서 그 생기 없는 얼굴에 입 맞추려고 위층으로 올라가는 횟수도 뜸해졌다. 다른 관심거리가 생겨서였다. 테레즈는 흥미를 가지려 애쓰며 쉬잔이 느릿느릿 늘어놓는 따분하고 단조로운 일상사에 귀를 기울였다. 그러고 있노라면 상념에서 빠져나올 수 있었다. 그러다가 때때로 자기가 그 바보 같은 수다에 관심을 기울이고 있다는 것을 문득 깨닫고는, 씁쓸하게 미소를 짓곤 했다.

어느새 잡화점 손님들도 눈에 띄게 줄어들었다. 라캥 부인이 전신 마비가 되어 위층의 안락의자에 축 늘어져 있게 된 이후로, 테레즈는 가게를 운영하는 둥 마는 둥 내팽개쳐두었다. 물건들은 먼지와 습기로 뒤덮인 채 방치되었다. 가게에는 곰팡내가 떠돌았고, 여기저기 거미집이 보였으며, 바닥은 걸레질을 하지 않아 지저분했다. 무엇보다 손님들을 달아나게 한 것은 테레즈의 태도였다. 테레즈는 이해할 수 없는 태도로 손님들을 대했다.

위층에서 로랑에게 얻어맞거나 공포의 발작을 일으킬 때 가게의 초인종이 울리면, 테레즈는 머리를 다시 묶거나 눈물을 닦을 틈도 없이 가게로 내려와 기다리는 손님을 퉁명스럽게 대했다. 어떤 때는 심지어 아래층으로 내려올 생각조차 없이 계단 위에서 물건이 다 떨어졌다고 소리치고는, 손님이 뭘 찾는지 더 들을 생각도 하지 않고 돌아서기도 했다. 그렇게 무뚝뚝하고 불친절한 태도에 손님은 자연스레 떨어져 나갔다. 라캥 부인의 상냥하고 친절한 태도에 익숙했던 그 구역의 직공들은 테레즈의 무뚝뚝한 태도와 정신이 나간 듯한 눈빛 앞에서 발길을 돌렸다. 그러다가 테레즈가 쉬잔을 옆에 붙잡아둔 뒤로, 손님들의 발길은 완전히 끊겨버렸다. 그 두 젊은 여자는 잡담을 방해받지 않으려고 몇 남지 않은 손님들마저 돌아서게 했다. 잡화점에서는 단 한 푼도 수익을 내지 못했다. 결국, 원금 4만 몇천 프랑에 손을 댈 수밖에 없었다.

이따금 테레즈는 오후 내내 외출을 했다. 그가 어디로

뭘 하러 가는지는 아무도 몰랐다. 그는 자기 곁에 있어줄 사람이 필요해서이기도 했지만, 자기가 가게를 비우는 동안 대신 가게를 봐줄 사람이 필요해서 쉬잔을 붙잡아두는 게 분명했다. 저녁 무렵 눈 밑이 거무스름해지고 기진맥진한 모습으로 돌아오면 다섯 시간 전과 똑같은 자세로 보일 듯 말 듯한 미소를 지은 채 기운 없이 계산대 너머에 앉아 있는 쉬잔을 볼 수 있었다.

결혼한 지 5개월쯤 지났을 때, 테레즈에게 큰 근심거리가 생겼다. 임신을 한 것이다. 로랑의 아이를 가졌다고 생각하자 테레즈는 왠지 모르게 섬뜩했다. 혹시 물에 빠져 죽은 시체를 낳는 건 아닐까, 희미한 두려움을 느꼈다. 자신의 배 속에서 문드러지고 물컹거리는 싸늘한 시체가 느껴지는 듯했다. 테레즈는 배 속의 아기가 자기를 얼어붙게 하는 것 같았고, 그래서 더더욱 그 아이를 배 속에 담고 있을 수 없다고 생각했다. 어떻게 해서라도 아이를 떼어버리고 싶었다. 그는 남편에게 임신한 사실을 말하지 않고, 어느 날 일부러 로랑의 화를 돋운 뒤, 그가 발길질을 하려고 발을 들어 올리자 얼른 배를 내밀었다. 그러고는 그의 발길질에 완전히 몸을 내맡겼다. 다음 날, 테레즈는 유산했다.

한편 로랑도 끔찍한 나날을 보냈다. 하루하루가 견딜 수 없이 길게 느껴졌다. 날마다 일정한 시간이 되면 어김없이 똑같은 불안과 권태가 그를 무겁게 짓눌렀다. 그리고 밤이면 언제나 그날 낮을 떠올리고 다음 날을 예상하며 공포에 사로잡힌 채 질질 끌려갔다. 그는 남은 인생도 하루하루가 별다를 게 없이 비슷비슷할 것이고, 날마다 똑같은 고통을 겪으리라는 것을 알았다. 그리고 앞으로도 침울하고 무자비한 매주, 매달, 매해가 계속 자기를 기다린다는 것을, 그 시간들이 연달아 닥쳐오면서 조금씩 자기를 질식시킬 것임을 알았다. 미래에 희망이 없을 때, 현재는 씁쓸하고 고통스러운 법이다. 로랑은 더 이상 저항하지 않고 그저 무기력하게 축 늘어져, 이미 자신을 사로잡은 허무감에 더 깊이 빠져들어갔다. 하는 일 없이 빈둥거리는 삶이 그를 서서히 죽였다. 아침부터 그는 어디로 가야 할지도 모르면서 무조건 밖으로 나갔다. 전날 했던 것을 되풀이해야 한다는 생각, 자신의 뜻과는 무관하게 다시 그렇게 할 수밖에 없다는 생각에 그는 지긋지긋한 염증을 느꼈다. 그는 강박적으로, 습관처럼 자신의 아틀리에로 갔다. 회색 벽과 텅 빈 사각형 하늘밖에 보이지 않는 방은 그를 칙칙한 슬픔으로 가득 채웠다. 거기서 그는 긴 소파에 드러누워 두 팔을 축 늘어뜨리고 뒹굴면서 무거운 생각에 잠겼다. 이제 붓을 들 엄두도 나지 않았다. 새로운 그림을 그려보려 해도, 언제나 카미유의 얼굴이 캔버스 위에서 빈정거리기 시작했다. 그는 미쳐버릴 것 같아 화구를 한 구석에 내팽개쳐버리고, 완전무결한 게으름에 몸을 내맡겼다. 하지만 달리 어떻게 할 수가 없어서 나태하게 시간을 보내는 것도 여간 답답하고 괴로운 일이 아니었다.

오후가 되면 도대체 뭘 하며 시간을 때워야 하나, 그는 늘 불안하게 궁리했다. 그리고 마자린가의 거리에서 시간을 보낼 만한 게 없을까 찾으면서 반 시간가량 서성이다가, 소일거리가 될 만한 게 보이면 기웃거리곤 했다. 대체로 그는 아틀리에로 다시 올라갈 생각을 접고 게네고가로 내려가 강둑을 따라 걷기로 마음을 정했다. 그리고 센강을 바라볼 때마다 갑작스러운 전율에 휩싸였다가, 멍하니 얼이 빠진 채 계속 걸었다. 아틀리에에 있을 때나 거리에 있을 때나, 그는 똑같이 무기력하고 의기소침했다. 다음 날에도 그는 다시 똑같은 하루를 시작했다. 아틀리에의 긴 소파에서 아침나절을 보낸 뒤, 오후에는 강둑을 따라 걸으며 어슬렁거렸다. 그런 나날이 몇 달 동안 계속되었고, 앞으로 몇 년 동안 계속될 수도 있었다.

때때로 로랑은 아무 일도 하지 않고 놀며 지내려는 마음에 카미유를 죽였다는 사실을 떠올렸다. 그리고 그 소원대로 아무것도 하지 않고 지내게 되었음에도, 이처럼 엄청난 고통에 시달린다는 사실에 화들짝 놀랐다. 그는 억지로라도 행복해지고 싶었다. 자기가 고통을 겪는 건 뭔가 잘못된 것이고,

무위도식하며 사는 최고의 행복에 기껏 도달해놓고도 그 행복을 마음 편히 누리지 못하는 건 바보임을 스스로 증명하는 것이라고 생각했다. 하지만 그의 그런 이성적 사유는 현실 앞에서 힘없이 무너졌다. 한가로이 빈둥거리고 지내다 보면 오히려 매 순간 근심거리가 떠오르고 치유할 수 없는 고통의 응어리가 더 곪아가면서 불안이 더욱더 무자비하게 가중된다는 것을 마음 깊이 인정하지 않을 수 없었다. 게으른 생활, 그가 꿈꾸었던 짐승 같은 삶은 그에게 내려진 징벌이었다. 때때로 그는 잡념을 떨칠 만한 일거리가 생기기를 간절히 바랐다. 그러다가 다시 될 대로 되라는 식으로 내버려두면서, 그의 사지를 꼼짝 못 하게 결박해놓고 그를 가차 없이 짓누르는 은밀한 숙명의 무게에 무너져 내리곤 했다.

사실 그는 저녁에 테레즈를 두들겨 패면서 약간의 위안을 느꼈다. 테레즈를 때릴 때면 참을 수 없는 고통에서 잠시나마 벗어날 수 있었다.

육체적으로나 정신적으로나 가장 견디기 힘든 고통은 카미유가 목에 만들어놓은 이빨 자국에서 기인했다. 문득문득 그는 그 상처가 자신의 온몸을 뒤덮는 상상을 했다. 잠시나마 과거를 잊은 순간에도, 목의 상처에서 느껴지는, 살을 베어내는 것 같은 통증이 그의 육체와 정신에 살인의 기억을 되살아나게 했다. 거울 앞에 서기만 하면 그런 현상이 일어났다. 그리고 그 현상은 시간이 흐를수록 빈번해지며 그를 공포로 몰아넣었다. 감정이 격해지면 목으로 피가 몰려 상처가 검붉게 물들고 그 부위의 살이 심하게 쑤시기 시작했다. 조금만 불안해도 상처는 아가리를 벌리듯 시뻘겋게 되살아나 그를 물어뜯고, 살아 있는 괴물처럼 그에게 고통을 가했다. 마침내 그는 익사자의 이빨이 그의 목에 그를 뜯어먹는 짐승을 박아두었다고 생각하기에 이르렀다. 목덜미의 상처 부위는 더 이상 자기 몸의 일부가 아닌 것 같았다. 누군가가 그 부위에 독이 든 남의 살을 붙여놓고 근육을 썩게 만드는 것 같았다. 그렇게 해서 그는 어디를 가든 자신의 범죄에 관한 생생하고도 탐욕스러운 기억을 데리고 다녔다. 로랑이 때릴 때면 테레즈는 그 부위를 할퀴려 했다. 때때로 테레즈는 그곳에 손톱을 박아 넣어 그가 고통으로 울부짖게 했다.

테레즈는 로랑의 상처를 보는 순간 흐느끼는 척하면서 그를 더욱더 참을 수 없게 만들곤 했다. 테레즈가 로랑의 잔인한 언행에 복수하는 방법은 그의 상처를 이용해 그를 최대한 괴롭히는 것이었다.

면도를 할 때, 목덜미의 살점을 도려내 죽은 자의 이빨 자국을 없애버릴까 하는 유혹도 몇 번이나 일었다. 턱을 치켜든 채 거울을 바라보다 하얀 비누 거품 아래 그 붉은 자국을 발견할 때면 그는 갑자기 격한 분노에 휩싸여, 살점을 떼어낼 것처럼 면도칼을 들이댔다. 하지만 언제나 살에 닿는 차가운 칼날에 정신을 차렸다. 그러고 나면 몸에서 힘이 다 빠져나가 자리에 털썩 주저앉은 채, 면도를 마저 끝마칠 수 있을 만큼 기력이 되돌아오기를 하염없이 기다려야 했다.

저녁이 되어서야 겨우 멍한 상태에서 벗어나, 다시 맹목적이고 유치한 분노에 휩싸였다. 테레즈와 싸우는 데도 지치고 그를 때리는 것도 지쳤을 때, 로랑은 마치 어린아이처럼 벽에 발길질을 해대면서 뭔가 깨부술 것을 찾았다. 그러면 화가 좀 가라앉았다. 그는 얼룩 고양이 프랑수아를 유난히 미워했는데, 그가 집으로 들어서는 순간부터 고양이는 그를 피해 마비 환자의 무릎 위로 달아났다. 로랑이 그 고양이를 아직 죽이지 않은 건 사실 그 녀석을 손으로 붙잡을 용기가 없어서였다. 고양이는 둥근 눈을 크게 뜨고 악마 같은 눈빛으로 그를 노려보았다. 로랑을 화나게 하는 건 언제나 자신을 뚫어져라 노려보는 그 눈이었다. 그는 집요하게 자신을 노려보는 눈이 무엇을 원하는 건지 궁금했다. 그는 터무니없는 것들을 상상하면서 엄청난 공포를 끝없이 느꼈다. 한창 싸울 때나 오랜 침묵이 흐를 때 갑자기 고개를 돌리면 집요하고 냉혹한 표정으로 자신을 살피는 프랑수아의 눈길이 보였다. 그러면 그는 창백해져서 안절부절못했다. 하마터면 고양이에게 이렇게 소리칠 뻔한 적도 있었다.

'이봐! 말해봐. 네가 원하는 게 뭔지 말해보란 말이야.'

가끔 기회가 생길 때마다 그는 잔뜩 겁에 질린 채 고양이의 발이나 꼬리를 질끈 밟으며 짜릿한 쾌감을 느꼈다. 그러면서도 그 가엾은 동물이 놀라서 야옹거리는 소리를 내면 마치 누군가가 고통을 참지 못해 내지르는 비명을 들은 것처럼 막연한 공포에 휩싸였다. 로랑은 말 그대로 프랑수아를 두려워했다. 프랑수아가 난공불락의 요새에 자리 잡은 듯 마비 환자의 무릎에 앉아 푸른 눈으로 빤히 노려보기 시작한 이후로, 그는 그 성난 짐승과 마비 환자가 어딘지 모르게 닮았다는 생각을 했다. 라캥 부인과 마찬가지로 고양이도 그의 죄를 알아서 그 짐승이 어느 날 말을 할 수 있게 된다면 그의 범죄 사실을 고발할 거라는 생각이 들었다.

그러던 어느 날이었다. 그날 저녁에도 프랑수아가 로랑을 뚫어져라 노려보고 있었다. 화가 머리끝까지 치민 로랑은 끝장을 내버리겠다고 마음먹었다. 그는 식당의 창문을 활짝 열고는, 고양이의 목덜미를 잡았다. 무슨 일이 일어날지 알아차린 라캥 부인의 두 뺨에서 굵은 눈물이 뚝뚝 흘러내렸다. 고양이는 으르렁거리며 등을 곧추세우고 고개를 돌려 로랑의 손을 물려고 했다. 하지만 로랑은 끄떡도 하지 않았다. 그는 고양이를 잡아 두세 바퀴 빙빙 돌린 뒤, 거무스름한 맞은편 벽으로 냅다 던졌다. 프랑수아는 벽에 납작하게 잠시 붙어 있다가 미끄러지며 파사주의 유리 천장 위로 툭 떨어졌다. 등뼈가 부러진 그 불쌍한 짐승은 밤새도록 쉰 목소리로 야옹거리면서 빗물받이를 따라 어슬렁거렸다. 그날 밤 라캥 부인은 카미유 때문에 슬피 울었던 것 못지않게 프랑수아 때문에 울었다. 테레즈는 무시무시한 신경 발작을 일으켰다. 창 아래 어둠 속에서 고양이의 신음이 음산하게 들려왔다.

얼마 지나지 않아 로랑은 새로운 불안에 휩싸였다. 아내의 태도가 달라진 것을 알아챈 그는 두려움에 온몸이 오싹해졌다.

테레즈는 다시 침울해졌고 말수도 적어졌다. 그는 더 이상 참회의 말들을 쏟아내지도 않았고 라캥 부인에게 감사의 입맞춤을 퍼붓지도 않았다. 마비 환자 앞에서 이전처럼 냉랭하고 잔인한 표정을 지었고, 다시 자기밖에 모르는 무관심한 태도를 보였다. 참회로는 마음이 달래지지 않아 또 다른 해결책을 찾는 것 같았다. 테레즈의 슬픔은 자기 힘으로는 도저히 안정된 삶을 살아갈 수 없다는 것을 확인한 데서 비롯된 것이 분명했다. 그는 더 이상 위안을 줄 수 없는 쓸모없는 물건을 바라보듯 경멸하는 시선으로 마비 환자를 바라보았고, 굶어 죽지 않을 정도로만 노파를 돌봐주었다. 그 무렵부터 테레즈는 뭔가에 짓눌린 듯 발을 질질 끌며 말없이 집 안을 돌아다녔다. 외출은 더 잦아져서 일주일에 네다섯 번씩 집을 비웠다.

그런 변화에 로랑은 놀라고 불안했다. 그는 테레즈의 참회가 새로운 형태로 변해서 지금처럼 음울한 권태로 나타나는 거라고 생각했다. 그 권태는 전에 그를 괴롭히던 여자의 그 야단스러운 절망보다 훨씬 더 불안하게 느껴졌다. 테레즈는 이제 아무 말도 하지 않았고 그와 싸우지도 않았다. 마치 가슴 깊은 곳에 모든 것을 묻어버린 것 같았다. 로랑은 그렇게 자기 세계에 틀어박힌 테레즈를 보는 것보다는 자신의 고통을 말로 다 비워내는 테레즈를 보는 게 차라리 낫다고 생각했다. 테레즈가 속으로만 끌어안은 불안과 고통에 짓눌리다 못해 어느 날 갑자기 마음의 짐을 덜려고 신부나 판사를 찾아가 모든 걸 털어놓지나 않을까, 그는 덜컥 겁이 났다.

그래서 테레즈의 빈번한 외출은 로랑의 눈에 무시무시한 의미로 다가왔다. 그는 테레즈가 밖에서 비밀을 털어놓을 만한 사람을 찾아다니며 자기를 배신할 준비를 하는 중이라고 생각했다. 두 번이나 테레즈의 뒤를 밟으려 했지만 거리에서 놓치고 말았다. 그는 다시 테레즈를 염탐하기 시작했다.

'테레즈는 고통에 못 이겨 모든 걸 폭로하려는 거야. 그러니까 그 입을 틀어막아 고백이 입 밖으로 나오지 못하게 해야 해.'

그는 그런 강박적인 생각에 사로잡혀 있었다.

31

어느 날 아침, 로랑은 아틀리에로 가지 않고 파사주 맞은편 게네고가의 어느 모퉁이에 있는 술집에 자리를 잡았다. 거기서 그는 마자린가를 지나가는 사람들을 살펴보기 시작했다. 그는 테레즈의 동정을 살피는 중이었다. 전날 테레즈는 아침 일찍 외출해서 아마 저녁 무렵에 돌아올 것 같다고 말했다.

로랑은 30분을 기다렸다. 그는 아내가 항상 마자린가를 지나다닌다는 것을 알았다. 하지만 그를 피해 센가 쪽으로 갔을지도 모른다는 불안감이 한순간 그의 머리를 스쳤다. 파사주로 되돌아가 골목 안에 숨어 있을까 생각하기도 했다. 그가 그렇게 초조해할 무렵, 파사주에서 급히 나오는 테레즈가 보였다. 테레즈는 밝은색 옷을 입고 있었다. 로랑은 매춘부처럼 옷자락이 땅에 끌리는 드레스를 차려입은 테레즈의 낯선 모습을 보고 깜짝 놀랐다. 테레즈는 치마 앞섶을 한 움큼 쥐고 아주 높게 쳐들어 다리 앞쪽과 레이스 달린 구두와 하얀 스타킹을 훤히 드러낸 채, 남자들을 쳐다보고 엉덩이를 살랑살랑 흔들면서 걸었다. 테레즈는 마자린가 쪽으로 다시 올라갔다. 로랑은 그의 뒤를 밟았다.

날씨는 온화했다. 테레즈는 고개를 약간 젖히고 머리칼을 등 뒤로 길게 늘어뜨린 채 느릿느릿 걸었다. 맞은편에서 지나던 남자들이 뒤돌아보면서 테레즈를 흘끔거렸다. 테레즈는 에콜드메드신가로 접어들었다. 로랑은 공포에 질렸다. 그 근처 어딘가에 경찰서가 있다는 것을 알았다. 더 이상 의심할 여지가 없었다. 아내가 자기를 경찰에 넘길 게 분명했다. 그는 만약 테레즈가 경찰서 문을 넘어간다면, 곧바로 달려가 달래보고, 그래도 안 되면 때려서라도 입을 다물게 하겠다고 마음먹었다. 거리 모퉁이에서 테레즈는 지나가는 경찰을 쳐다보았다. 그러더니 그 경찰에게 다가가는 것을 보고 로랑은 몸을 떨었다. 지금 자기가 모습을 드러낸다면 당장 체포될 것 같았다. 그는 엄습해오는 두려움에 어떤 집 문틈에 재빨리 몸을 숨겼다. 그렇게 숨어서 아내의 뒤를 밟는 것이 죽을 것처럼 고통스러웠다. 아내가 정숙지 못하게 치맛자락을 끌면서 밝은 햇볕 아래 당당하게 활보하는 동안, 그는 창백한 얼굴로 벌벌 떨면서 이제 모든 게 끝났으며 도망칠 수도 없고, 단두대에 처형당할 거라는 말을 되뇌었다. 로랑은 아내의 뒤를 따라 발걸음을 옮길 때마다 자신이 징벌을 향해 한 걸음, 한 걸음 나아가는 것 같다고 느꼈다. 그는 두려움 때문에 맹목적으로 그렇게 확신했고, 테레즈의 사소한 동작을 보며 더욱더 확신을 굳혀갔다. 테레즈를 미행하는 길이 마치 처형장을 향해 가는 길 같았다.

옛 생미셸 광장에 다다른 테레즈는 갑자기 무슈르프랭스가 모퉁이의 어떤 카페 쪽으로 걸어갔다. 인도에 놓인 테이블에서 젊은 남녀들이 무리 지어 노닥거리고 있었다. 테레즈는 패거리에 섞여 들어가며 야외 테이블에 앉았다. 그리고 모든 사람과 친숙하게 악수를 나누고 나서 압생트를 시켰다.

테레즈는 그곳이 아주 익숙한 듯 스스럼없는 태도로 그를 기다린 듯한 어떤 금발 남자와 이야기를 나눴다. 두 여자가 테레즈의 테이블로 와서 걸걸한 목소리로 자연스레 말을 걸었다. 주위 여자들은 담배를 피웠고 남자들은 길 한복판에서 행인들이 보건 말건 상관하지 않고 여자들을 끌어안고 키스를 했다. 행인들 역시 돌아볼 생각조차 하지 않았다. 상스러운 말과 과장된 웃음소리가 광장 건너편의 어느 건물 처마 밑에서 꼼짝하지 않고 서 있는 로랑에게까지 들려왔다.

압생트 한 잔을 다 마신 테레즈는 자리에서 일어나 금발 청년과 팔짱을 끼고 아르프가로 내려갔다. 로랑은 생앙드레데자르가까지 그들을 뒤따라갔다. 거기서 그는 그들이 어느 싸구려 호텔로 들어가는 것을 지켜보았다. 그는 인도 한가운데에서 눈을 들어 그 호텔을 바라보고 서 있었다. 그의 아내가 3층에 열린 창문으로 잠시 모습을 나타냈다. 그러고 나서 아내의 허리를 따라 미끄러지는 금발 청년의 손이 보이는 듯하더니, 이내 창문이 둔탁한 소리를 내며 닫혔다.

로랑은 모든 것을 알아차렸다. 안심한 그는 더 볼 것도 없다는 듯 흡족해하면서 조용히 그 자리를 떠났다.

"그래, 차라리 잘됐어!"그는 강가로 내려가면서 생각했다."어쨌든 테레즈에게 할 일이 생긴 거잖아. 그런다고 나에게 해가 되는 것도 아니고…….나보다 훨씬 더 현명하군."

그는 자기가 먼저 방탕한 생활에 빠져들 생각을 하지 못했다는 사실이 놀라웠다. 그도 그런 짓으로 공포를 이겨내려 했을 수도 있었다. 하지만 그는 그런 생각을 미처 하지 못했다. 육체가 활기를 잃어 방탕한 짓을 하고 싶은 욕구가 전혀 일지 않았기 때문이었다. 그는 아내의 외도에 아무런 관심이 없었다. 아내가 다른 남자의 품에 안긴다고 생각해도 피와 신경이 조금도 반응하지 않았다. 아니, 오히려 기분이 좋은 것 같았다. 그는 자기 아내가 아니라 어떤 친구의 아내를 미행해서 바람피우는 장면을 목격한 듯한 기분이었다. 그래서 그 여자가 남편을 교묘히 속이고 있다는 생각에 웃음이 나기까지 했다. 테레즈는 그 정도로 그에게 남 같은 존재가 되었고, 그의 마음을 조금도 움직이지 못했다. 그는 평온한 한 시간을 살 수 있다면 테레즈를 백번도 팔아넘겼을 것이다.

그는 뜻밖에도 심한 불안과 공포를 느끼지 않고 평온하게 지낼 수 있게 되었다는 사실에 행복을 느끼면서 한가로이 거닐기 시작했다. 경찰서를 찾아가는 거라고 생각했는데 알고 보니 바람피울 상대를 찾아간 아내가 오히려 고맙기까지 했다. 미행은 전혀 뜻밖의 결말로 그에게 기분 좋은 놀라움을 안겨주었다. 그가 그 모든 일로 분명하게 깨달은 것은, 자기가 떨고 있을 이유가 전혀 없으며, 방탕한 생활로 생각을 딴 데로 돌릴 수도 있다는 것이었다. 그는 이제 자기도 그런 생활에 도전해 그것이 정말 고통을 덜어주는지 알아볼 차례라고 생각했다.

그날 저녁, 로랑은 가게로 돌아가면서 어떻게 해서라도 아내에게 돈을 뜯어내기로 마음먹었다. 남자가 방탕한 생활을 하려면 돈이 많이 든다는 생각이 들자, 그는 몸을 팔 수 있는 여자들이 약간 부러웠다. 로랑은 아직 돌아오지 않은 테레즈를 초조하게 기다렸다. 테레즈가 돌아왔을 때, 로랑은 뒤를 밟은 티는 조금도 내지 않고 다정한 척 연기를 했다. 테레즈는 약간 취한 듯했다. 제대로 여미지 않은 옷에서 선술집 안에 떠도는 텁텁한 담배 냄새와 술 냄새가 풍겼다. 얼굴은 대리석처럼 푸르스름한 반점들로 얼룩지고 몸은 지쳐서

녹초가 된 채로, 테레즈는 낮의 수치스러운 피로를 가누지
못해 비틀거렸다.

저녁을 먹는 동안 침묵이 흘렀다. 테레즈는 아무것도 먹
지 않았다. 후식이 나왔을 때 로랑은 식탁 위에 팔꿈치를 괴
고 대뜸 5000프랑을 달라고 말했다.

"안 돼." 테레즈는 퉁명스럽게 대답했다. "당신이 해달라
는 대로 해주다가는 길거리에 나앉게 될 거야. 우리 처지를
몰라서 그래? 얼마 못 가 가난뱅이가 되고 말 거라고."

"그럴 수도 있겠지." 로랑은 담담하게 대꾸했다. "그러건
말건 난 상관없어. 어쨌든 난 돈이 필요해."

"안 돼. 절대로 안 돼! 당신은 직장을 그만뒀고, 더군다
나 잡화점도 이제 전혀 장사가 안 돼. 내 지참금만으로는 버
틸 수가 없어. 난 당신을 먹여 살리고 당신이 매달 내게서 뜯
어가는 몇백 프랑 때문에 원금도 까먹고 있어. 더는 안 돼. 알
겠어? 두말할 필요도 없어!"

"그렇게 안 된다고만 하지 말고 잘 생각해봐. 난 5000프
랑이 필요하다고 말했고, 그 돈을 꼭 받아낼 거야. 어쨌든 당
신은 내게 그 돈을 내놔야 해."

로랑이 고집을 부리자, 테레즈는 마침내 화를 참지 못하
고 폭발해버렸다.

"아! 알겠다." 테레즈는 소리쳤다. "이제 이판사판이니

까 본색을 드러내시겠다 이거군. 우리가 당신을 먹여 살린 지 4년째야. 당신은 오로지 먹고 마시려고 우리 집에 왔어. 그때부터 우리가 당신을 먹여 살린 셈이야. 너는 아무것도 하지 않고 놀고먹으면서 나한테 빌붙어 살았어. 너한텐 한 푼도 안 줄 거야. 땡전 한 푼도. 내 입에서 이런 말을 굳이 듣고 싶은 모양인데, 너는 말이야……."

그때 로랑이 어깨를 으쓱하며 웃기 시작했다. 그러고는 그저 이렇게만 말했다.

"요즘 어울려 노는 친구들에게 예쁜 말을 배우는 모양이군."

그가 테레즈의 행실을 안다는 것을 암시하는 말이었다. 테레즈는 고개를 거세게 치켜들고 날카롭게 쏘아붙였다.

"어쨌든, 난 살인자들과 어울려 다니지는 않아."

로랑의 얼굴에 핏기가 싹 가셨다. 그는 아내를 쏘아보면서 잠시 침묵을 지켰다. 그리고 나서 떨리는 목소리로 이렇게 말했다.

"이봐, 잘 들어. 우리 화내지 말자고. 당신을 위해서나 날 위해서나 그건 전혀 도움이 안 돼. 나도 더는 못 참아. 더 이상 불행해지기 싫으면 서로 적당히 타협하며 살아가는 게 좋을 거야. 난 쓸 데가 있어서 5000프랑을 달라고 한 거야. 각자 마음 편하게 살려면 그 돈이 필요하다고."

그는 야릇한 미소를 짓고는 말을 계속했다.

"잘 생각해보고 대답해."

"더 생각해볼 필요도 없어." 젊은 여자가 대답했다. "말했잖아. 한 푼도 주지 않을 거라고."

남편이 의자를 박차고 일어났다. 테레즈는 맞을까 봐 겁이 났다. 그렇지만 매질에 굴복하지 않으리라 결심하고 몸을 아주 작게 웅크렸다. 하지만 로랑은 테레즈 쪽으로 다가서지도 않았다. 그는 이렇게 사는 것에 지쳤다며 당장 경찰서로 가서 모든 걸 털어놓겠다고 차갑게 선포하는 것으로 그쳤다.

"당신은 나를 벼랑 끝으로 밀어붙였어." 그가 말했다. "당신 때문에 난 숨을 쉴 수가 없어. 차라리 모든 걸 끝내는 게 낫겠어. 우리 둘 다 심판을 받고 죗값을 치르면 그뿐이야."

"그런다고 내가 겁낼 줄 알아?" 그의 아내가 소리쳤다. "나도 당신만큼 지쳤어. 당신이 가지 않는다면, 내가 경찰서로 가겠어. 아! 난 당신을 따라 단두대에 오를 각오가 됐어. 난 당신처럼 비겁하지 않거든. 그래, 당장 경찰서로 같이 가."

테레즈는 벌써 계단으로 걸음을 옮기는 중이었다.

"그래, 좋아." 로랑이 말을 더듬었다. "같이 가자고."

가게로 내려온 그들은 불안하고 겁먹은 얼굴로 서로를 바라보았다. 누군가가 그들의 발을 바닥에 못 박아놓은 것 같았다. 내려오는 동안 자백의 결과가 어떤 것일지 번개처럼 깨달은 것이다. 그 짧은 순간 동안 헌병들, 감옥, 중재재판소, 단두대, 그 모든 것이 눈앞에 너무도 선명하게 펼쳐졌다. 그러자 한순간 마음이 약해지면서, 무릎을 꿇고 엎드려 제발 멈추라고, 아무것도 발설하지 말라고 상대방에게 애원하고 싶어졌다. 그들은 두려움과 당혹감에 사로잡힌 채 2~3분 동안 한마디 말도 없이 꼼짝하지 않고 서 있었다. 먼저 꼬리를 내리고 입을 연 것은 테레즈였다.

"돈 때문에 당신과 싸우다니, 나도 참 어리석지. 당신은 기어코 그 돈을 뜯어내고 말 텐데. 차라리 지금 그 돈을 주는 게 낫겠어."

테레즈는 자신의 패배를 숨기려 하지 않았다. 그는 계산대에서 수표책을 꺼내 5000프랑을 적고 서명을 한 뒤, 로랑에게 건넸다. 로랑은 그 수표를 은행에 가져가 돈으로 바꾸기만 하면 되었다. 서로 경찰서에 가겠다던 실랑이는 그것으로 깨끗이 해결되었다.

수중에 돈이 들어오자마자, 로랑은 술에 얼근히 취해서 여자들을 만나고, 시끌벅적하고 미친 듯한 생활에 파묻혀 뒹굴기 시작했다. 그는 방탕한 생활에 빠져 외박을 일삼고, 낮에는 잠을 자고 밤에는 짜릿한 자극을 찾아다니면서 현실로부터 달아나려 애썼다. 하지만 그럴수록 더한층 무기력해지기만 했다. 주위에서 사람들이 소리를 지를 때 그는 내면에서 무시무시한 침묵의 소리를 들었다. 매춘부의 품에 안길 때나 술잔을 비울 때도 만족감의 밑바닥에서 무거운 슬픔을 발견할 뿐이었다. 그는 이제 색욕에 빠질 수도 폭식을 할 수도 없었다. 몸속 깊은 곳까지 뻣뻣하게 굳은 것처럼 욕구가 사라져버려서 여자와 자거나 음식을 먹을 때도 무기력하고 짜증만 날 따름이었다. 그런 것들을 생각만 해도 구역질이 났기 때문에 상상력을 동원해 감각과 위장을 자극할 수도 없었다. 억지로 방탕한 생활을 하면 할수록 더 심한 고통을 느꼈다. 무기력하게 권태에 빠져 있다가 집에 돌아와 라캥 부인과 테레즈를 다시 만나면, 한순간에 두려움에 벌벌 떨며 발작을 일으키곤 했다. 그럴 때면 그는 더 이상 밖으로 나가지 않고 집 안에 틀어박혀 고통을 견디고, 고통에 익숙해짐으로써 고통을 극복하겠다고 다짐했다.

한편 테레즈도 점점 외출 횟수가 줄어들었다. 한 달 동안 테레즈는 로랑처럼 거리에서, 카페에서 살았다. 저녁에 잠시 집으로 돌아와 라캥 부인에게 음식을 먹인 뒤 잠자리에 눕히고 나서 다시 나가 다음 날까지 돌아오지 않았다. 한번은 그들 부부가 나흘이나 서로 얼굴을 보지 못한 적도 있었다. 하지만 얼마 지나지 않아 테레즈는 그런 생활에 환멸을 느끼게 되었고, 방탕한 생활이 참회의 연극보다 더 효과가 없다는 걸 깨달았다. 그는 라탱 지구의 모든 싸구려 호텔을 전전하며 요란하게 난잡한 생활을 했지만 아무런 소용이 없었다. 신경은 망가졌고, 방탕한 생활과 육체적 쾌락도 이제는 고통을 잊게 해줄 만큼 강렬한 자극제가 되어주지 않았다. 테레즈는 마치 독주를 너무 마셔대 입안의 감각을 잃어버린 술꾼과도 같았다. 성적 욕망은 사그라졌고, 남자들을 만나도 권태와 피로밖에 느끼지 못했다. 남자들이 아무 도움도 되지 않는다는 생각이 들자, 테레즈는 그들을 떠났다. 그렇게 희망을 잃고 집 안에 틀어박혀 더러운 속치마만 걸치고 머리는 아무렇게나 풀어헤친 몰골로, 얼굴도 손도 씻지 않은 채 나태하게 하루하루를 보냈다. 그는 더러움 속에서 자신의 현실을 잊었다.

달아날 모든 방법을 다 써버리고 지친 모습으로 다시 얼굴을 마주하게 되었을 때, 두 살인자는 자신들에게 더 이상 싸울 기력이 남지 않았다는 것을 깨달았다. 방탕한 생활은 그들을 받아들이지 않고 오히려 그들을 불안 속에 던져놓았다. 그들은 다시 파사주의 차갑고 눅눅한 집 안에 들어앉았다. 구원을 찾으려 해봤지만 자신들을 묶어놓은 피로 물든 관계를 결코 끊어낼 수 없었기 때문에, 평생토록 감옥 같은 그곳에 갇혀 지내야만 할 것 같았다. 이제 그들은 뭔가를 새롭게 시도해볼 생각조차 하지 않았다. 아무리 발버둥 치고 날뛰어봤자 이 구렁텅이에서 결코 벗어날 수 없으며, 두 사

람이 진실에 떠밀리고 짓눌리면서 한데 묶인 운명 공동체라
는 사실을 더 확실하게 깨닫게 될 뿐이었다. 그들은 다시 함
께 생활했다. 하지만 서로를 향한 증오심은 더욱더 커져만
갔다.

　저녁의 싸움이 다시 시작되었다. 구타와 비명이 하루 종
일 계속되었다. 증오심에 경멸이 더해졌고, 경멸은 마침내
그들이 제정신을 잃고 광분하게 했다.

　그들은 서로를 두려워했다. 5000프랑을 요구하던 날 벌
어졌던 장면이 곧 아침저녁으로 되풀이되었다. 서로를 고발
하겠다는 생각이 머리에서 떠나지 않았다. 그들은 거기서 헤
어나지 못했다. 둘 중 하나가 무슨 말이나 행동을 하면, 다른
하나는 상대가 곧 경찰서로 달려갈 생각을 하는 거라고 의심
했고, 그래서 서로 싸우거나 애원했다. 둘 중 한 사람이 분노
를 터뜨리다 경찰서로 달려가 모든 걸 폭로하겠다고 소리치
면, 다른 한 사람은 죽을 만큼 공포에 질렸다. 그들은 몸을 떨
고, 욕을 퍼붓고, 침묵을 지키겠다고 쓰디쓴 눈물을 흘리며
맹세를 했다. 끔찍하게 괴로웠지만, 상처가 덧나지 않도록
벌겋게 불에 달군 쇠로 지져버릴 용기는 없었다. 그들이 죄
를 고백하겠다고 서로 위협하는 것은 오직 상대방을 공포에
질리게 해서 자백하러 갈 생각이 들지 못하게 하기 위함이었
다. 죄를 자백하고 벌을 받음으로써 마음의 평화를 찾을 용

기가 그들에게는 없었다.

한 사람이 앞장서고 다른 한 사람은 그 뒤를 따라가며 경찰서 문 앞까지 간 적이 스무 번도 넘었다. 때로는 로랑이, 때로는 테레즈가 살인한 사실을 자백하려 했다. 하지만 그들은 언제나 도중에 다시 만나 욕설을 주고받고 애타게 애원한 다음, 조금만 더 신중하게 생각해보자고 결론을 내렸다.

그런 발작이 일어날 때마다 그들은 더욱 서로를 의심하고 더욱더 험악해졌다.

아침부터 저녁까지 그들은 서로를 감시했다. 로랑은 더 이상 파사주의 집을 떠나지 않았고, 테레즈는 그가 혼자 외출하게 놔두지 않았다. 상대방이 행여 사실을 폭로하지 않을까 두려운 마음 때문에 가까워졌고 그 어느 때보다 더 끔찍하게 결속되었다. 결혼한 이후로 그들이 이토록 서로 가까이 붙어서 지낸 적이 없었고 이만큼 고통스러웠던 적도 없었다. 하지만 상대방 때문에 불안과 고통에 빠져들면서도 서로에게서 눈을 떼지 않았고, 떨어져 있기보다는 차라리 함께하며 쓰라린 고통을 견디는 게 낫다고 그들은 생각했다. 테레즈가 가게로 내려가면, 로랑은 그가 손님에게 뭔가 털어놓지 않을까 두려워 뒤따라 내려갔다. 로랑이 문가에 서서 파사주를 지나가는 사람들을 바라보면, 테레즈는 그가 혹시 누구에게 말하는 건 아닌지 보려고 그의 옆에 바짝 붙어 있었다. 목요일 저녁, 손님들이 오면 그 살인자들은 애원하는 눈길을 주고받았다. 둘 중 한 사람이 무슨 말을 하려고 입을 열기만 해도 행여 끔찍한 이야기를 꺼낼까 봐 공포에 휩싸인 채 귀를 쫑긋 세웠다.

그런 전쟁 같은 상태는 오래 지속될 수 없었다.

결국, 테레즈와 로랑은 각자 새로운 범죄로 첫 번째 범죄의 속박에서 벗어날 생각을 하게 되었다. 한 사람이 조금이나마 휴식을 맛보려면 다른 한 사람이 반드시 사라져야만 했다. 그 생각은 둘의 머릿속에 동시에 떠올랐다. 두 사람 모두 헤어질 필요성을 절박하게 느꼈고, 두 사람 모두 영원한 이별을 원했다. 그들의 머릿속에 떠오른 살인은 카미유의 살해가 불가피하게 불러온 필연적이고 당연한 귀결 같았다. 그들은 곰곰이 생각해보지도 않고 그 계획을 유일한 구원의 방법으로 받아들였다. 로랑은 테레즈가 자신을 들볶아대고, 단 한마디로 자신을 파멸시킬 수도 있으며, 자신에게 견딜 수 없는 고통을 불러일으키기 때문에 테레즈를 죽이기로 결심했다. 테레즈 역시 같은 이유로 로랑을 죽이기로 마음먹었다.

살인을 저지르겠다는 결심이 확고해지자 그들은 마음이 좀 진정되었다. 그들은 각자 계획을 세웠다. 하지만 치밀함도 신중함도 없이, 그저 열에 들떠서 행동했다. 살인을 저지른 후 달아나거나 벌을 피할 방법 같은 건 생각해두지도 않고, 살인을 저지르고 난 뒤 얻게 될 것만 막연하게 생각했다. 두 사람은 서로를 죽일 필요성을 절실하게 느꼈고, 성난 짐승들처럼 그 욕망에 따랐다. 그동안 아주 교묘하게 감추고 살았던 최초의 범죄로 새삼스럽게 체포되지는 않을 테지만, 두 번째 살인을 저지르고 도망가거나 숨지 않는다면 단두대에서 처형당할 수도 있었다. 그들은 그런 것도 전혀 자각하지 못하며 모순적으로 행동했다. 범죄를 저지른 다음에는 가진 모든 돈을 챙겨 외국에 가서 살 거라고만 막연히 생각했다. 테레즈는 2~3주에 걸쳐 나머지 지참금 몇천 프랑을 은행에서 찾아 서랍 속에 감춰두었다. 하지만 로랑도 그 사실을 알았다. 라캥 부인의 미래는 두 사람 모두 단 한순간도 생각해보지 않았다.

　몇 주일 전 로랑은 학창 시절의 친구를 우연히 만났다. 친구는 독극물학에 관심이 많은 유명한 화학자의 실습 조교로 일한다고 했다. 그는 자기가 일하는 실험실로 로랑을 데려가 실험 도구들을 보여주고 독극물들의 이름을 알려주었다. 어느 날 저녁, 살인을 결심한 로랑은 테레즈가 자기 앞에서 설탕물을 마시는 것을 보고, 그 실험실에서 본 청산가리가 든 작은 도자기병을 떠올렸다. 마치 벼락 맞아 죽는 것처럼 순식간에 목숨을 앗아가면서도 흔적은 거의 남기지 않는다는 그 독약의 무시무시한 효력에 관한 이야기를 떠올리면서, 로랑은 자신에게 필요한 건 바로 그것이라고 생각했다. 다음 날, 그는 몰래 집을 빠져나와 그 친구를 찾아갔다. 그리고 친구가 등을 돌린 사이에 그 작은 병을 훔쳤다.

같은 날, 테레즈는 로랑이 없는 틈을 타서 부엌칼을 들고 나가 날카롭게 갈아 왔다. 날이 무뎌져 설탕을 으깨는 데 쓰던 칼이었다. 그는 그 칼을 찬장 구석에 숨겨두었다.

32

다음 목요일, 여느 때처럼 손님들이 찾아온 라캉 집안의 저녁 모임은 유달리 흥겨운 분위기였다. 모임은 11시 반까지 이어졌다. 집을 나서면서 그리베는 그 어느 때보다 즐거운 시간을 보냈다고 말했다.

임신 중인 쉬잔은 테레즈에게 자신의 괴로움과 즐거움에 관해 계속 수다를 떨었다. 테레즈는 관심이 있는 척하면서 쉬잔의 말을 흘려들으며, 시선을 고정하고 입술을 꼭 다문 채 때때로 고개를 끄덕이곤 했다. 눈을 내리깔고 있어서 얼굴 전체에 그늘이 져 있었다. 한편 로랑은 미쇼 영감과 올리비에의 얘기에 열심히 귀를 기울였다. 그 신사들의 대화는 끊일 줄을 몰랐다. 그리베는 부자 간의 대화에 끼어들어 한마디라도 하고 싶었지만 쉽지가 않았다. 그는 그들 부자가 말을 아주 잘한다고 생각하면서 그들에게 상당한 존경심을 품었다. 그날 저녁에는 게임 대신 이야기판이 벌어졌다. 그리베는 전직 경찰의 이야기가 도미노 게임만큼이나 재미있다며 천진난만하게 소리쳤다.

미쇼 부자와 그리베가 라캥 부인 집에서 매주 목요일 저녁 모임을 가진 지도 벌써 4년이 되었지만, 지긋지긋할 정도로 꼬박꼬박 돌아오는 이 단조로운 모임을 그 누구도 지겨워한 적이 없었다. 그들은 자신들이 드나드는 그토록 평화롭고 아늑한 집에서 무시무시한 비극이 벌어지고 있으리라고는 꿈에도 생각하지 않았다. 직업은 못 속인다고, 올리비에는 식당에서 정직한 사람 냄새가 난다고 경찰이나 할 법한 농담을 했다. 그리베도 질세라, 그곳을 '평화의 전당'이라 불렀다. 테레즈는 자기 얼굴의 타박상은 넘어져서 생긴 거라고 두세 번 반복하여 손님들에게 설명했다. 하기야 누구도 그것이 로랑의 주먹에 맞아 생긴 멍이라고는 생각해보지 못했을 것이다. 그들은 두 내외가 아주 다정하고 사랑이 넘치는 모범적인 부부라고 확신했다.

온몸이 마비된 노파는 이제 더 이상 목요일 저녁의 나른하고 조용한 분위기 이면에 숨은 파렴치한 실상을 손님들에게 알리려고 애쓰지 않았다. 살인자들의 고통을 지켜보면서, 연이어 일어나는 필연적인 정황들을 미루어 볼 때 조만간 크게 일이 터질 것 같았다. 굳이 자기가 나서지 않아도 결국에는 진실이 밝혀질 것이라는 사실을 깨달은 것이다. 그때부터 부인은 뒤로 물러나, 두 살인자가 자연스럽게 서로 죽이고 죽도록 내버려두기로 했다. 다만 자기가 예견하는 그 엄청난 결말을 목격할 수 있을 만큼만 더 살게 해달라고 하늘에 기도했다. 라캉 부인의 마지막 바람은 테레즈와 로랑이 극도의 고통에 몸부림치며 산산조각 나는 광경을 자기 눈으로 지켜보는 것이었다.

그날 저녁, 그리베는 라캉 부인 옆으로 가서 자리를 잡고 앉았다. 그는 평소처럼 혼자 묻고 혼자 대답하면서 오랫동안 이야기를 했다. 하지만 노파는 그에게 눈길 한번 주지 않았다. 11시 반을 알리는 종이 울리자, 손님들은 부산하게 자리에서 일어났다.

"집이 너무 아늑해서 돌아가고 싶은 생각이 전혀 들지 않아요."그리베가 말했다.

그러자 미쇼 영감이 거들었다. "사실 여기서는 전혀 졸리지가 않아요. 평소에는 9시만 되어도 곯아떨어지는데 말입니다."

올리비에는 자기가 농담을 해야 할 때라고 생각했다.

"그러게 말입니다."그가 누런 이를 드러내며 말했다. "여기 이 방에서는 정직한 사람들 냄새가 난다니까요. 그래서 이곳이 이토록 아늑한 거예요."

그리베는 멋진 농담을 던질 기회를 빼앗긴 것에 마음이 상해서, 과장된 몸짓으로 허풍을 떨기 시작했다.

"이곳은 '평화의 전당'이라니까."

그사이 쉬잔은 모자 끈을 묶으며 테레즈에게 말했다.

"내일 아침 9시에 올게요."

"아뇨." 테레즈가 황급히 대답했다. "오후에 오세요. 어쩌면 오전에 외출할지도 모르겠어요."

테레즈는 뭔가에 쫓기는 듯한 목소리로 말했다. 그는 파사주까지 손님들을 배웅했다. 로랑도 손에 램프를 들고 내려갔다. 단둘이 남았을 때 그 부부는 각자 안도의 한숨을 내쉬었다. 저녁 모임 내내 은밀한 초조함에 사로잡혀 있었던 게 분명했다. 전날 이후로 그들은 서로를 마주할 때마다 더 침울하고, 더 불안했다. 그들은 서로 눈길을 피하면서 조용히 위층으로 올라갔다. 두 사람의 손이 심하게 떨렸다. 로랑은 손을 떠느라 자칫 램프를 떨어뜨릴 뻔했다.

평소에 그들은 라캥 부인을 잠자리에 눕히기 전에 식당을 정돈한 뒤 밤중에 마실 설탕물을 한잔 마련하고, 마비 환자 주위를 오가며 필요한 모든 것을 준비해놓았다.

하지만 그날 저녁, 두 사람은 입술에 핏기가 가신 채 멍한 눈으로 잠시 식탁에 앉아 있었다. 침묵이 흐른 뒤, 갑자기 깜짝 놀라 꿈에서 깨어난 것처럼 로랑이 물었다.

378

"자, 이제 그만 자러 갈까?"

"그래, 그래. 자러 가야지." 테레즈가 몹시 추운 듯 몸을 떨며 대답했다.

테레즈는 일어나서 물병을 잡았다.

"놔둬." 남편이 자연스럽게 보이려고 애쓰며 소리쳤다. "내가 설탕물을 타 갖고 올게. 당신은 고모나 돌봐드려."

그는 아내의 손에서 물병을 빼앗아 물그릇에 물을 한잔 따랐다. 그리고 반쯤 돌아서서 거기다 설탕 조각을 넣은 뒤 작은 도자기병의 내용물을 부었다. 그사이에 테레즈는 찬장 앞에 몸을 웅크렸다. 그는 부엌칼을 꺼내 허리띠에 달린 커다란 주머니에 슬쩍 밀어 넣으려고 했다.

그 순간, 위험이 다가오고 있음을 본능적으로 알아챈 두 사람은 동시에 고개를 돌렸다. 그들의 눈길이 마주쳤다. 테레즈는 로랑의 손에 들려 있는 작은 병을 보았고, 로랑은 테레즈의 치마 주름 사이에서 시퍼렇게 번득이는 칼날을 보았다. 남편은 식탁 옆에 서서, 아내는 찬장 앞에 몸을 구부린 채, 두 사람은 그렇게 몇 초 동안 말없이 차가운 눈길로 서로를 살폈다. 그들은 무슨 일이 일어나는지 알아차렸고, 상대도 자기와 똑같은 생각을 한다는 걸 알고 그대로 얼어붙어 있었다. 둘은 서로의 당황한 얼굴에서 은밀한 의도를 읽으면서 연민과 공포에 사로잡혔다.

라캉 부인은 결말이 가까워진 것을 느끼면서, 매서운 눈길로 그들을 빤히 노려보았다.

그때 갑자기, 테레즈와 로랑이 오열을 터뜨렸다. 그들은 극도의 발작에 허물어지면서 겁 많고 나약한 어린아이들처럼 서로의 품으로 뛰어들었다. 따뜻하고 감동적인 무언가가 그들의 가슴속에서 깨어나는 것 같았다. 그들은 이제까지 자신들이 이끌어 온 삶과, 비겁하게 살아남는다면 또다시 이어가야 할 삶을 생각하면서 말없이 눈물을 흘렸다. 지난날을 떠올리니 너무도 지치고 피곤했다. 이제는 정말로 쉬고 싶다는 생각이 간절했다. 그들은 독이 든 잔과 칼 앞에서 마지막 감사의 눈길을 주고받았다. 테레즈가 잔을 들고 반쯤 마신 뒤 로랑에게 내밀었다. 로랑은 나머지를 단숨에 마셨다. 그 일은 번개처럼 순식간에 일어났다. 그들은 마침내 죽음에서 위안을 찾았고 서로의 몸 위로 포개지며 쓰러졌다. 여자의 입술이 남편의 목으로 가서, 카미유가 물어뜯은 상처에 닿았다.

두 구의 시신은 밤새도록 켜진 램프 불빛을 받아 누르스름한 빛을 띤 채, 식당 바닥 위에 서로 포개지고 뒤틀린 그대로 엎어져 있었다. 그리고 다음 날 정오 무렵까지 거의 열두 시간 동안, 라캉 부인은 뻣뻣하게 굳은 몸으로 말없이 앉아서, 아무리 보아도 성에 차지 않는다는 듯이 발밑의 두 시체를 무거운 눈길로 짓누르듯 쏘아보고 있었다.

우리를 뒤흔드는 『테레즈 라캥』에 없는 몇 가지

에밀 졸라의 문학 세계에 관한 사전 지식을 완전히 배제하고 그냥 우리 눈앞에 던져진 한 권의 새로운 소설로서 『테레즈 라캥』을 읽었다고 가정해보자. 자연주의 문학이나 시대적 배경이나 상황을 덮어두고 이 소설을 읽는다 해도, 책을 읽는 동안, 그리고 책을 덮으면서 우리에게 강렬하게 와닿는 느낌은 역시나 불편함, 불쾌감, 회의감 같은 부정적인 감정일 것이다. 그것은 사실 『테레즈 라캥』에 우리가 소설에서 흔히 기대하는 요소들이 부재하는 데서 비롯된다고 할 수 있다. 그런데 마땅히 있을 것으로 예상하던 요소들의 '없음'이 불러일으키는 불편함, 바로 그것이 역으로 이 소설에 더없이 소중한 가치를 부여하며, 우리에게 깊은 잔상을 남긴다. 그러면 이 소설에서 찾아볼 수 없는 것들은 무엇일까? 하나하나 들여다보자.

우선, 이 소설에는 목가적인 사랑이나 낭만적인 서사가 없다. 남자와 여자의 만남이 있고, 그 만남으로 일어나는 이야기가 중심을 이루지만, 이것은 사랑의 드라마가 아니다. 주인공 테레즈와 로랑의 사랑은 감정의 문제가 아니라 육체적 반응이며 필요를 만족시키는 행위일 뿐이다. 둘의 만남은 타고난 본능과 환경에 영향을 받으며 변화의 단계를 거친다. 그렇기 때문에 그들의 사랑은 한순간도 아름답게 그려지지 않는다.

두 번째로, 선남선녀가 없다. 등장하는 인물들 가운데 외모로 보나 내면으로 보나, 또는 계층으로 보나 환경으로 보나 어느 요소 하나 그럴듯한 인물을 찾아볼 수 없다. 라캥 부인과 카미유뿐만 아니라 목요일 저녁 모임에 모이는 사람들도 하나같이 혐오스러운 면모를 지니며, 심지어 주인공인 테레즈와 로랑조차도 전혀 매력적이지 않다. 테레즈만 해도, 코가 길고 입술은 너무 얇고 긴 데다, 얼굴색이 누렇게 떠서 못생긴 축에 속한다고 묘사되며, 로랑 또한 뚱뚱해 보일 만큼 둔하고 다부진 체격에 시골 농부처럼 세련되지 못한 풍모를 지닌다. 그렇다고 어딘가 독자들을 잡아끌 만한 매력이 있는 것도 아니다. 이들은 한마디로 우리가 관념적으로 생각하는 로맨틱한 사랑에 부적합한 인물들인 셈이다. 인격적으로도, 계층적으로도, 환경적으로도, 이 소설의 모든 인물은 평범하거나 평범에도 못 미친다.

세 번째로, 그 어떤 인물에게서도 인간적인 미덕을 찾아볼 수 없다. 모든 등장인물의 심리와 행동 기제는 이기심이다. 그들은 오로지 이기심에 의해서만 행동하고 본능만을 추구하며 관계를 맺는다. 여기서 발현되는 선량함이나 배려의 밑바닥에는 언제나 이기심이 있다. 슬프게도, 인물 중 그 누구도 이 원칙을 피해 가지 않는다. 더욱이 칙칙함, 음산함, 탐욕, 이기심, 어리석음, 추함과 대비되는 화려함, 고결함, 순수한 선의, 현명함, 아름다움 같은 것도 전혀 찾아볼 수 없다. 작가는 놀랍게도 칙칙함을 더 칙칙하게, 추함을 더 추하게 부각시키기 위한 장치로서라도 대비가 되는 배경이나 인물을 등장시키지 않고, 오로지 그 더럽고 지저분한 시궁창 안에서만 이야기를 전개해나간다.

네 번째로, 이 소설에는 권선징악이나 인과응보 같은 주제 의식이 없다. 테레즈와 로랑은 자신들의 죄로 인해 괴로워하고 결국에는 파멸하지만, 그들은 결코 진심으로 뉘우치지 않으며 양심의 가책을 조금도 느끼지 않는다. 흐릿한 의식 속에서 일신의 안위를 욕망하는 그들은 오직 자신들의 죄가 탄로 나 벌을 받게 될까 두려워하며, 앞으로도 영원히 공포와 괴로움 속에 살아가야 한다는 사실을 견디지 못해 스스로 목숨을 끊는다. 진정한 반성도 없고 도덕과 부도덕의 잣대로 그들을 심판하고 처벌하는 존재도 없다. 그들의 마음속 작용이 그들을 죽음으로 내몰 뿐이다. 삶이 그토록 고통스럽다면 죽음도 비극이 되지 못한다. 여기서 그들에게 죽음은 삶과 같은 무게를 지니거나, 거기에서 안식을 취할 수 있다는 점에서 오히려 삶보다 가벼운 결말이 될 수 있다.

이처럼 부재하는 요소와 소설 안에서 무수히 되풀이되는 불안, 공포, 두려움, 탐욕, 갈망, 지루함, 공허, 이기심, 마비 상태, 도취 상태, 광기, 공허 같은 단어들은 인물들의 민낯이자 평범한 인간들의 본성을 발가벗겨 보여주기 위한 표현 도구이다. 인물들은 처음부터 끝까지 음울하고, 지루해하고, 놀라고, 공포와 불안과 두려움에 떨고, 불만에 사로잡히고, 좌절하고, 흐느끼고, 마비나 도취 상태에서 본능적인 욕망을 좇을 뿐이다. 그러므로 모든 사회성과 인간성을 배제하고 오로지 인간이라는 '동물'을 천착해 들어감으로써 잔인한 진실을 폭로하는 이 소설에 당연히 불편함을 느낄 수밖에 없을 것이다. 우리는 그들의 이야기를 따라가면서 인간의 본성이 이토록 추악하고 사악한 것인가, 하는 의문을 갖게 되며 그게 진실이라면 우리는 왜 사는가, 이 진실을 극복할 해결책은 전혀 없는 것인가, 하는 문제에 봉착하게 된다. 그리고 바로 그것이 이 작품의 본질이자 존재 이유이기도 하다. 우리로 하여금 이 근원적인 문제를 되돌아보게 하는 것, 이 지점이 『테레즈 라캥』에 뛰어난 가치를 부여하고 작품을 문학의 정점에 올려놓는다.

  21세기를 사는 우리의 눈에도 불편하기 짝이 없는데 하물며 지금으로부터 150년이 더 된 과거에 한 이름 없는 청년 작가가 느닷없이 발표한 이 소설이 어떻게 비춰졌을까? 이쯤에서 에밀 졸라라는 위대한 작가가 추구했던 문학 세계, 그리고 그의 시대에 이 작품의 등장이 갖는 의미 같은, 주변 이야기를 끌어올 필요가 있다. 1867년, 20대 청년이었던 에밀 졸라가 그의 문학적 위업인 '루공 마카르 총서'의 밑그림이 된 이 소설을 발표했을 때, 그 파격은 실로 엄청난 것이었다. 졸라는 유전적 기질, 계층과 환경의 영향을 받는 인간이라는 유기체가 어떻게 변화해나가는지를 자연과학자의 시선으로 냉철하게 탐구하고 분석하겠다는 의도를 가지고 『테레즈 라캥』을 발표했고, "검시관이 시신을 부검하듯 살아 있는 두 육체에 분석적 방법을 적용했을 뿐"(『테레즈 라캥』 서문)이라며 자신의 창작 방법을 밝혔다. 이 소설은 문학에서 인간의 고귀함과 도덕성을 찾던 시대에 세상을 뒤흔드는 충격을 일으켰다. 그 화제성 덕분에 초판이 1만 부나 팔려나갈 만큼 큰 반향을 일으켰지만, 비평계는 엄청난 비난과 혹평을 쏟아냈다. 자신들의 관념을 깨부수는 이 작품에 그들은 격하게 분노했다.

1868년 에밀 졸라는 이 소설의 2판에 서문을 실어 평단의 몰이해와 비난을 향해 더없이 명료하게 이 작품의 의도를 밝힌다. 하지만 자연주의 문학을 실천한 그의 작품들이 재조명을 받은 것은 그의 사후 20세기 중반에 접어들어서였다. 이 점을 뒤집어 말하면, 에밀 졸라는 전 시대의 고정관념을 깨부수고 문학의 새로운 지평을 연 선구적 작가이자, 미래의 많은 예술가에게 영감을 준 진정한 예술가라는 뜻이 될 것이다. 그가 낭만주의를 넘어선 이후, 그의 자연주의를 넘어서려는 시도가 줄을 지어 등장했다. 유미주의, 상징주의, 초현실주의를 거쳐 실존주의에 이르기까지 그 모든 사조는 에밀 졸라라는 거대한 뿌리가 있었기 때문에 탄생한 것이라 해도 과언이 아니다. 특히, 실존주의 문학에서 다뤄지는, 자유의지를 박탈당한 채 마비 상태에 빠져 영혼 없이 행동하는 인물들을 보면 자연스레 테레즈와 로랑이 떠오른다. 그 인물들이 에밀 졸라의 인물들과 다른 점은, 흐릿한 의식 속에서 공허하게 살아가지만 인간성과 인간의 의지를 되찾으려는 노력을 한다는 점일 것이다. 아마도 바로 이것이 앞에서 던진 의문, 인간이라는 동물의 실체를 안 후에 떠오르는 질문, '우리는 왜, 어떻게 살아야 하는가'라는 질문에 대한 대답이 될 것이다. 에밀 졸라가 껍데기를 벗긴 인간을 보여주었기 때문에, 그 잔혹한 인간의 조건을 폭로했기 때문에, 후세대는 그것을 극복하려고 처절하게 고심하며 자유의지야말로 인간성의 증거이며 우리는 그것을 증명하려고 살아간다는 것을 해답으로 찾아낸 것이다. 바로 지금, '그럼에도 불구하고' 인간은 아름다운 존재이며 인생은 살 만한 것임을 보여주는 소설, 영화, 드라마 들이 쏟아져 나오는 것도, 우리의 편견을 강타하면서 불편하게 만드는 에밀 졸라의 경이로운 작업이 있었던 덕분일 것이다. 21세기에 다시 만난 『테레즈 라캥』은 분명히 우리가 한발 더 나아가 인간과 삶을 보다 깊이 이해할 수 있게 하는 징검다리가 되어줄 것이다.

2023년

윤미연

W 월북 클래식
불꽃 컬렉션

테레즈 라캥

펴낸날 초판 1쇄 2023년 10월 2일

지은이 에밀 졸라

옮긴이 윤미연

펴낸이 이주애, 홍영완

편집장 최혜리

편집2팀 이정미, 박효주, 문주영, 홍은비

편집 양혜영, 장종철, 김하영, 강민우, 김혜원, 이소연

마케팅 김태윤, 김철, 정혜인, 김준영

디자인 박아형, 김주연, 기조숙, 윤소정

해외기획 정미현

경영지원 박소현

도움교정 김이슬

펴낸곳 (주)월북 출판등록 제2006-000017호

주소 10881 경기도 파주시 광인사길 217

전화 031-955-3777 팩스 031-955-3778

홈페이지 willbookspub.com

블로그 blog.naver.com/willbooks 포스트 post.naver.com/willbooks

트위터 @onwillbooks 인스타그램 @willbooks_pub

ISBN 979-11-5581-640-0 04800

　　　979-11-5581-639-4(세트)